W9-BXN-909

Course   Elementary Spanish 2
Course Number   **SPA 102**
                Robert Jones
                Fulton-Montgomery Community College
                Humanities

http://create.mheducation.com

Copyright 2018 by McGraw-Hill Education. All rights
reserved. Printed in the United States of America. Except as
permitted under the United States Copyright Act of 1976, no part
of this publication may be reproduced or distributed in any form
or by any means, or stored in a database or retrieval system,
without prior written permission of the publisher.

This McGraw-Hill Create text may include materials submitted to
McGraw-Hill for publication by the instructor of this course.
The instructor is solely responsible for the editorial content of such
materials. Instructors retain copyright of these additional materials.

ISBN-10: 1121760090   ISBN-13: 9781121760097

Contents

Otro encuentro 1
  1. Lección 4A: Cuando no trabajo... 3
  2. Lección 4B: En casa 29

Un día perfecto 57
  3. Lección 5A: La tecnología y yo 59
  4. Lección 5B: Érase una vez... 83

Confrontación 111
  5. Lección 6A: Vamos al extranjero 113
  6. Lección 6B: La naturaleza y el medio ambiente 137

Bajo el sol 165
  7. Lección 7A: ¿Cómo te sientes? 167
  8. Lección 7B: Los demás y yo 193
  9. Cuando no trabajo... 221
10. En casa 235
11. La tecnología y yo 251
12. 5B Érase una vez... 267
13. 6A Vamos al extranjero 283
14. 6B La naturaleza y el medio ambiente 297
15. 7A ¿Cómo te sientes? 313
16. 7B Los demás y yo 329
 A. Appendix 1: Verbs 345
 B. Appendix 2: Glossary of Grammatical Terms 351
 C. Spanish-English Vocabulary 355
 D. Answer Key 387
 E. Answer Key 395

Credits

Otro encuentro 1

1. Lección 4A: Cuando no trabajo...: *Chapter from Sol y viento: Beginning Spanish, Third Edition by VanPatten, Leeser, Keating, 2012* 3
2. Lección 4B: En casa: *Chapter from Sol y viento: Beginning Spanish, Third Edition by VanPatten, Leeser, Keating, 2012* 29

Un día perfecto 57

3. Lección 5A: La tecnología y yo: *Chapter from Sol y viento: Beginning Spanish, Third Edition by VanPatten, Leeser, Keating, 2012* 59
4. Lección 5B: Érase una vez...: *Chapter from Sol y viento: Beginning Spanish, Third Edition by VanPatten, Leeser, Keating, 2012* 83

Confrontación 111

5. Lección 6A: Vamos al extranjero: *Chapter from Sol y viento: Beginning Spanish, Third Edition by VanPatten, Leeser, Keating, 2012* 113
6. Lección 6B: La naturaleza y el medio ambiente: *Chapter from Sol y viento: Beginning Spanish, Third Edition by VanPatten, Leeser, Keating, 2012* 137

Bajo el sol 165

7. Lección 7A: ¿Cómo te sientes?: *Chapter from Sol y viento: Beginning Spanish, Third Edition by VanPatten, Leeser, Keating, 2012* 167
8. Lección 7B: Los demás y yo: *Chapter from Sol y viento: Beginning Spanish, Third Edition by VanPatten, Leeser, Keating, 2012* 193
9. Cuando no trabajo...: *Chapter 4A from Manual de actividades que acompaña Sol y viento: Beginning Spanish, Third Edition, Volume 1 by VanPatten, Leeser, Keating, 2012* 221
10. En casa: *Chapter 4B from Manual de actividades que acompaña Sol y viento: Beginning Spanish, Third Edition, Volume 1 by VanPatten, Leeser, Keating, 2012* 235
11. La tecnología y yo: *Chapter 5A from Workbook/Lab Manual (Manual de actividades) Volume 2 for Sol y viento, Third Edition by VanPatten, Leeser, Keating, 2012* 251
12. 5B Érase una vez...: *Chapter 5B from Workbook/Lab Manual (Manual de actividades) Volume 2 for Sol y viento, Third Edition by VanPatten, Leeser, Keating, 2012* 267
13. 6A Vamos al extranjero: *Chapter 6A from Workbook/Lab Manual (Manual de actividades) Volume 2 for Sol y viento, Third Edition by VanPatten, Leeser, Keating, 2012* 283
14. 6B La naturaleza y el medio ambiente: *Chapter 6B from Workbook/Lab Manual (Manual de actividades) Volume 2 for Sol y viento, Third Edition by VanPatten, Leeser, Keating, 2012* 297
15. 7A ¿Cómo te sientes?: *Chapter 7A from Workbook/Lab Manual (Manual de actividades) Volume 2 for Sol y viento, Third Edition by VanPatten, Leeser, Keating, 2012* 313

16. 7B Los demás y yo: *Chapter 7B from Workbook/Lab Manual (Manual de actividades) Volume 2 for Sol y viento, Third Edition by VanPatten, Leeser, Keating, 2012*   329

A. Appendix 1: Verbs: *Chapter from Sol y viento: Beginning Spanish, Third Edition by VanPatten, Leeser, Keating, 2012*   345

B. Appendix 2: Glossary of Grammatical Terms: *Chapter from Sol y viento: Beginning Spanish, Third Edition by VanPatten, Leeser, Keating, 2012*   351

C. Spanish-English Vocabulary: *Chapter from Sol y viento: Beginning Spanish, Third Edition by VanPatten, Leeser, Keating, 2012*   355

D. Answer Key: *Chapter from Manual de actividades que acompaña Sol y viento: Beginning Spanish, Third Edition, Volume 1 by VanPatten, Leeser, Keating, 2012*   387

E. Answer Key: *Chapter from Workbook/Lab Manual (Manual de actividades) Volume 2 for Sol y viento, Third Edition by VanPatten, Leeser, Keating, 2012*   395

Otro encuentro

EPISODIO

4

LECCIÓN **4A**

LECCIÓN **4B**

Otro encuentro

Escena 1

JAIME: No sé. A veces la vida... le cambia[a] a uno. Le cambia el destino, ¿no es cierto?

TRAIMAQUEO: Es posible, señor. Pero hay muchos que se equivocan con[b] los cambios. Creen que su vida es mejor, pero no lo es.[c] Así[d] lo veo yo...

[a]le... *changes*   [b]se... *are mistaken about*   [c]no... *it isn't*
[d]*That is how*

Escena 2

JAIME: ¿Tiene algún significado esta figura?

TENDERA: Sí, esta figura simboliza un espíritu protector de los mapuches.

Escena 3

MARÍA: Bueno, además de[a] ser profesora, trabajo por los derechos[b] del pueblo mapuche.

JAIME: ¡Ah! Entonces,[c] a lo mejor[d] le gusta esto. Es para Ud.

[a]además... *in addition to*   [b]*rights*   [c]*Then*   [d]a... *maybe*

¿Qué crees tú?

Escena 1

1. ¿Con quién estás más de acuerdo (*do you agree with more*): con Jaime o con Traimaqueo?
2. ¿Crees que el destino de Jaime cambió (*changed*) en cierto momento en el pasado?

Escena 2

1. Jaime está interesado en una figura. ¿Por qué está interesado en esta figura en particular?
2. ¿Crees que los mapuches van a ser una de las partes importantes de la historia de *Sol y viento*?

Escena 3

1. María es activa políticamente. ¿Crees que Jaime participa activamente en la política también?
2. ¿Qué crees que tiene Jaime para María?

LECCIÓN

4A

Cuando no trabajo...

OBJETIVOS

IN THIS LESSON, YOU WILL LEARN:

▶ how to talk about pastimes and leisure activities

▶ vocabulary related to sports and fitness activities

▶ how to talk about special occasions and holidays

▶ how to talk about activities in the past using the preterite tense

▶ about Latinos and Spanish in the United States

In addition, you will prepare to watch **Episodio 4** of the film *Sol y viento*.

Una vez al año, la famosa Calle Ocho en Miami se transforma en escenario (*stage*) de un festival: la celebración del carnaval al estilo caribeño.

The following media resources are available for this lesson of *Sol y viento*:

Episodio 4 *of Sol y viento*

CENTRO
Your media center for languages

Online *Manual de actividades*

WWW

Online Learning Center Website

PRIMERA PARTE

Vocabulario

Talking About What You Do When You Don't Study or Work

El tiempo libre

En las fiestas

Leisure Activities

Roberto

A Roberto no le gustan **las fiestas.** Es un poco tímido y no le gusta **rozarse con la gente.** No hace más que **tomar** y **picar.** ¿Eres tú como él?

picar	to nibble
rozarse con la gente	to mingle with people

Repaso: tomar

Más vocabulario

dar (*irreg.*) **una fiesta**	to throw a party	**el juego**	game (*as in chess*)
pasarlo bien/mal	to have a good/bad time	**divertido/a**	fun
el aguafiestas	party pooper		
Repaso: bailar, tocar (la guitarra, el piano)			

Otras formas de ocio^a

^a*leisure*

En el parque, la gente hace varias actividades. Unos **patinan en línea.** Otros **dan un paseo.** A unos les gusta **andar en bicicleta.** En el lago, otros prefieren **navegar en barco.**

andar en bicicleta	to ride a bicycle
dar (*irreg.*) **un paseo**	to take a walk; to stroll
navegar en barco	to sail
patinar (en línea)	to (inline) skate

Más vocabulario

cocinar	to cook
dibujar	to draw
jugar (ue) al* adjedrez	to play chess
meditar	to meditate
pintar	to paint
practicar el yoga	to do yoga
sacar un DVD	to rent a DVD
visitar un museo	to visit a museum
los ratos libres	free (spare) time

¡Exprésate!

To make impersonal statements, ones in which the verb is singular and the subject is not specified, use the reflexive pronoun **se.** The rough equivalent in English is *one, you,* or *they.*

Se puede llamar a la profesora si hay preguntas.

One (You, They) can call the professor if there are questions.

Se necesita practicar el español todos los días.

One needs (You/They need) to practice Spanish every day.

Actividad A   ¿Cómo lo ves?

Paso 1   Escucha mientras tu profesor(a) menciona una actividad. ¿En qué categoría la pondrías (*would you put it*)?

CATEGORÍAS
se necesita equipo (*equipment*) especial
se puede hacer solo/a (*alone*)
se necesita cierto talento
se requiere mucho esfuerzo (*effort*) físico

(Continúa.)

---

*Remember that **a** + *definite article* is used with **jugar** when talking about games and sports.

Paso 2 Mirando (*Looking at*) las actividades que has escrito (*you have written*), indica para cuáles, en tu opinión, se necesita (*is needed*) una persona y para cuáles se necesitan dos personas.

MODELO: Para jugar al ajedrez se necesitan dos personas.

Actividad B   Las personas célebres

¿Qué personas célebres o personajes conocidos asocias con cada actividad?

1. cocinar
2. tocar el piano
3. ir a una discoteca
4. bailar
5. andar en bicicleta
6. dar fiestas

Actividad C   En una fiesta

Paso 1 Utilizando el vocabulario nuevo de la página 192, escribe cuatro oraciones sobre lo que te gusta hacer durante las fiestas y cuatro sobre lo que no te gusta de ellas.

MODELO: Me gusta mucho bailar.

No me gusta para nada rozarme con la gente.

Paso 2 Utilizando las ocho oraciones del **Paso 1,** conviértelas en preguntas para otra persona. ¿Son sus respuestas iguales a las tuyas?

MODELO: ¿Te gusta dar fiestas tanto como ser invitado/a a una?

Actividad D   ¿Qué opinas?

Escribe un párrafo sobre el siguiente tema y explica si estás de acuerdo o no y por qué.

Rozarse con nuevas personas en una fiesta es muy fácil. Y si necesitas hacer un nuevo amigo, sólo tienes que decir «¡Hola!».

Vistazo cultural

La quinceañera

La quinceañera es una de las fiestas más típicas entre los latinos en los Estados Unidos. Esta fiesta se celebra cuando una chica, también conocida como «la quinceañera», llega a los 15 años de edad. La fiesta representa la transición de niña a mujer. El rito[a] de celebrar los 15 años tiene su origen en la cultura azteca de alrededor de 500 a.C. (antes de Cristo). Cuando los españoles llegaron al Nuevo Mundo, adoptaron[b] esta costumbre, reemplazando[c] las danzas aztecas con el waltz y en vez de hacer la fiesta en el templo la celebraron[d] en la iglesia. Hoy en día, la fiesta de la quinceañera se celebra no sólo en los Estados Unidos sino[e] por toda Latinoamérica. La chica y su corte suelen llevar vestidos largos. Hay una misa[f] propia de la ocasión y hay música, comida, un baile especial entre padre e hija y, en algunos casos, la fiesta llega a ser tan elaborada como una boda.[g]

La quinceañera con su corte

[a]*rite* [b]*adopted* [c]*replacing* [d]*celebrated* [e]*rather* [f]*mass* [g]*wedding*

Gramática

Lo pasé muy bien.　Preterite Tense of Regular -ar Verbs

Introduction to
Talking About
the Past

Regular -ar Verbs in the Preterite bailar			
yo	bail**é**	nosotros/as	bail**amos**
tú	bail**aste**	vosotros/as	bail**asteis**
Ud.	bail**ó**	Uds.	bail**aron**
él/ella	bail**ó**	ellos/ellas	bail**aron**

To talk about past events in Spanish, at a minimum you will need to know how to use two sets of verb forms: the *preterite* and the *imperfect*. This lesson will focus solely on the preterite. In this section of the lesson, you will learn the forms of the preterite for regular -ar verbs.

The preterite (**el pretérito**) has several equivalents in English to express a single event in the past. Look at the examples that follow.

Lo **pasé** muy bien.	*I had a good time.*
De veras, lo **pasé** muy bien.	*Honestly, I did have a good time.*

What you see is that the preterite is used to talk about finished or completed events in the past. If the action or event is viewed by the speaker as completed by a certain time point—no matter how long the action or event lasted—it will be expressed in the preterite.

Sólo **canté** una canción.	*I sang only one song.*
Los dinosaurios **reinaron** por millones de años.	*Dinosaurs reigned for millions of years.*

Note the following about -ar verb forms of the preterite.

1. The **nosotros** form is the same as that used in the present tense. Context usually lets you know whether past or present is intended.

Ayer **visitamos** el Museo del Prado.	*Yesterday we visited the Prado Museum.*

2. Verbs that end in **-car, -gar,** and **-zar** have spelling changes in the **yo** form to keep the *k*, hard *g*, and soft *c* sounds, respectively.

tocar: -car → qu	to**qu**é, tocaste,...
pagar: -gar → gu	pa**gu**é, pagaste,...
empezar: -zar → c	empe**c**é, empezaste,...

3. Verbs with present-tense stem changes show no stem changes in the preterite.

   com**ie**nza *but* com**e**nzó

   alm**ue**rza *but* alm**o**rzó

4. Note the accent marks on the **yo, Ud.,** and **él/ella** forms. These are important to demonstrate the shift of stress from the stem of the verb to the verb ending.

Actividad E   ¿Quién lo diría (*would say it*)?

Basándote en episodios previos de *Sol y viento,* ¿quién podría (*could*) decir las siguientes oraciones?

1. Trabajé con mis estudiantes.
2. Llegué a Santiago el lunes.
3. Lo llevé al Hotel Bonaparte.
4. Compré un papelito de la suerte.

¿Qué hizo Jaime (*did Jaime do*) cuando llegó a Chile?

Actividad F   El estudiante y el profesor

Paso 1   Agrupa las siguientes actividades según lo que crees que hizo (*did*) anoche (*last night*) un estudiante o el profesor o los dos. Todas las oraciones se refieren a posibles actividades de anoche. Compara tus respuestas con las de un compañero (una compañera) para ver si son iguales.

1. Tomó una cerveza.
2. Habló con un amigo por teléfono.
3. Navegó la red para buscar información.
4. Charló con alguien por correo electrónico.
5. Regresó a casa después de las 5:00 de la tarde.
6. Preparó la cena.
7. Bailó en una fiesta.

Paso 2   Entrevisten al profesor (a la profesora) entre todos para ver si hizo las actividades anteriores anoche. Usen **tú** o **Ud.,** según la costumbre (*custom*) de la clase. ¿Creen Uds. que su profesor(a) es típico/a?

Actividad G   En el pasado

Completa cada oración con la forma de **ellos** en el pretérito del verbo apropiado. Luego, di (*say*) qué personas famosas hicieron (*did*) cada actividad.

     actuar   buscar   inventar   pintar   tocar   viajar

MODELO: ____ en muchas películas de horror. → Boris Karloff y Bela Lugosi
         actuaron en muchas películas de horror.

1. _____ aparatos o máquinas importantes.
2. _____ cuadros (*paintings*) famosos durante el Renacimiento (*Renaissance*).
3. _____ grandes distancias en un avión (*airplane*).
4. _____ en las películas de James Bond.
5. _____ su fortuna en el Nuevo Mundo (*New World*).
6. _____ la guitarra en bandas de música rock en los años 60 (*the sixties*).

¡Exprésate!

To express the concept of *ago*, Spanish uses **hace** plus the amount of time elapsed. For example, **hace unos días** means *a few days ago*, and **hace unas semanas** means *a few weeks ago*. How would you say *a month ago*? *several years ago*?

Actividad H   ¿Cuándo?

Paso 1 Siguiendo el modelo, escribe cuándo hiciste cada actividad: ayer, anoche, la semana pasada, hace dos días, hace un mes, hace... ,

MODELO: Hace dos semanas canté karaoke en un bar.

1. bailar en una fiesta
2. cocinar algo especial para alguien
3. visitar un museo
4. sacar un DVD
5. pasarlo muy bien con mi familia

Paso 2 Convierte las oraciones del **Paso 1** en preguntas para hacérselas a tus compañeros. Luego, busca a personas que dieron (*gave*) respuestas iguales a las tuyas en por lo menos cinco de las actividades.

MODELO: ¿Cuándo fue la última vez que cantaste karaoke en un bar?

Actividad I   Las personas famosas

Paso 1 ¿Qué sabes de los «célebres»? Escribe dos o tres preguntas sobre una persona famosa. **¡OJO!** (*Careful!*) Debes usar el pretérito en tus preguntas.

MODELO: ¿En qué película cantó John Travolta «Greased Lightning»?

Paso 2 Cada persona va a presentar sus preguntas a la clase. ¿Cuáles son las preguntas más difíciles?

SEGUNDA PARTE

Vocabulario

Talking More About
Leisure Activities

El ejercicio y el gimnasio

Sports and Fitness

Raúl y Elena

Juan Ignacio

Antonia

Marisela

José

Susanita, Carol, Juan Pablo, Billy

Algunas actividades

caminar	to walk
competir (i)	to compete
esquiar (esquío)	to ski
ganar	to win
hacer (*irreg.*) **ciclismo estacionario**	to ride a stationary bike
hacer (*irreg.*) **ejercicio (aeróbico)**	to exercise (do aerobics)
hacer (*irreg.*) **gimnasia**	to work out
jugar (ue) (gu) al golf	to play golf
levantar pesas	to lift weights
nadar	to swim
perder (ie)	to lose
sudar	to sweat

Más vocabulario

quemar calorías	to burn calories
ser (*irreg.*) **aficionado/a (a)**	to be a fan (of)
el/la atleta	athlete
el equipo	team
la milla	mile
el partido	game, match
la piscina	swimming pool
la rueda de andar	treadmill
fuerte	strong

Cognados: el basquetbol, el béisbol, el fútbol,* el fútbol americano, el tenis, el vóleibol
Repaso: correr; gimnasio

Actividad A   ¿Quién es?

Escucha las descripciones que da tu profesor(a). Todas tienen que ver (*have to do*) con las actividades en la página 198. ¿Puedes indicar a quién se refiere cada descripción?

1. … 4. …

2. … 5. …

3. … 6. …

***El fútbol** is the term for *soccer,* whereas **el fútbol americano** is used for *football.*

Actividad B   ¿A quién describo?

Utilizando vocabulario nuevo, escribe tres o cuatro oraciones sobre varios atletas famosos sin (*without*) decir sus nombres. Luego, lee las oraciones a un compañero (una compañera) de clase. ¿Puede adivinar a quién describes?

MODELO: E1: Esta persona juega al tenis. Es español.

E2: ¿Es Rafael Nadal?

E1: Sí.

Actividad C   ¿Cuándo sudas?

Paso 1   Mirando la lista de actividades en la página 199, determina durante cuáles una persona suele sudar mucho, suda algo, suda poco o no suda nada. (Imagina que es un día bonito, de unos 70 grados Fahrenheit.)

Paso 2   Compara lo que tienes con otra persona. ¿Son iguales sus ideas?

MODELO: E1: Uno suda poco cuando nada. ¿Qué dices tú?

E2: Estoy de acuerdo.

Paso 3   ¿A quién le gusta sudar más, a ti o a tu compañero/a?

MODELO: A mí me gusta sudar mucho. ¿Y a ti? ¿También te gusta?

Cuando una persona nada, ¿suele sudar mucho, suda algo, suda poco o no suda nada?

Actividad D   ¿Son importantes los deportes?

Paso 1   Utilizando las preguntas a continuación como guía, entrevista a dos personas de la clase sobre la importancia del ejercicio y los deportes en su vida.

1. ¿Haces ejercicio regularmente? ¿Cuántas veces a la semana? ¿Qué haces?
2. ¿Practicas algún deporte? ¿Cuándo lo practicas?
3. ¿Cuál es tu deporte favorito? ¿Ves muchos partidos en la televisión? ¿Cuáles?
4. ¿Vas a ver muchos partidos?
5. ¿Eres aficionado/a a algún equipo o a algún (alguna) atleta en particular? ¿Cuál es el equipo o quién es el/la atleta? ¿Por qué te gusta?
6. ¿ ?

Paso 2   Basándote en la información que obtuviste (*you obtained*) en el **Paso 1**, contesta la siguiente pregunta en un párrafo de entre 25 y 50 palabras.

¿Son el ejercicio y los deportes importantes para las dos personas?

Vistazo cultural

El béisbol y los latinos

Aunque en el mundo hispano el fútbol es el rey[a] de los deportes, en los Estados Unidos el deporte que más atrae[b] a los latinos es el béisbol. Según la estadística del año 2009 del Instituto para la Diversidad y la Ética en los Deportes, el 29,4% de los jugadores profesionales de béisbol son latinos. En cambio, en el basquetbol y el fútbol americano el 3% y el 1% de los jugadores son latinos, respectivamente. ¿Por qué es tan popular este deporte entre los latinos? Bueno, primero, no requiere equipo especial y en todas las escuelas públicas hay pelotas, bates y guantes[c] para uso de los estudiantes. Segundo, el béisbol no es como el tenis ni el esquí, que frecuentemente requieren lecciones especiales y muchas veces hay que pagar algo para poder participar.[d] Para muchos de los latinos de recursos[e] limitados, el béisbol es un deporte ideal. Además, en este deporte hay verdaderas superestrellas como Alex Rodriguez que sirven de modelos. Esto crea más interés en este deporte entre los latinos.

Alex Rodriguez nació (*was born*) en Nueva York y es de ascendencia dominicana.

[a]*king*   [b]*attracts*   [c]*pelotas... balls, bats, and gloves*   [d]*para... to be able to participate*   [e]*resources*

Gramática

More on Talking
About the Past

Volví tarde.

Preterite of Regular **-er** and **-ir** Verbs

Regular **-er** and **-ir** Verbs in the Preterite			
volver, escribir			
yo	volv**í** escrib**í**	nosotros/as	volv**imos** escrib**imos**
tú	volv**iste** escrib**iste**	vosotros/as	volv**isteis** escrib**isteis**
Ud.	volv**ió** escrib**ió**	Uds.	volv**ieron** escrib**ieron**
él/ella	volv**ió** escrib**ió**	ellos/ellas	volv**ieron** escrib**ieron**

As in the preterite forms of **-ar** verbs, the stress of **-er/-ir** verbs shifts from the stem of the verb to the vowel in the ending
    Note the following.

1. Unlike those for the present tense, the preterite endings (including those for **nosotros/as** and **vosotros/as**) are exactly the same for **-er** and **-ir** verbs.

2. As with stem-changing **-ar** verbs, **-er** verbs show no stem change in the preterite. However, some **-ir** verbs do show a stem change in the preterite, but only in the **Ud., él/ella, Uds.,** and **ellos/ellas** forms. This is true of a verb you have learned in this lesson.

    competir (i, i): * yo competí, ella compitió, Uds. compitieron

    You will learn more about stem-changing **-ir** verbs in the preterite in **Lección 4B.** For now, just keep in mind the changes for this verb as you work through this lesson.

3. An unstressed **i** between vowels becomes **y** for spelling and pronunciation purposes.

    leí, leíste, le**y**ó, leímos, leísteis, le**y**eron

4. Note that the verb **conocer** in the preterite translates as *met.*

    Conocí al nuevo estudiante.   *I met the new student.*

---

*The first vowel or vowel pair in parentheses is the stem change for the present tense. The second shows the stem change in the preterite.

Más gramática

Although you will learn irregular past tense forms later, here are two irregular verbs in the preterite that are useful at this point.

> **hacer:** hice, hiciste, hizo,* hicimos, hicisteis, hicieron
>
> **ir/ser:** fui, fuiste, fue, fuimos, fuisteis, fueron

Note that **ir** and **ser** share the same forms in the preterite. Context will determine meaning.

¿**Fue** Roberto al cine?	*Did Roberto go to the movies?*
Bill Clinton **fue** presidente de 1993 a 2001.	*Bill Clinton was president from 1993–2001.*

Actividad E   Jaime

Paso 1   ¿Cuáles de las siguientes oraciones sobre las actividades de Jaime en los **Episodios 2** y **3** son ciertas?

		C	F
a. _____	Bebió vino en la viña.	☐	☐
b. _____	Comió un sándwich.	☐	☐
c. _____	Conoció a Carlos.	☐	☐
d. _____	Conoció a María.	☐	☐
e. _____	Corrió en el parque.	☐	☐
f. _____	Leyó su correo electrónico.	☐	☐
g. _____	Recibió un mensaje de los Estados Unidos.	☐	☐
h. _____	Salió para el Valle del Maipo.	☐	☐

Paso 2   De las que son ciertas, ¿puedes ponerlas en el orden en que ocurrieron?

Actividad F   Lo que hice en el pasado

Paso 1   Escribe cinco oraciones sobre lo que hiciste en el pasado utilizando los verbos y expresiones a continuación.

MODELO: Una vez corrí veinte millas.

1. comer	**4.** leer
2. perder	**5.** salir con amigos y no volver a casa hasta muy tarde
3. conocer a	

Paso 2   Una persona servirá de (*will serve as a*) voluntaria. Los demás (*The rest*), utilizando lo que ya saben de esa persona, más sus impresiones de él/ella, tratarán de (*will try*) adivinar lo que hizo haciéndole preguntas del tipo **sí/no.** El profesor (La profesora) puede ayudar con el vocabulario.

MODELOS: ¿Comiste algo malo?

¿Comiste algo vivo?

¿Comiste algo y luego te llevaron al hospital?

---

*Note that for **Ud., él,** and **ella, hizo** is spelled with a **z** to maintain the soft **c** sound of the other forms.

Actividad G   Una historia

Paso 1   Con un compañero (una compañera), inventen una historia sobre lo que pasa en los dibujos abajo. A continuación hay algunas ideas para considerar.

- ¿Cómo se llama el chico?
- ¿Adónde fue?
- ¿Qué hizo allí?
- ¿Cuánto tiempo pasó allí?
- ¿A qué hora volvió a casa?

Paso 2   Compartan su historia con el resto de la clase. ¿Quiénes inventaron la mejor historia? ¿Es parecida la historia a un día en la vida de alguien en la clase?

Actividad H   La semana pasada

Paso 1   Contesta las siguientes preguntas sobre la semana pasada con información verdadera.

1. ¿Hiciste ejercicio? ¿Qué ejercicio hiciste?
2. ¿Cuántas veces saliste con los amigos?

 Paso 2   Utilizando las preguntas del **Paso 1,** entrevista a dos personas en la clase y apunta sus respuestas.

Paso 3   Escribe una comparación de lo que hiciste tú la semana pasada con lo que hicieron las personas que entrevistaste, a base de la información que tienes de los **Pasos 1** y **2.** Usa las frases **fue activa** ([*it*] *was active*) y **fue solitaria** ([*it*] *was solitary, quiet*).

MODELO: Para mí, la semana pasada fue bastante activa. Hice mucho ejercicio cada día. También salí cuatro veces con mis amigos. Para Anne, la semana fue menos activa y más solitaria...

TERCERA PARTE

Vocabulario

¿Cuándo celebras tu cumpleaños?

Special Occasions
and Holidays

Talking About
Special Events

Los días festivos

el Día de San Valentín (de los Enamorados)	St. Valentine's Day
el Martes de Carnaval	Mardi Gras
el Día de San Patricio	St. Patrick's Day
la Pascua (de los judíos)	Passover
la Pascua (Florida)	Easter
el Día de Acción de Gracias	Thanksgiving
la Fiesta de las Luces	Hanukkah
la Nochebuena	Christmas Eve
la Navidad	Christmas
la Noche Vieja	New Year's Eve

Algunos brindis populares

«¡Salud.ª amor y dinero. y tiempo para disfrutarlos*b*!»

«Por don Pablo: ¡Que cumpla muchos más!»

«Para arriba, para abajo, para el centro. ¡para adentro!»*c*

*ª*Health   *b*enjoy them   *c*Para... Up, down, to the center, inside!

Más vocabulario

celebrar	to celebrate
cumplir… años	to be/turn … old (*on a birthday*)
regalar	to give (*a gift*)
el brindis	toast
el cumpleaños	birthday
la fiesta (de sorpresa)	(surprise) party
el regalo	gift
la tarjeta	card
¿Cuándo es… ?	When is . . . ?
¿Cuántos (años) cumples?	How old are you (turning)?

Repaso: llamar por teléfono, recibir

Vistazo cultural

El Cinco de Mayo

En los Estados Unidos, muchos creen que el Cinco de Mayo es el día de la independencia de México. La verdad es que el día de la independencia de México es el 16 de septiembre. Este es el día en el año 1810 en el que los mexicanos se declararon[a] independientes del imperio[b] español. La celebración del Cinco de Mayo corresponde a otro evento histórico importante. En 1862 (mil ochocientos sesenta y dos) los franceses invadieron[c] México. El cinco de mayo de ese año, los mexicanos derrotaron[d] a las tropas francesas en la ciudad de Puebla, y todo el país celebró la victoria. En México el Cinco de Mayo no es un día festivo tan importante como lo es[e] entre la comunidad mexicoamericana en los Estados Unidos. Y, el 16 de septiembre, aunque es muy importante entre la comunidad mexicoamericana, no es motivo[f] de grandes celebraciones como lo es en todo México.

En Modesto, California, como en otras partes de los Estados Unidos y el Canadá, el Cinco de Mayo es un día festivo importante para la comunidad mexicoamericana.

[a]se… *declared themselves*   [b]*empire*   [c]*invaded*   [d]*defeated*   [e]lo… *it is*   [f]*reason*

Actividad A   ¿En qué día cae... ?

Indica en qué día cae (*what day is*) cada día festivo.

1. el Día de San Valentín
2. la Navidad
3. la Noche Vieja
4. el Día de San Patricio
5. el Día del Padre
6. el cumpleaños del Dr. Martin Luther King, Jr.
7. el Día de los Veteranos
8. el Día del Trabajo (*Labor*)
9. el Día de la Madre
10. el Día de Acción de Gracias

¡Exprésate!

Some holidays don't fall on a specific date but rather on the first, second, third, or fourth Monday, Tuesday, and so forth, of a particular month. To express this concept use **el primer, el segundo, el tercer, el cuarto,** or **el último.** For example, **en los Estados Unidos, el tercer lunes de febrero es el Día de los Presidentes.**

Actividad B   Mi cumpleaños

Paso 1   Contesta las preguntas a continuación, describiendo cómo celebras tu cumpleaños.

1. ¿Recibes muchos regalos o sólo recibes regalos de tus buenos amigos?
2. ¿Das una fiesta o sales a celebrarlo con tus amigos?
3. ¿Te envían (*send*) tarjetas tus familiares o te llaman por teléfono? ¿Quiénes te envían tarjetas? ¿Son tarjetas tradicionales o son tarjetas electrónicas? ¿Quiénes te llaman por teléfono?
4. ¿Asistes a tus clases ese día o faltas a clases porque consideras que tu cumpleaños es un día festivo?

Paso 2   Presenta a la clase tus respuestas del **Paso 1.** ¿Pasan todos el cumpleaños más o menos de igual forma?

Paso 3   Utilizando las expresiones apropiadas de **Más vocabulario** en la página 206, trata de encontrar a dos personas en la clase cuyo (*whose*) cumpleaños cae en el mismo mes que el tuyo.

MODELO: E1: ¿Cuándo es tu cumpleaños?

E2: Es el 22 de octubre.

E1: ¡Ah! Entonces, eres Libra, como yo.

¡Exprésate!

As you find out about people's birthdays in **Actividad B,** see if you can tell what zodiac sign that person is. Once again, here are the names in Spanish (in alphabetical, not chronological, order).

Acuario	**Capricornio**	**Leo**	**Sagitario**
Aries	**Escorpio**	**Libra**	**Tauro**
Cáncer	**Géminis**	**Piscis**	**Virgo**

Actividad C   Un perfil (*profile*) personal

Entrevista a un compañero (una compañera) de clase para hacer un breve perfil de él/ella. Utiliza el siguiente cuadro como guía. Luego, entrégale el perfil a tu profesor(a).

Nombre de la persona: _____

Día de su cumpleaños: _____

    Cómo le gusta celebrarlo: _____

_____

_____

_____

_____

Día festivo favorito: _____

    Cómo le gusta celebrarlo: _____

_____

_____

_____

_____

Esta familia hispana de Virginia celebra una fiesta de cumpleaños con piñata.

Gramática

¿Qué hiciste?   Irregular Preterite Forms | More on Talking About the Past

VERB	STEM	FORMS (**yo, tú, ud./él/ella, nosotros/as, vosotros/as, uds./ellos/ellas**)
Irregular Verb Forms in the Preterite		
andar	**anduv-**	anduve, anduviste, anduvo, anduvimos, anduvisteis, anduvieron
decir	**dij-**	dije, dijiste, dijo, dijimos, dijisteis, dijeron
estar	**estuv-**	estuve, estuviste, estuvo, estuvimos, estuvisteis, estuvieron
poder	**pud-**	pude, pudiste, pudo, pudimos, pudisteis, pudieron
poner	**pus-**	puse, pusiste, puso, pusimos, pusisteis, pusieron
querer	**quis-**	quise, quisiste, quiso, quisimos, quisisteis, quisieron
saber	**sup-**	supe, supiste, supo, supimos, supisteis, supieron
tener	**tuv-**	tuve, tuviste, tuvo, tuvimos, tuvisteis, tuvieron
traer	**traj-**	traje, trajiste, trajo, trajimos, trajisteis, trajeron
venir	**vin-**	vine, viniste, vino, vinimos, vinisteis, vinieron

Many common verbs have irregular preterite forms. You will notice that the forms in the chart are irregular in that (1) the stem is different from that of the present tense; (2) there is no stress shift in the **yo, Ud.,** and **él/ella** forms; and (3) all endings are the same regardless of whether the verb is **-ar, -er,** or **-ir.**

Note the following about some irregular preterites.

1. The verb **saber** in the preterite translates as *to find out* or *to come to know* in English.

   ¿Y cuándo **supiste** eso?   *And when did you find that out?*

2. Verbs whose irregular preterite stems end in **j** or a vowel drop the **i** in the **Uds./ellos/ellas** form.

   decir: dije, dijiste, dijo, dijimos, dijisteis, dijeron

   traer: traje, trajiste, trajo, trajimos, trajisteis, trajeron

Another irregular verb is the verb **dar.** It takes regular **-er/-ir** endings in the preterite. There are no accent marks on the **yo** and **Ud./él/ella** forms because they consist of one syllable.

   dar: di, diste, dio, dimos, disteis, dieron

Más gramática

You learned earlier that **conocer** and **saber** in the preterite are translated as *to meet* and *to find out*, respectively. Here are some other verbs with different English equivalents in the preterite.

querer: normally translates as *to want*, but in the preterite it means *to try*

> **Quise** hacerlo.   *I tried to do it.*

no querer: normally translates as *not to want*, but in the preterite it means *to refuse*

> **No quise** hacerlo.   *I refused to do it.*

poder: normally translates as *to be able, can*, but in the preterite it means *to succeed* or *to manage to (do something)*

> Por fin **pude** hacerlo.   *Finally I managed to do it.*

no poder: normally translates as *not to be able, can't*, but in the preterite means *to fail (in doing something)*

> **No pude** hacerlo.   *I failed to do it.*

Actividad D   ¿A quién se refiere?

Basándote en los episodios anteriores de *Sol y viento*, ¿a qué personaje se refiere cada oración a continuación?

1. Hizo ejercicio.
2. Dijo: «Bonita la muchacha... »
3. Le trajo a Jaime algo de comer.
4. Fue a la universidad a pie (*on foot*).
5. No tuvo éxito (*success*) con su primera visita con Carlos.

Actividad E   ¿Qué sabes?

Haz las correspondencias correctas para formar oraciones verdaderas.

1. _____ Muchos inmigrantes mexicanos...
2. _____ Los españoles...
3. _____ Washington y Adams...
4. _____ Los mexicanos del siglo XIX...
5. _____ Adán y Eva...
6. _____ Neil Armstrong y Buzz Aldrin...

a. trajeron el caballo (*horse*) al Nuevo Mundo.
b. tuvieron dos hijos.
c. hicieron el primer viaje a la luna.
d. fueron los dos primeros presidentes de los Estados Unidos.
e. no pudieron impedir (*stop*) la ocupación francesa.
f. vinieron a los Estados Unidos durante la Revolución de 1910.

Actividad F   **Historietas incompletas**

Completa las siguientes «historietas» de manera lógica. Luego compáralas con las de otras dos personas. ¿Quién tiene la historieta más imaginativa?

Marta quiso _____,[1] pero no pudo. De repente[a] vino su mamá y _____,[2] arruinando sus planes.

Anoche Juan supo que _____.[3] Pues, claro, en seguida[b] fue a ver a _____ [4] para contárselo.[c] ¡Ese Juan es un metiche[d]!

Para mi cumpleaños, Elisa me trajo _____.[5] Cuando la miré perplejo,[e] ella me dijo «_____».[6] En fin, no creí su excusa.

[a]De… *Suddenly* [b]en… *right away* [c]*tell him/her/them about it* [d]*gossip* [e]*perplexed*

Actividad G   **Entrevista**

Paso 1   Utilizando las siguientes preguntas como guía, entrevista a otra persona y apunta sus respuestas.

1. ¿Cuándo es tu cumpleaños?
2. ¿Hiciste algo especial para tu último cumpleaños?
3. ¿Cuánto tiempo estuvieron Uds. allí?
4. ¿A qué hora terminó la fiesta / volviste a casa?

Paso 2   Ahora contesta la siguiente pregunta: «¿Quién lo pasó mejor en su cumpleaños, mi compañero/a de clase o yo?» ¿Por qué piensas eso? Da algunos ejemplos.

> **Puente musical**
>
> Go to the *Sol y viento* iMix section on the Online Learning Center Website (**www.mhhe.com/ solyviento3**), where you can purchase "¿Qué hiciste?" by Jennifer Lopez. Listen for the chorus and find out what Jennifer says the other person destroyed (**destruir**) and what the other person erased (**borrar**). Can you identify the past tense verb forms in this song?

Sol y viento Enfoque cultural

En el **Episodio 4,** vas a ver a María colocar carteles[a] para una reunión a favor de los mapuches. Como muchas personas en Latinoamérica, María lucha[b] por los derechos[c] de los grupos indígenas que no tienen voz[d] ni mucha influencia en la política de su país. El activismo por los indígenas no se limita a Chile sino también se observa en México, el Paraguay, Guatemala, el Perú y otros países. Muchas veces estos indígenas no tienen suficiente conocimiento del idioma español, lo cual impide su participación activa en la sociedad. En tales[e] casos necesitan de personas como María que los ayudan a obtener los beneficios que les corresponden según las leyes[f] del país. Además, luchan por un sistema de educación bilingüe o, por lo menos, cursos de español como segunda lengua.

[a]colocar… *hanging up posters* [b]*fights* [c]*rights* [d]*voice* [e]*such* [f]*laws*

Resumen de gramática

Actividad A   Otro encuentro

In **Episodio 4,** Jaime runs into María again by chance. She asks him about his trip to the Maipo Valley, and he responds. Read part of their exchange below.

MARÍA: Ya volvió de su viaje. ¿Cómo le fue?ª

JAIME: _____.

Which response do you think Jaime gave María?

   1. Lo pasé muy bien, gracias.

   2. ¡Huy! Lo pasé muy mal.

ª¿Cómo... *How was it?*

Actividad B   ¿Pasión?

At the beginning of **Episodio 4,** Traimaqueo concludes the tour of the winery with Jaime. Read the following exchange, using the following verbs to aid your comprehension of the exchange and to complete the activity.

Vocabulario útil

nacer   to be born
enterrar*   to bury

JAIME: Muy interesante, señor. Es evidente su pasión por la viña.

TRAIMAQUEO: ¿Pasión? No sé. Pero nací en estos terrenosª y me enterrarán en estos terrenos, señor. ¿No es así como debe ser?

Examine Traimaqueo's statement beginning with **Pero nací...** Knowing that the verb **enterrar** is in the future tense, what is the English equivalent of this sentence?

ª*land*

---

*This is an example of a cognate that you may not immediately recognize. Do you know another term for *to bury?* How about *to inter,* as in *She was interred at Hill Cemetery in 1906?* Be on the lookout for such cognates of less frequent English words.

Actividad C ¿Qué hace aquí?

Look over more of the exchange between Jaime and María in **Episodio 4.**

MARÍA: ¡Don Jaime Talavera! ¿Qué hace aquí? ¿Me anda siguiendo?ª

JAIME: ¿Yo? No, es una feliz casualidad.ᵇ Bueno, feliz para mí, por lo menos... No sé si lo es para Ud... .

MARÍA: A mí también me hace muy feliz verlo de nuevo.

JAIME: ¡Whoo! Me alegraᶜ oír eso...

MARÍA: Ya volvió de su viaje. ¿Cómo le fue?

JAIME: Lo pasé muy bien, gracias.

Examine the first question María asks Jaime: **¿Qué hace aquí?** How would María ask this question in the preterite tense?

ª¿Me... *Are you following me?*   ᵇfeliz.... *happy coincidence*   ᶜMe... *I'm glad*

Actividad D Síntesis

Paso 1 Completa cada oración utilizando el pretérito de los verbos indicados. Luego, pon (*put*) las oraciones en el orden correcto para formar un párrafo sobre lo que ha pasado en *Sol y viento* hasta el momento. Escribe el orden a la izquierda de las oraciones. Nota: El sujeto de cada verbo es Jaime, salvo en los casos indicados.

a. _____ comprar: En el parque, _____ un papelito de la suerte y después se chocó con María.

b. _____ conocer, llevar: _____ a Mario Verdejo, un taxista quien lo _____ al hotel.

c. _____ decir, andar: Jaime le _____: «Mil disculpas.» Después, _____ con ella hasta el hotel.

d. _____ hablar, ofrecer: En la viña, _____ con el Sr. Sánchez, quien le _____ una copa de vino.

e. _____ ir, correr: Al día siguiente, _____ al parque donde _____ para hacer ejercicio.

f. _____ ir: Más tarde, Jaime y Mario _____ a la viña Sol y viento.

g. _____ llegar: Jaime _____ a Santiago para hacer negocios importantes.

Paso 2 Compara tu párrafo con el de un compañero (una compañera) de clase. ¿Son iguales?

Panorama cultural

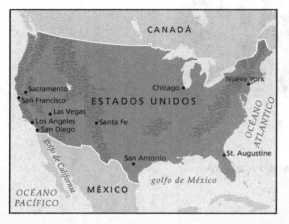

Los Estados Unidos

Desde que los Estados Unidos fue parte del imperio español, siempre ha habido[a] una presencia hispana en este país. Por ejemplo, los estados de California, Florida, Montana, Nevada, Nuevo México y Colorado llevan nombres españoles tanto como las grandes ciudades de San Francisco, Los Ángeles, San Antonio y Las Vegas, entre muchas otras. Hoy en día las personas de ascendencia hispana pasan de los 47 millones, es decir,[b] el 15%[c] de la población total del país. Se calcula que para[d] el año 2050, serán[e] unos 102 millones, o sea, casi el 25% de la población de los Estados Unidos.

[a]ha... *has been*   [b]es... *that is*   [c]*por ciento*   [d]Se... *It's estimated that by*   [e]*there will be*

Orígenes

Aunque muchos de los latinos en los Estados Unidos son descendientes de inmigrantes, en lugares como Nuevo México hay familias cuyas raíces se remontan al[a] imperio español, del siglo XIV. Aunque la mayoría de los latinos es de ascendencia mexicana, también hay muchos de ascendencia cubana, puertorriqueña, dominicana y centroamericana.

[a]cuyas... *whose roots go back to*

Lengua

El español que se habla[a] en los Estados Unidos refleja los varios dialectos de los países de los cuales proviene.[b] En Miami, es común oír un español con influencia cubana mientras que[c] el español de San Antonio tiene raíces mexicanas. Se habla mucho del spanglish, que es un término despectivo[d] para muchos. De hecho, no existe un spanglish en particular, aunque sí existe entre los hispanos bilingües una habilidad única: la de utilizar dos idiomas mientras hablan. Es decir, insertan palabras y frases en inglés cuando se comunican con otros hispanos bilingües que también hablan inglés. Por ejemplo: «No me gusta hacer ejercicio, *you know what I mean?*» El bilingüe no hace esto con los monolingües.

[a]se... *is spoken*   [b]de... *where it comes from*   [c]mientras... *while*   [d]*derogatory*

Cultura popular

La influencia latina en la cultura de los Estados Unidos es evidente para cualquier visitante que llega a este país. Ahora, la salsa es el condimento de más venta[a] en los Estados Unidos, mucho más que el *ketchup* o la mayonesa, por ejemplo. Varias palabras y expresiones del español se usan en inglés con la idea de que todo el mundo sabe su significado, entre ellas: **amigo, fiesta, siesta, hola, gracias** y muchas otras más.

[a]condimento... *the most sold condiment*

[**DATOS BÁSICOS**]

CAPITAL
WASHINGTON, D.C.

POBLACIÓN
305 MILLONES (47,5 MILLONES DE ELLOS LATINOS) (APROX.)

IDIOMA OFICIAL
INGLÉS

TASA DE ALFABETIZACIÓN
99%

MONEDA
EL DÓLAR

Música

Aunque siempre ha habido cierta presencia latina en la música popular de este país, con artistas como Carlos Santana y Gloria Estefan hubo[a] una explosión de artistas latinos al final del siglo XX. Ricky Martin causó sensación en 1999 con su superéxito «Livin' la vida loca» mientras que varios artistas como Jennifer Lopez, Marc Anthony, Enrique Iglesias y Shakira son considerados superestrellas. Estos artistas bilingües producen grabaciones[b] en español e inglés y son estrellas que brillan[c] tanto en el mundo hispano como en este país.

[a]*there was*   [b]*recordings*   [c]*shine*

Política

Los latinos son cada vez más importantes en el escenario político de este país. En Nuevo México, por ejemplo, forman más del 45% de la población. Cada año más latinos tienen cargos[a] políticos en Washington, D.C., y en 1976 se fundó[b] la Camarilla Política de Hispanos en el Congreso, cuyo propósito es luchar por los asuntos[c] que afectan a los latinos en este país. Sonia Sotomayor —de ascendencia puertorriqueña— fue confirmada en el año 2009 como la primera jueza[d] latina de la Corte Suprema de los Estados Unidos.

[a]*positions*   [b]*se... was founded*   [c]*propósito... purpose is to fight for issues*   [d]*female judge*

Carlos Santana ganó en el año 2000 ocho Premios Grammy por su álbum *Supernatural.*

Sonia Sotomayor asume el puesto (*position*) de jueza de la Corte Suprema.

Si viajas allí

En Miami, prueba (*try*) una muestra de la comida cubana y visita un café cubano.

www En el Internet

Busca información sobre uno o más de los siguientes temas:

1. cifras (*statistics*) sobre la inmigración hispana a los Estados Unidos durante los últimos 50 años
2. el porcentaje de la población latina en un estado que te interese de este país

Trae la información a la clase para compartir con tus compañeros/as.

Prueba

	CIERTO	FALSO
1. Se calcula que para el año 2050, el 25% de la población de los Estados Unidos será (*will be*) de ascendencia latina.	☐	☐
2. En los Estados Unidos se vende más la salsa que la mayonesa.	☐	☐
3. Antes de 1999, no había (*there wasn't*) una presencia latina en la música del país.	☐	☐
4. El español que se habla en los Estados Unidos no es uniforme sino que (*rather*) refleja varios dialectos.	☐	☐
5. Sonia Sotomayor, jueza de la Corte Suprema, es de ascendencia mexicana.	☐	☐

Vocabulario

Verbos

andar (*irreg.*) **en bicicleta**	to ride a bicycle
caminar	to walk
cocinar	to cook
cumplir... años	to be/turn . . . old (*on a birthday*)
dar (*irreg.*) **un paseo**	to take a walk; to stroll
dar (*irreg.*) **una fiesta**	to throw a party
dibujar	to draw
esquiar (esquío)	to ski
ganar	to win
hacer (*irreg.*) **ciclismo estacionario**	to ride a stationary bike
hacer (*irreg.*) **ejercicio (aeróbico)**	to exercise (do aerobics)
hacer (*irreg.*) **gimnasia**	to work out
levantar pesas	to lift weights
nadar	to swim
navegar (gu) en barco	to sail
pasarlo bien/mal	to have a good/bad time
patinar (en línea)	to (inline) skate
picar (qu)	to nibble
pintar	to paint
practicar (qu) el yoga	to do yoga
quemar calorías	to burn calories
regalar	to give (*as a gift*)
rozarse (c) con la gente	to mingle with people
sacar (qu) un DVD	to rent a DVD
ser (*irreg.*) **aficionado/a (a)**	to be a fan (of)
sudar	to sweat

Cognados: celebrar, competir (i, i), meditar
Repaso: bailar, correr, jugar (ue) (gu), llamar por teléfono, perder (ie), recibir, tocar (qu) (la guitarra, el piano), tomar

Sobre los deportes

el equipo	team
la milla	mile
el partido	game, match
la piscina	swimming pool
la rueda de andar	treadmill

Cognados: el/la atleta, el basquetbol, el béisbol, el fútbol, el fútbol americano, el golf, el tenis, el vóleibol
Repaso: el gimnasio

Los días festivos

el Día de Acción de Gracias	Thanksgiving
el Día de San Patricio	St. Patrick's Day
el Día de San Valentín (de los Enamorados)	St. Valentine's Day
la Fiesta de las Luces	Hanukkah
el Martes de Carnaval	Mardi Gras
la Navidad	Christmas
la Noche Vieja	New Year's Eve
la Nochebuena	Christmas Eve
la Pascua (de los judíos)	Passover
la Pascua (Florida)	Easter
¿Cuántos (años) cumples?	How old are you (turning)?

Otras palabras y expresiones

el aguafiestas	party pooper
el ajedrez	chess
el brindis	toast
el cumpleaños	birthday
los/las demás	others
la fiesta (de sorpresa)	(surprise) party
el juego	game (*as in chess*)
los ratos libres	free/spare time
el regalo	gift
la tarjeta	card
anoche	last night
ayer	yesterday
fuerte	strong

Cognado: el museo
Repaso: divertido/a

LECCIÓN

4B

En casa

OBJETIVOS

IN THIS LESSON, YOU WILL LEARN:

▶ vocabulary to talk about dwellings and buildings

▶ more on talking about activities in the past with stem-changing **-ir** verbs in the preterite

▶ vocabulary to talk about rooms, furniture, and other items found in a house

▶ the basic uses of reflexive verbs

▶ to talk about typical household chores

▶ some preliminary distinctions between **por** and **para**

▶ some interesting things about Guatemala, an ethnically rich Central American country

In addition, you will watch **Episodio 4** of the film *Sol y viento*.

Un edificio de apartamentos en la Ciudad de Guatemala

The following media resources are available for this lesson of *Sol y viento*:

Episodio 4 *of*

Online *Manual*

Online Learning

PRIMERA PARTE

Vocabulario

Talking About Buildings
and Where People Live

¿Dónde vives?

Dwellings and Buildings

alquilar	to rent
el alquiler	rent
el barrio	neighborhood
la casa	house; home
la casa particular	private residence
el cuarto	room (*general*)
la dirección	address
el edificio	building
el hogar	home (*as in "home, sweet home"*)
la oficina	office
el piso (*Sp.*)	apartment
el piso / la planta (*Sp.*)	floor (*of a building*)
la residencia estudiantil	dormitory
la vista	view
la vivienda	housing
el/la compañero/a de cuarto (casa)	roommate (housemate)
el/la dueño/a	owner; landlord, landlady
el/la inquilino/a	tenant
el/la portero/a	doorperson; building manager
el/la vecino/a	neighbor

Cognados: el apartamento, el balcón, el condominio, la residencia

El centro de Guanajuato, México está
rodeado de (*surrounded by*) **barrios**
pequeños y **casas particulares.**

Vistazo cultural

El apartamento es rey[a]

Tanto en los países hispanos como en este país, la vivienda consiste en casas particulares, apartamentos, pisos, condominios y otros tipos de edificios. Y así como en este país, en las grandes ciudades hay más apartamentos y condominios que casas particulares por la falta de espacio.[b] Por ejemplo, en la Ciudad de Guatemala, Madrid, Lima, Buenos Aires y otras ciudades, es frecuente vivir en un apartamento que ocupa parte o la mayor parte del piso de un edificio. Se puede ser dueño de un apartamento o se puede alquilar, dependiendo de las posibilidades económicas. En las ciudades también hay casas, pero hay más apartamentos. Además, es típico hacer la compra[c] en el barrio donde se vive.

Unos apartamentos en Buenos Aires, Argentina

[a]*king*   [b]falta... *lack of space*   [c]hacer... *to go grocery shopping*

Actividad A   ¿A qué se refiere?

El profesor (La profesora) va a leer algunas descripciones. ¿A cuál de las opciones se refiere cada descripción?

1. **a.** el barrio   **b.** el hogar
2. **a.** la dueña   **b.** la inquilina
3. **a.** el edificio   **b.** la residencia estudiantil
4. **a.** la vecina   **b.** la portera
5. **a.** el piso   **b.** la vista
6. **a.** la casa particular   **b.** el condominio
7. **a.** la vivienda   **b.** el alquiler

Actividad B   Asociaciones

Indica lo que asocias con cada concepto a continuación. Presenta tus ideas a la clase. ¿Qué ideas tienen en común? ¿Qué ideas son diferentes?

el compañero (la compañera) de cuarto
el hogar
la residencia estudiantil

MODELO: Con una residencia estudiantil asocio el caos. Hay mucho ruido, muchas interrupciones y problemas personales.

Actividad C   Un anuncio (*advertisement*)

Paso 1   Con un compañero (una compañera), inventen un anuncio para un apartamento disponible (*available*). Incluyan toda la información necesaria: el número de cuartos, el alquiler, el piso en que está, el tipo de barrio, etcétera.

Paso 2   Los anuncios deben circular en la clase. ¿Ves uno interesante? ¿Qué tiene que te gusta?

Paso 3   En grupos de dos, alguien debe hacer el papel (*play the role*) de una persona interesada en el apartamento y la otra persona debe hacer el papel de Tim. La primera persona llama a Tim para conseguir más información.

APARTAMENTO PARA ALQUILAR

¡Puedes caminar a tus clases!

Se alquila apartamento
de dos cuartos en la zona
universitaria. Balcón amplio,
cerca de la universidad.
$600 al mes más depósito igual.
Llama al 555-3456.
Pregunta por Tim.

Actividad D   Entrevista

Paso 1   Entrevista a otra persona utilizando las siguientes preguntas como guía. Puedes añadir otras preguntas si quieres.

1. Para ti, ¿es necesario vivir cerca de la universidad?
2. ¿Qué prefieres, un apartamento, una residencia estudiantil o una casa?
3. Para ti, ¿es importante el barrio donde vives? ¿Qué barrio o zona de esta ciudad prefieres?
4. ¿Te molestan las alturas (*heights*)? ¿Puedes vivir en un edificio alto?
5. ¿Cuánto puedes pagar de alquiler?

Paso 2   Utilizando la información que obtuviste en el **Paso 1,** escribe un breve párrafo sobre las preferencias y necesidades de la persona a quien entrevistaste.

Gramática

No durmió bien.

e → i, o → u Preterite Stem Changes

More on Talking
About the Past

-ir Stem Changes in the Preterite **e → i, o → u**			
yo	pedí repetí seguí dormí morí	nosotros/as	pedimos repetimos seguimos dormimos morimos
tú	pediste repetiste seguiste dormiste moriste	vosotros/as	pedisteis repetisteis seguisteis dormisteis moristeis
Ud.	pidió repitió siguió durmió murió	Uds.	pidieron repitieron siguieron durmieron murieron
él/ella	pidió repitió siguió durmió murió	ellos/ellas	pidieron repitieron siguieron durmieron murieron

The **-ir** verbs whose stem changes from **e → ie** in the present change from **e → i** in the preterite in the **Ud., él/ella,** and the **Uds., ellos/ellas** forms. Similarly, **-ir** verbs that in the present tense have **o → ue** stem changes have the following stem change in the **Ud., él/ella,** and **Uds., ellos/ellas** forms: **o → u.**

Más gramática

Here are some other verbs that undergo **e → i** stem changes. You will encounter others throughout *Sol y viento.*

conseguir (*to get, obtain*)*: consiguió, consiguieron

mentir (*to lie, tell a lie*): mintió, mintieron

preferir: prefirió, prefirieron

sentir (*to feel*): sintió, sintieron

servir: sirvió, sirvieron

sugerir (*to suggest*): sugirió, sugirieron

vestirse: se vistió, se vistieron

Actividad E ¿Qué crees tú?

Para cada oración a continuación, indica si es **probable, improbable, posible** o **imposible** según lo que recuerdas de los personajes y la historia de *Sol y viento*.

1. Durante el viaje a Chile, Jaime no durmió. Leyó y trabajó un poco.
2. Cuando conoció a María, Jaime sintió una gran atracción por ella.
3. Carlos sirvió unas copas de vino antes de hablar con Jaime de los negocios porque quería distraerlo (*he wanted to distract him*).
4. Jaime no le pidió un contrato firmado a Carlos porque entendía (*he understood*) que Carlos no lo tenía (*didn't have it*).
5. Los padres de Jaime murieron hace unos años.

¿Crees que Jaime sintió una gran atracción por María cuando se chocó con ella?

Actividad F Oraciones mixtas

Crea unas oraciones sobre las personas indicadas. Utiliza las palabras que siguen y agrega otras si crees que son necesarias.

1. Elvis Presley y Michael Jackson / morir / jóvenes
2. Marilyn Monroe y Elvis Presley / morir / solos / en un hotel
3. Rip Van Winkle / años / dormir
4. Richard Nixon / mentir / al público / sobre Watergate
5. Bill Clinton / perdón / pedir / por haber mentido (*having lied*)

*****Conseguir** + *infinitive* means *to succeed in* (*doing something*).

Actividad G   ¿Qué sirvieron?

Piensa en la última vez que alguien te invitó a cenar en su casa. ¿Qué sirvió/ sirvieron? Escribe una pequeña descripción en la que dices la verdad y otra en la que mientes. ¿Pueden adivinar tus compañeros cuál es la historia verdadera?

MODELO: La semana pasada, fui a la casa de la familia de mi compañero/a de cuarto. Para la cena sirvieron... y para beber sirvieron...

La última vez que alguien te invitó a cenar, ¿qué te sirvió?

> ### ¡Exprésate!
>
> In case you aren't sure about something, you can say
>
> **Creo que...** or
>
> **No estoy seguro/a, pero creo que...**
>
> If you are sure, you can say
>
> **Eso lo sé muy bien.**
>
> and then give your answer.

Actividad H   Una prueba de la historia

Paso 1   Piensa en presidentes, políticos (*politicians*), actores y otras personas famosas que murieron repentinamente (*suddenly*). Escribe por lo menos cuatro descripciones breves, sin mencionar el nombre de la persona.

MODELO: Este político murió durante su campaña para ser presidente. Murió en el lobby de un hotel en Los Ángeles. Lo mató un hombre. (Bobby Kennedy)

Paso 2   Preséntale tus oraciones a un compañero (una compañera). ¿Puede deducir a quién se refiere?

Actividad I   ¿Mienten los políticos (*politicians*)?

Con un compañero (una compañera), piensa en un político o en una persona famosa que haya mentido (*has lied*). Describe en qué ocasión o por qué motivo mintió, sin decir el nombre de la persona. ¿Pueden los demás deducir quién es esa persona?

MODELO: Esta persona mintió sobre las relaciones que tuvo con otra persona. Su mentira causó un gran escándalo en Washington, D.C. ¿Quién es?

SEGUNDA PARTE

Vocabulario

Talking About Things
in the House

Es mi sillón favorito.

Los cuartos y los muebles^a

Furniture and Rooms

^a*furniture*

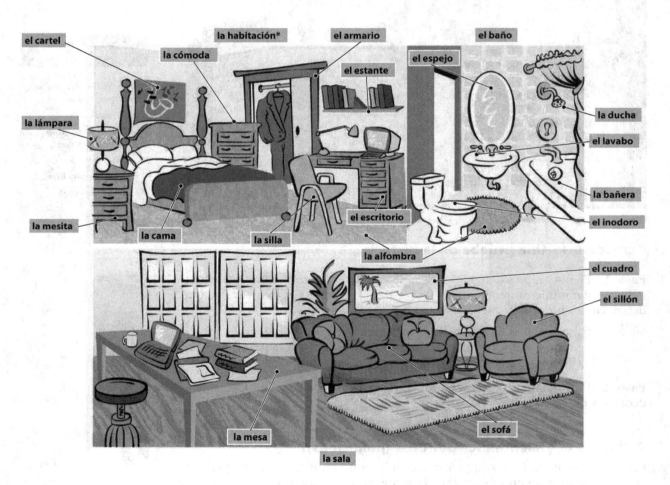

el cartel

la habitación*

el armario

el baño

la cómoda

el estante

el espejo

la lámpara

la ducha

el lavabo

la mesita

la cama

la silla

el escritorio

la bañera

el inodoro

la alfombra

el cuadro

el sillón

la mesa

el sofá

la sala

---

*Other terms for *bedroom* used in various parts of the Spanish-speaking world are **la alcoba, el dormitorio,** and **la recámara.**

Más vocabulario

la cocina	kitchen
el comedor	dining room
los pies (metros) cuadrados	square feet (meters)
el tamaño	size
amueblado/a	furnished
¿De qué tamaño es... ?	What size is . . . ?
Cognados: el garaje, el jardín, el patio	

Actividad A   Busco piso amueblado

Paso 1   Mira el siguiente anuncio. Utiliza el vocabulario nuevo para llenar los espacios en blanco con palabras apropiadas.

> ### PARA ALQUILAR/PISO AMUEBLADO
>
> Se alquila^a un piso de 400 metros cuadrados. Sala, _____,¹ cocina y dos _____.² Garaje y _____³ compartido.^b Muebles incluyen: sofá y dos _____;⁴ mesa y sillas, camas, cómodas, _____⁵ para computadora y dos _____⁶ para libros. Llame al 55-64-99.

^aSe... *For rent*   ^b*shared*

Paso 2   Di a la clase si este apartamento parece ser más grande, más pequeño o casi igual de tamaño comparado con tu propia vivienda. Describe las diferencias.

Actividad B   ¿Qué tienes?

Paso 1   Combina las frases de las dos columnas para formar oraciones lógicas.

En...

hay...

1. ___ mi mesita
2. ___ mi habitación
3. ___ el comedor
4. ___ la sala
5. ___ mi armario

a. una mesa con cuatro sillas.
b. fotos, una lámpara y un reloj despertador.
c. sólo dos sillones. No tengo sofá.
d. una cama y una cómoda.
e. ropa, cajas (*boxes*) y zapatos.

Paso 2   Indica si las oraciones que formaste en el **Paso 1** son verdaderas para ti o no.

Actividad C   ¿Te importa?

Paso 1   Utilizando el vocabulario nuevo, inventa ocho oraciones para indicar las cosas que te importan o no te importan de un apartamento o casa.

MODELO: Un armario grande no es importante para mí.

Tener un inodoro separado del resto del baño es importante para mí.

Paso 2   Convierte las oraciones en preguntas y busca personas que tengan las mismas respuestas que tú.

MODELO: ¿Te importa tener un inodoro separado del resto del baño?

Actividad D   Busco compañero/a de casa

Paso 1   Imagina que necesitas mudarte (*to move*) de casa y vas a hablarle a un compañero (una compañera) para ver si Uds. son compatibles o no. Tu decisión no depende de la personalidad de la persona sino de la casa y lo que incluye el precio. Por ejemplo, ¿te importa tener tu propio baño? ¿Necesitas un cuarto amueblado? ¿Qué tienes que necesitas llevar a la nueva casa? ¿Qué tamaño de cuarto esperas tener? ¿Necesitas un armario amplio? Escribe por lo menos cinco preguntas pensando en estas ideas.

Paso 2   Entrevista a varias personas en la clase. ¿Encuentras a la persona y el lugar apropiados? Presenta la información a la clase.

Vistazo cultural

Los jardines y patios

En el mundo hispano es común el concepto del jardín, patio, balcón o terraza. A los hispanos, en general, les gusta tener un lugar fuera de la casa para sentarse[a] y gozar del[b] tiempo. Es frecuente ver casas con patios interiores y balcones llenos[c] de plantas y flores, con sillas cómodas[d] donde la gente puede pasar una tarde con amigos o familiares tomando una bebida y charlando.

[a]*sit down*   [b]*gozar... enjoy the*   [c]*full*   [d]*comfortable*

¿Te gustaría (*Would you like*) tener una casa con patio y fuente (*fountain*), como esta en Ponce, Puerto Rico?

Gramática

Me conozco bien.   True Reflexive Constructions

In **Lecciones 3A** and **3B,** you learned about objects and object pronouns. Can you identify the subjects and direct objects in each sentence below?

RAMÓN: No sé si Elena conoce bien a Juan.

SILVIA: Pues sí. Elena lo conoce bien porque son vecinos.

In the preceding example, the subjects and objects are different people. **Elena** is the subject of **conoce** and **Juan/lo** are the direct objects. But what if the subject and object are the same? What happens when María is talking about knowing herself? What if you are looking at yourself? When the subject and object are the same, the sentence is called a *reflexive* sentence. In Spanish, you can use regular object pronouns for reflexive sentences except for **Ud./Uds.** and **él/ella/ellos/ellas,** all of which require **se.** That is, the reflexive pronouns are **me, te, se, nos,** and **os.** Look at the chart to see how this works.

Cuando el gato está ausente, los ratones **se divierten.**

Reflexive and Nonreflexive Sentences	
Subject and Object Are Different	**Subject and Object Are the Same**
Juan **me conoce** bien. *Juan knows me well.*	**Me conozco** bien. Sé mis puntos fuertes y débiles. *I know myself well. I know my strong and weak points.*
¿Te pone restricciones tu trabajo? *Does your job put restrictions on you?*	**¿Te pones** restricciones? *Do you put restrictions on yourself?*
No **le hablo** a Roberto. *I don't speak to Roberto.*	Roberto **se habla** constantemente. *Robert speaks to himself constantly.*
No **sabemos** cómo expresar **eso.** *We don't know how to express that.*	**Nos expresamos** muy bien. *We express ourselves very well.*
Ramona no **os ve** mucho, ¿verdad? *Ramona doesn't see you (all) much, right?*	¿Cómo **os veis** en tres años? *How do you (all) see yourselves in three years?*
Elena **les prepara** el desayuno a los hijos. *Elena prepares breakfast for her kids.*	Los hijos **se preparan** el desayuno. *The kids prepare breakfast for themselves.*

Just as with direct and indirect object pronouns, reflexive pronouns precede the conjugated verb, but they may also be attached to the end of an infinitive.

Miguel no **se quiere mirar** en el espejo.
Miguel no **quiere mirarse** en el espejo.

Más vocabulario

Here are some useful reflexive verbs that you may use to talk about things that people do to or for themselves, some of which you have already seen. Note that many of them have to do with daily routines.

acostarse (ue)	to go to bed
afeitarse	to shave
bañarse	to take a bath
despertarse (ie)	to wake up
dormirse (ue, u)	to fall asleep
ducharse	to take a shower
lavarse los dientes	to brush one's teeth
levantarse	to get up
sentirse (ie, i)	to feel
vestirse (i, i)	to get dressed

Actividad E   ¿Qué leíste?

Paso 1   Lee rápidamente el párrafo que pone tu profesor(a) en la pizarra o el proyector. Trata de recordar la información, pero no tomes apuntes.

Paso 2   Con otras dos personas, escriban de nuevo el párrafo, incluyendo toda la información que recuerdan. Luego, los tres deben determinar si el párrafo describe a Jaime, a María, a Traimaqueo o a Carlos —o si se les aplica a varios personajes.

Actividad F   Más descripciones

Elige la frase más lógica para completar cada descripción.

1. Roberto pasa mucho tiempo solo, pero habla mucho. Entonces Roberto...
   - ☐ habla con otra persona.
   - ☐ se habla.
2. El cumpleaños de la madre de Sara es el próximo sábado. Entonces Sara...
   - ☐ le compra un regalo.
   - ☐ se compra un regalo.
3. El compañero de casa de Marcos nunca oye su despertador (*alarm clock*) y tiene una clase a las ocho. Entonces Marcos...
   - ☐ tiene que despertarlo.
   - ☐ tiene que despertarse.
4. Elisa sabe muy bien cuáles son sus virtudes y cuáles son sus defectos. Entonces Elisa...
   - ☐ la conoce bien.
   - ☐ se conoce bien.
5. El hijo de Ramón sólo tiene un año. Entonces, obviamente, este niño...
   - ☐ no puede vestirlo.
   - ☐ no puede vestirse.

Actividad G   Una mañana típica

Paso 1 Escribe un párrafo sobre una mañana típica de Ángela.

MODELO: Ángela se despierta a las 5:30, más o menos.

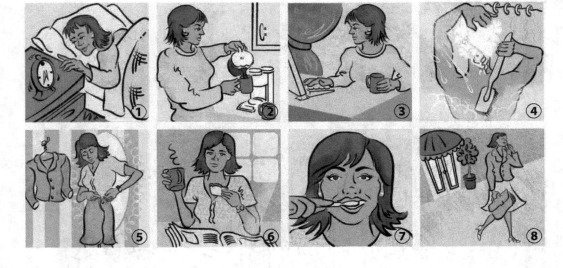

Paso 2 Prepara tres oraciones comparando tu mañana con la mañana típica de Ángela.

MODELOS: Como Ángela, me preparo un café para despertarme.

Ángela se despierta a las 5:30, pero yo no. Me despierto a las 9:00.

Actividad H   Ayer...

Paso 1 Hazle las siguientes preguntas a un compañero (una compañera) de clase y apunta sus respuestas.

1. ¿A qué hora te levantaste ayer?
2. ¿Te duchaste o te bañaste por la mañana?
3. ¿Te afeitaste?
4. ¿Te compraste algo? ¿Qué te compraste?
5. ¿Cuántas veces te lavaste los dientes ayer?
6. ¿Te acostaste muy tarde anoche? ¿A qué hora? ¿Te dormiste en seguida (*right away*)?

Paso 2 Usando la información del **Paso 1,** escribe tres oraciones comparando lo que hiciste tú y lo que hizo tu compañero/a.

MODELOS: (Nombre) y yo nos acostamos tarde.

(Nombre) se compró un libro, pero yo no me compré nada.

TERCERA PARTE

Vocabulario

Talking About
Domestic Tasks
www

¿Te gusta lavar la ropa?

Domestic Chores
and Routines

Los quehaceres domésticos[a]

[a]Los... *Household chores*

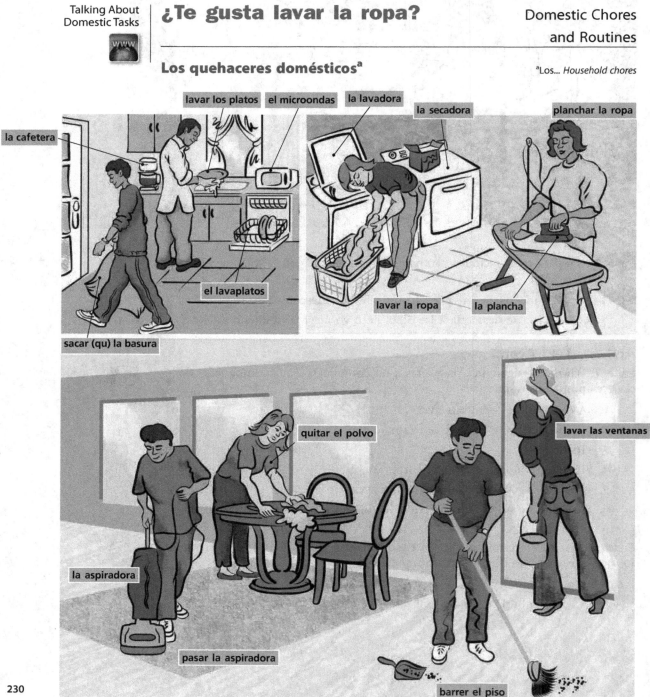

la cafetera

lavar los platos · el microondas · la lavadora · la secadora · planchar la ropa

el lavaplatos

lavar la ropa · la plancha

sacar (qu) la basura

quitar el polvo

lavar las ventanas

la aspiradora

pasar la aspiradora

barrer el piso

Más vocabulario

hacer (*irreg.*) **la cama**	to make the bed
limpiar la casa (entera)	to clean the (whole) house
los aparatos domésticos	household appliances
la estufa	stove
el horno	oven
la nevera	freezer
el refrigerador	refrigerator
los productos de limpieza	cleaning products
el detergente	detergent
el jabón	soap

Actividad A   ¿Lo quieres hacer?

Paso 1   Indica lo que piensas de cada actividad, poniendo un círculo alrededor del número apropiado de la escala a continuación. Nota: **odiar** = *to hate*.

	ODIO HACERLO.	NO ME IMPORTA HACERLO.	ME GUSTA HACERLO.
1. pasar la aspiradora	1	2	3
2. lavar los platos	1	2	3
3. lavar las ventanas	1	2	3
4. planchar la ropa	1	2	3
5. quitar el polvo	1	2	3
6. limpiar el inodoro	1	2	3
7. lavar la ropa	1	2	3
8. limpiar el horno	1	2	3
9. sacar la basura	1	2	3
10. barrer el piso	1	2	3

Paso 2   Busca a dos personas, una que odia una de las mismas actividades que tú y otra a quien no le importa una de las mismas actividades que a ti no te importa.

Paso 3   Entre todos, indiquen cuándo se debe hacer cada actividad del **Paso 1:** cada día, cada semana, en semanas alternas o una vez al mes.

Actividad B   Los productos de limpieza

Con otra persona, describan tres productos de limpieza diferentes sin revelar sus nombres. ¿Puede deducir tu compañero/a qué producto es?

MODELO: E1: Este producto sirve para quitar el polvo. Se puede utilizar con muebles, aparatos, casi con todo.

E2: ¿Es Pledge?

E1: No, eso sólo sirve para los muebles.

E2: ¿Es Endust?

E1: ¡Sí!

Actividad C   ¿Quién hace qué?

Paso 1   Imagina que compartes un cuarto o una casa con una persona de la clase. ¿Quién hace qué en la casa? Vuelvan a la lista de quehaceres domésticos en la página 230 y hagan un plan indicando quién hace qué y cuándo.

MODELO: E1: ¿Te importa limpiar el baño? Porque a mí no me gusta.

E2: No. No me importa. ¿Es suficiente una vez a la semana?

Paso 2   Una de las parejas (*pairs*) debe presentar su plan a la clase. ¿Les parece razonable a los demás? ¿Es justa la distribución del trabajo? ¿Es suficiente la frecuencia con que se hace cada actividad?

Actividad D   ¿Qué opinas?

Las tareas domésticas son una buena manera de relajarse (*relax*). Escribe un párrafo sobre el siguiente tema y explica si estás de acuerdo o no y por qué.

Vistazo cultural

Las criadas[a]

En muchos países hispanos, es frecuente tener a una persona que ayuda en las tareas domésticas. El sistema colonial de Latinoamérica históricamente ha creado[b] clases sociales de pocos recursos económicos. En estos hogares es necesario que los dos padres trabajen para mantener a la familia. Entre las clases humildes,[c] es común que la mujer trabaje en casa de otras personas y que se encargue de[d] las tareas domésticas. Muchas de estas mujeres vienen de zonas rurales donde el trabajo es escaso[e] y generalmente no hay acceso a la educación formal.

[a]*maids*   [b]*ha... has created*   [c]*modest*
[d]*se... takes charge of*   [e]*scarce*

Esta mujer de clase humilde trabaja como criada.

Gramática

¿Para mí?

Introduction to **por** Versus **para**

Talking About What
Something Is For

In this lesson, you will learn three basic distinctions between the prepositions **por** and **para.**

The first distinction is their use with people. Generally, **para** + *person* indicates that the person will be the *recipient* of something. **Por** + *person* indicates that something is done *on behalf of* or *on account of* that person.

Lo hago **para mi familia.**	*I'm doing it for my family.* (I'm buying a car and am giving it to them.)
Lo hago **por mi familia.**	*I'm doing it for my family.* (As in: I'm surrendering myself to the police so that my family doesn't have to suffer any longer; I'm doing it on account of them.)

A second distinction is with things. Generally, the use of **para** + *thing* indicates *what something is used for* whereas **por** + *thing* indicates a *substitution, something in place of something else.*

Esta copa es **para vino tinto.**	*This glass is (used) for red wine.*
Cambiamos esta taza **por otra.**	*We're exchanging this cup for another.*

The third distinction is the use of **por** and **para** with space and time. **Para** + *location* indicates a *destination* and **para** + *time* indicates a *deadline.* **Por** + *location* indicates a *route* or the *space through which something travels.* **Por** + *time* indicates the *time during which something happens.*

Mañana salgo **para Bogotá.**	*Tomorrow I'm leaving for Bogota.*
Voy **por la Ruta 66.**	*I'm taking (going by way of) Route 66.*
¿Puedes llegar **para las 3:00?**	*Can you arrive by three o'clock?*
¿Puedes hacerlo **por la tarde?**	*Can you do it in the afternoon?*

Some Contrasts Between **por** and **para**

para = *recipient* Este regalo es **para** mi hermano.	**por** = *on behalf of, on account of* Lo hago **por** mi hermano.
para = *use* Esta taza (*cup*) es **para** café.	**por** = *in lieu of, instead of* Sustituimos sacarina **por** azúcar.
para = destino (*destination; deadline*) Vamos **para** Chicago. Lo voy a hacer **para** las 2:00.	**por** = transición (*route; time*) Pasamos **por** Chicago. Lo puedes hacer **por** la mañana.

234   doscientos treinta y cuatro ■ **Lección 4B** En casa

 Actividad E   Por...

Escucha lo que dice tu profesor(a). Luego, escoge la respuesta que complete mejor cada oración. Después, explica el uso de **por.**

1. **a.** sus propios intereses.
   b. el bien de la familia.
2. **a.** la mañana.
   b. la tarde.
3. **a.** unas colinas (*hills*).
   b. un desierto.
4. **a.** la bodega (*wine cellar*) y las viñas.
   b. las viñas solamente.

Actividad F   ¿Por *o* para?

Escoge la mejor opción en cada situación.

1. Un soldado (*soldier*) levanta la bandera (*flag*) de su país. ¿Qué dice el soldado?
   a. ¡Por mi patria!   **b.** ¡Para mi patria!
2. Una persona acaba de comprar algo que su amigo admira. La persona le dice entonces:
   a. Toma (*Here*). Es por ti.   **b.** Toma. Es para ti.
3. Llegas a casa con un detergente. Luego recuerdas que ese detergente es malo para el medio ambiente (*environment*). Vuelves a la tienda y le dices al empleado:
   a. Debo cambiar (*exchange*) este detergente por otro.
   b. Debo cambiar este detergente para otro.
4. Alguien llega a tu casa con una gran cantidad de ajos (*garlic*). Le preguntas para qué y te contesta:
   a. Es bueno por la salud (*health*).   **b.** Es bueno para la salud.
5. Hay una reunión importante de estudiantes. Una persona bastante egoísta y desagradable está presente, pero no contribuye nada a la discusión. Entonces, tú le preguntas algo, y él te responde:
   a. Déjame en paz. (*Leave me alone.*) No estoy aquí por ti.
   b. Déjame en paz. No estoy aquí para ti.

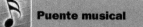 **Puente musical**

Go to the *Sol y viento* iMix section on the Online Learning Center Website (**www.mhhe.com/solyviento3**), where you can purchase "Tabú" by Gustavo Cerati. What does **por** mean in this song? What did the singer do, and who did he do it for?

Actividad G   Rutas y destinos

Paso 1   Utilizando la preposición **por,** escribe oraciones sobre los edificios que hay que pasar para llegar de tu clase de español a cada lugar a continuación.

MODELO: Para ir a la librería es necesario pasar por la facultad de antropología y el centro estudiantil (*student union*).

1. para ir a la biblioteca
2. para ir al centro estudiantil
3. para ir al estadio de fútbol
4. para ir al despacho (*office*) del decano (*dean*)
5. para ir al / a la ¿ ?

Paso 2   Presenta tus oraciones a un compañero (una compañera) de clase. ¿Está de acuerdo contigo tu compañero/a?

Para ir a la biblioteca es necesario pasar por...

Paso 3   Completa cada oración con información real o imaginaria.

1. Mañana salgo para _____. Necesito _____. Quiero _____.
2. La próxima semana salgo para _____. Tengo boletos para ver _____.

Paso 4   Presenta tus oraciones del **Paso 3** a la clase. ¿Pueden decir los demás si lo que dice cada oración es real o imaginario?

Actividad H   Cambios

Paso 1   Imagina que estás en varias situaciones en que puedes cambiar una cosa por otra. Indica si lo haces o no.

1. Mañana hay que entregar una composición importante. Un amigo necesita tu ayuda pero tú sabes que ese tipo de ayuda no es permitido. Tu amigo te dice «Te cambio un DVD por tu ayuda». ¿Lo aceptas?
2. Te gusta mucho una camisa que tiene un amigo (una amiga). ¿Qué ofreces cambiar por esa camisa?
3. Necesitas pintar las paredes de tu casa. ¿Qué cambias con tu amigo/a por su ayuda? ¿Una cena? ¿Otra cosa?

Paso 2   Compara tus ideas con las de otra persona. ¿En qué coinciden?

Resumen de gramática

Actividad A   Doña Isabel

In a future episode of *Sol y viento*, you will meet doña Isabel, Carlos' mother. As Carlos talks about running the winery, she reminds him of why he took on the duties he has. Read their exchange and then answer the questions that follow.

ISABEL: Cuando murió tu papá, te encargaste de los negocios.ª Yo ya estaba vieja y tu hermana teníaᵇ otros intereses.

CARLOS: Sí. Ella siempre ha tenidoᶜ otros intereses.

ISABEL: ¡Carlos! ¡Estás grande para estar resentido!

1. ¿Se sabe cuándo murió el padre de Carlos?

2. ¿Crees que murió joven o que murió viejo?

ªte... *you took over the business*   ᵇ*had*   ᶜha... *has had*

Actividad B   No es una profesora típica

In **Episodio 5** of *Sol y viento* you will watch a scene in which Jaime tells María that she's not a typical professor. Part of their conversation appears in the dialogue.

JAIME: De verdad me parece muy interesante lo que hace Ud. No es una profesora... típica.

MARÍA: ¿«Típica» cómo? ¿Porque no uso anteojos gruesosª y vestidos formales?

JAIME: ¡Exactamente! ¡Nah! No, no es eso, precisamente. Es que Ud. no se limita a _____.

¿A qué no se limita María?

1. a su especialización

2. a su trabajo con la comunidad indígena

3. a la sala de clase y a sus libros

¿Estás de acuerdo con Jaime en que María no es una profesora típica? ¿Conoces a profesores como María? ¿Cómo son?

ªanteojos... *thick glasses*

Actividad C   Por y para

Just before Jaime leaves the winery, Traimaqueo presents him and Mario with bottles of wine on behalf of Carlos. Read what Traimaqueo says and select whether **Ud.** or **ti** should be placed in the blanks.

TRAIMAQUEO: Don Carlos quiere hacerles un regalito. Sí. (*a Jaime*) Un merlot **para** _____ ... (*a Mario*) Y un cabernet sauvignon **para** _____.

You may also recall the exchange in which Jaime asks María about a poster she is hanging. How would you translate **por** in María's response?

MARÍA: Bueno, además de ser^a profesora, trabajo **por** los derechos del pueblo mapuche.

ᵃademás... *besides being a*

Actividad D   Síntesis

Paso 1   Pon (*Put*) las palabras de cada oración en el orden correcto, haciendo los cambios necesarios. Luego indica quién de *Sol y viento* lo diría (*would say it*).

1. por / pasar / es necesario / para / ir / el Valle del Maipo / a la viña «Sol y viento»
2. levantarme / correr / en el parque / y / esta mañana / temprano
3. servirme / Carlos / un vino / empezar / cuando / las negociaciones
4. trabajar (yo) / la familia Sánchez / para / en la viña
5. afeitarme / porque / tener barba (*beard*) / con cuidado
6. no / por placer (*pleasure*) / y / estar en Chile / por / mi compañía

Paso 2   Utilizando la gramática de esta lección, inventa dos oraciones como las del **Paso 1** mezclando infinitivos con otras palabras. ¿Pueden los demás poner las palabras en el orden correcto para formular las oraciones?

Sol y viento

Episodio 4

Antes de ver el episodio

Actividad A   *Sol y viento* en resumen

¿Qué recuerdas hasta el momento? Escribe el nombre de los personajes apropiados en los espacios.

1. Después de corer, _____ compró una fortuna.

2. Al leer (*Upon reading*) su fortuna, se chocó con (*he bumped into*) _____, una profesora de antropología.

3. _____ llevó a Jaime a la viña «Sol y viento». Allí Jaime habló con _____ sobre la venta de la viña.

4. No pudo ver a _____. _____ le dijo a Jaime que ella se fue a Santiago.

Actividad B   ¡A escuchar!

Vas a ver el **Episodio 4.** Primero, lee la siguiente escena. Luego, mientras la veas, completa lo que dicen los personajes con las palabras y expresiones que oyes.

MARÍA: Bueno, además de ser _____, trabajo por los derechos del pueblo mapuche.

JAIME: ¡Ah! Entonces, a lo mejor le gusta esto. Es _____ Ud.

MARÍA: ¿Para míííí? ¡Oye! ¡Qué _____! ¿Cómo sabía... ?

JAIME: Su _____.

MARÍA: ¡Ah, por supuesto!ª

ªpor... *of course*

Actividad C   El episodio

Ahora mira el episodio. Si hay algo que no entiendes bien, puedes volver a ver la escena en cuestión.

Después de ver el episodio

Actividad A ¿Qué recuerdas?

Basándote en el episodio 4 de *Sol y viento*, contesta las siguientes preguntas.

1. Según Traimaqueo, ¿qué cosas en la vida pueden engañarlo a uno (*trick someone*)?

2. Al final del tour de la viña, Traimaquo recita unos versos del poeta Pablo Neruda. ¿Sobre qué tema son los versos?

3. Parece que Carlos miente sobre doña Isabel. ¿Qué le dice a Jaime y cuál es la información verdadera?

4. ¿Qué regalo le da Jaime a María?

5. ¿Por qué está Jaime contento al final del episodio?

Actividad B ¡A verificar!

Vas a ver otra vez la escena de **¡A escuchar!** en la página anterior. Llena los espacios en blanco, según lo que oyes.

Actividad C Otro encuentro

Paso 1 Este episodio se titula «Otro encuentro». ¿A qué se refiere el título? ¿Un encuentro entre quiénes? En grupos de dos, contesten estas preguntas y luego propongan (*propose*) un título alternativo. Cada grupo debe presentar su título a la clase.

Paso 2 Como clase, hagan un perfil de Traimaqueo. Deben incluir aspectos de su personalidad y su apariencia física. También comenten sobre sus relaciones con Carlos y con Yolanda.

Detrás de la cámara

Jaime comments on Traimaqueo's evident passion for wine. Traimaqueo does indeed love the land and the winery. He also cares deeply about the family he works for, especially doña Isabel. Traimaqueo and his wife Yolanda have been with the family for a long, long time. Having been with the winery for so long, they both try to keep an eye out for doña Isabel. When doña Isabel's husband died, Traimaqueo felt the need to watch over things in his absence. Yolanda is less conspicuous than Traimaqueo, playing the classic rural female role of servant. She is indeed close to doña Isabel, but she also "knows her place" as a housekeeper. Like Traimaqueo, she is honest and simple. The two of them would do anything for doña Isabel and the winery.

EPISODIO 4 Otro encuentro

Panorama cultural

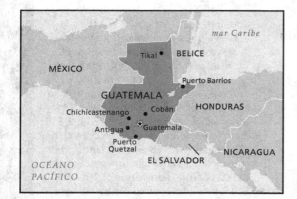

Guatemala

La República de Guatemala se sitúa[a] en Centroamérica. Es un país montañoso[b] con costas al mar Caribe y al océano Pacífico. Su sabor único se encuentra[c] en la fuerte presencia de la civilización maya, no sólo en las ciudades antiguas como Tikal, sino también en los rostros[d] e idiomas de la gente que vive en este país democrático hoy en día. Por ejemplo, en el pueblo de Chichicastenango, los residentes maya siguen con sus creencias y ritos precoloniales. Además, han establecido una corte que atiende[e] los casos que afectan sólo a la población indígena local.

[a]*se... is located* [b]*mountainous* [c]*sabor... unique flavor is found* [d]*faces*
[e]*han... they have established a court that attends to*

[**DATOS BÁSICOS**]

CAPITAL
CIUDAD DE GUATEMALA

POBLACIÓN
13 MILLONES (APROX.)

IDIOMA OFICIAL
ESPAÑOL

TASA DE ALFABETIZACIÓN
69%

MONEDA
EL QUETZAL

Presencia indígena

Según las cifras más recientes, la población indígena de Guatemala sobrepasa[a] el 41% de la población total. Si se toma en cuenta[b] que la vasta mayoría de los demás grupos étnicos consta de[c] mestizos (personas de ascendencia indígena y europea), los que pueden reclamar sangre indígena en Guatemala forman la mayoría de la población. Sin embargo, el gobierno no siempre ha respetado[d] los derechos del indígena y a finales de los años 70 del siglo pasado unos grupos de guerrillas se sublevaron contra[e] el gobierno. El resultado fue una larga guerra civil y el genocidio de la población indígena. La guerra terminó en 1996.

El mercado de Chichicastenango está lleno (*full*) de colores y sonidos (*sounds*).

[a]*surpasses* [b]*se... one takes into account* [c]*consta... is made up of* [d]*ha... has respected* [e]*se... revolted against*

Desastres naturales

Por su situación geográfica, Guatemala es un país vulnerable a los desastres naturales. En 1976 murieron unas 25.000 personas a causa de un terremoto[a] y en 1998 el huracán Mitch dejó a unas 730.000 personas sin casa además de destruir vastos terrenos agrícolas.

[a]*earthquake*

Una mujer maya que habla quiché y español

Idiomas

Aunque el español es el idioma oficial del país, sólo el 60% de la población lo habla. Entre los indígenas se hablan más de veinte dialectos nativos como el quiché y el cakchiquel. Esta situación lingüística ha causado[a] una serie de problemas políticos y en el sistema educativo. En los años 90, el estado reconoció la necesidad de fomentar[b] la educación bilingüe en el país y el uso de los idiomas maya en el sistema jurídico[c] para proteger los derechos de todo el pueblo.

[a]*ha... has caused*　　[b]*promote*　　[c]*legal*

Música

Una de las figuras más conocidas de la música pop es Ricardo Arjona. Nacido en Jocotenango, ha ganado[a] dos Premios Grammy. También es conocido por haber sido[b] jugador de basquetbol. Su música refleja temas universales y su canción «La vida está de luto» es una fuerte crítica de la vida contemporánea.

[a]*ha... has won*　　[b]*haber... having been*

Ricardo Arjona es un artista guatemalteco (*Guatemalan*) que ha alcanzado (*has achieved*) fama internacional.

Premios Nóbel

En 1967, Miguel Ángel Asturias recibió el Premio Nóbel de Literatura. Asturias es conocido[a] por poner al centro de su obra la presencia maya y también por su crítica del gobierno. Su novela *Hombres de maíz* se considera una obra maestra.[b] En 1992, Rigoberta Menchú recibió el Premio Nóbel de la Paz.[c] De ascendencia maya, se ha centrado[d] en proteger los derechos de la población indígena.

[a]*known*　　[b]*obra... masterpiece*
[c]*Peace*　　[d]*se... she has focused*

WWW En el Internet

Busca información sobre uno o más de los siguientes temas:

1. la educación bilingüe en Guatemala
2. la lengua maya (ejemplos de palabras y gramática)
3. otros datos sobre Ricardo Arjona

Trae la información a la clase para compartir con tus compañeros/as.

Si viajas allí

En el mundo hispano, los nombres de ciertas cosas varían. Lo que es un «apartamento» en un país, en otro puede ser un «departamento» (como en México) o un «piso» (como en España). Lo que es un «almacén» (*department store*) en muchos países hispanos, se le dice «tienda por departamentos» en Guatemala. Para evitar malentendidos (*misunderstandings*), aprende los términos que usan en el país que visitas.

Prueba

1. ¿Hay en Guatemala una fuerte presencia azteca o maya?
2. ¿Qué porcentaje de la población habla español? ¿el 40% o el 60%?
3. ¿Qué desastre ocurrió en 1996: un terremoto o un huracán?
4. ¿Qué Premio Nóbel recibió Asturias: el Premio de Literatura o el de la Paz?
5. ¿Qué jugaba (*played*) Ricardo Arjona antes de ser músico: el béisbol o el basquetbol?

Vocabulario

Verbos

afeitarse	to shave
alquilar	to rent
bañarse	to take a bath
conseguir (i, i) (g)	to get, obtain
conseguir + *infin.*	to succeed in (*doing something*)
dormirse (ue, u)	to fall asleep
ducharse	to take a shower
lavarse los dientes	to brush one's teeth
levantarse	to get up
mentir (ie, i)	to lie, tell a lie
morir (u, ue)	to die
odiar	to hate
sentir(se) (ie, i)	to feel
sugerir (ie, i)	to suggest

Repaso: acostarse (ue), despertarse (ie), divertir (ie, i), pedir (i, i), preferir (ie, i), repetir (i, i), (seguir (i, i), servir (i, i) vestirse (i, i)

Los cuartos, muebles y aparatos domésticos

el baño	bathroom
la alfombra	rug; carpet
la bañera	bathtub
la ducha	shower
el espejo	mirror
el inodoro	toilet
el lavabo	(bathroom) sink
la cocina	kitchen
la cafetera	coffeemaker
la estufa	stove
el horno	oven
el lavaplatos	dishwasher
el microondas	microwave
la nevera	freezer
el refrigerador	refrigerator
el comedor	dining room
la habitación	bedroom
el armario	closet
la cama	bed
el cartel	poster
la cómoda	dresser
el estante	bookshelf
la lámpara	lamp
la mesita	end table

la sala	living room
el cuadro	painting
el sillón	armchair
el sofá	sofa

Cognados: el balcón, el garaje, el jardín, el patio
Repaso: el escritorio, la mesa, la silla

Los quehaceres domésticos

barrer el piso	to sweep the floor
hacer (*irreg.*) **la cama**	to make the bed
lavar (los platos)	to wash (the dishes)
limpiar la casa (entera)	to clean the (whole) house
pasar la aspiradora	to vacuum
planchar la ropa	to iron the clothing
quitar el polvo	to dust
sacar (qu) la basura	to take out the garbage
la aspiradora	vacuum cleaner
el jabón	soap
la lavadora	washing machine
la plancha	iron
los productos de limpieza	cleaning products
la secadora	dryer

Cognado: el detergente
Repaso: la ventana

La vivienda

la casa	house; home
la casa particular	private residence
el compañero/a de cuarto (casa)	roommate (housemate)
la dirección	address
el/la dueño/a	owner; landlord, landlady
el hogar	home (*as in "home, sweet home"*)
el/la inquilino/a	tenant
los pies (metros) cuadrados	square feet (meters)
el piso	flat, apartment (*Sp.*)
el piso / la planta (*Sp.*)	floor (*of a building*)

el/la portero/a	doorperson; building manager
el tamaño	size
el/la vecino/a	neighbor
la vista	view

Cognados: el apartamento, el condominio, la residencia

Repaso: el alquiler, el barrio, el edificio, la oficina, la residencia estudiantil

Otras palabras y expresiones

amueblado/a	furnished
mí	me (obj. of prep.)
por	for; because of
ti	you (*obj. of prep.*)
¿De qué tamaño es... ?	What size is . . . ?

Un día perfecto

EPISODIO

5

LECCIÓN **5A**

LECCIÓN **5B**

Escena 1

JAIME: De verdad me parece muy interesante lo que hace Ud. No es una profesora... típica.

MARÍA: ¿«Típica» cómo? ¿Porque no uso anteojos gruesos[a] y vestidos formales?

[a]anteojos... *thick glasses*

Escena 2

ISABEL: ¿Te pasa algo,[a] hijo?

CARLOS: No, nada. ¿Por qué?

ISABEL: Sí, algo te pasa. Soy tu mamá y te conozco mejor que nadie.

[a]¿Te... *Is something wrong*

Escena 3

MARÍA: Tú eres gente de la tierra,[a] como los mapuches.

JAIME: ¿Por qué como los mapuches?

MARÍA: *Mapu* significa «tierra». *Che* significa «gente». «Gente de la tierra», como tu familia.

[a]*land*

Un día perfecto

¿Qué crees tú?

Escena 1

1. ¿Por qué piensa Jaime que María no es una profesora «típica»?
2. ¿Estás de acuerdo con Jaime? ¿Es María «típica», en tu opinión?

Escena 2

1. ¿Qué le pasa a Carlos?
2. ¿Crees que Carlos le va a decir algo importante a su madre? ¿Qué le va a decir?

Escena 3

1. ¿Por qué dice María que Jaime es «gente de la tierra»?
2. ¿Qué piensa Jaime de María? ¿Le gusta? ¿Qué piensa María de él?

La tecnología
y yo

OBJETIVOS

IN THIS LESSON, YOU WILL LEARN:

▶ words and expressions associated with computers and the Internet

▶ more verbs like **gustar** to talk about what interests you, bothers you, and so forth

▶ to talk about useful electronic devices

▶ how to avoid redundancy by using direct and indirect object pronouns together

▶ to talk about your pastimes and activities now and when you were younger

▶ about imperfect verb forms and how to use them to talk about what you used to do

▶ some interesting things about Bolivia and Paraguay

In addition, you will prepare to watch **Episodio 5** of the film *Sol y viento*.

¿Qué aparatos electrónicos sueles usar? ¿Es muy importante la tecnología en tu vida diaria (*daily life*)?

The following media resources are available for this lesson of *Sol y viento*:

Episodio 5 of

C E N T R O
Your media center for languages

Online *Manual*

WWW

Online Learning

PRIMERA PARTE

Vocabulario

Talking About
Everyday Technology

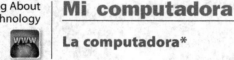

Mi computadora

Computers and Computer Use

La computadora*

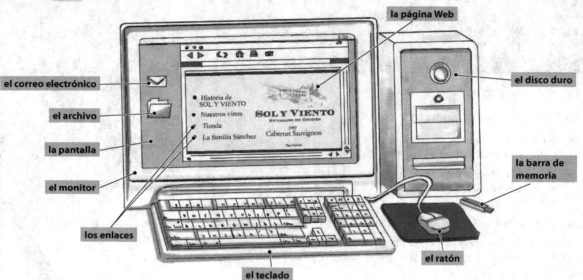

- la página Web
- el correo electrónico
- el archivo
- la pantalla
- el monitor
- los enlaces
- el teclado
- el disco duro
- la barra de memoria
- el ratón

Más vocabulario

apagar (gu)	to turn off
congelarse	to freeze up (*screen*)
descargar (gu)	to download
encender (ie)	to turn on (*machines*)
mandar	to send
guardar (documentos)	to save (documents)
hacer (*irreg.*) **clic**	to click
hacer (*irreg.*) **una búsqueda**	to do a search
navegar (gu) la red	to surf the Web
la contraseña	password
el mensaje	message

Cognados: conectar, copiar; el Internet
Repaso: enviar (envío)

---

*In Spain, **el ordenador** is used for *computer*.

Vistazo cultural

El uso del Internet en el mundo hispano

El uso del Internet ha experimentado un crecimiento[a] considerable en casi todos los países del mundo. En los países hispanos, el crecimiento ha superado[b] el 200% en los últimos[c] años. España, Chile y la Argentina son los países con mayor acceso mientras que Bolivia y el Paraguay son los países con menos usuarios[d] del Internet. En el Paraguay, el atraso[e] en el uso del Internet (menos del 4% de la población) se debe a[f] la débil[g] infraestructura de comunicación del país. Bolivia también tiene un porcentaje reducido de usuarios. Sin embargo, el crecimiento de usuarios bolivianos ha superado el 800% en los últimos tres años. Un estudio reciente sobre el uso del Internet en Bolivia indica que aproximadamente el 5% de la población boliviana está en la red social[h] Facebook.

[a]ha... *has experienced growth* [b]ha... *has surpassed* [c]*recent* [d]*users* [e]*delay* [f]se... *is due to*
[g]*weak* [h]red... *social network*

Actividad A   Asociaciones

Escoge el verbo que se asocia con cada sustantivo.

1. el teclado   **a.** escribir   **b.** apagar   **c.** guardar
2. el mensaje   **a.** conectar   **b.** navegar   **c.** enviar
3. la red   **a.** guardar   **b.** copiar   **c.** navegar
4. el ratón   **a.** apagar   **b.** hacer clic   **c.** escribir
5. el documento   **a.** guardar   **b.** navegar   **c.** encender
6. la pantalla   **a.** enviar   **b.** congelarse   **c.** descargar
7. la computadora   **a.** apagar   **b.** copiar   **c.** enviar

Actividad B   Descripciones

Tu profesor(a) va a mencionar un objeto relacionado con la computadora. Pon (*Place*) el número del objeto mencionado al lado de su descripción.

a. _____ Se hace clic aquí para ir de una página Web a otra página interesante.

b. _____ Se usa para guardar documentos relacionados.

c. _____ Se usa para mover el cursor en la pantalla.

d. _____ Se usa para escribir en la computadora.

e. _____ Contiene todos los programas y documentos guardados en la computadora.

f. _____ Se ven todos los documentos y páginas Web aquí.

g. _____ Se usa para proteger (*protect*) el correo electrónico.

Actividad C   ¿Qué debes hacer (*should you do*)?

Las situaciones a continuación ocurren cuando usamos la computadora. Algunas son muy frecuentes y otras menos frecuentes. Para cada situación, escribe una solución para compartir con la clase.

MODELO: (*ves*)   La conexión va muy lenta (*slow*).
           (*escribes*)   Debes intentar conectarte otra vez o esperar hasta más tarde.

1. Quieres buscar información sobre alguien.
2. Quieres tener una canción en el reproductor de MP3 (emepetrés) (*MP3 player*).
3. Tienes un virus en un documento.
4. Quieres guardar un documento para poder revisarlo en otra computadora.
5. La computadora se congela.

Actividad D   ¿Cuánto tiempo pasamos en la computadora?

Paso 1   Indica el promedio (*average*) de horas a la semana que pasas haciendo las siguientes actividades relacionadas con la computadora.

MODELO: Paso tres horas a la semana leyendo y contestando el correo electrónico.

1. leer y contestar el correo electrónico
2. escribir tareas/trabajos
3. hacer investigaciones para las clases
4. acceder a (*to access*) redes sociales
5. charlar en las salas de chat o con mensajero instantáneo
6. descargar música o vídeos
7. hacer compras
8. leer las noticias

 Paso 2   En grupos de cuatro, comparte tus respuestas al **Paso 1.** Apunta las respuestas de tus compañeros/as.

Paso 3   Ahora calculen el promedio de las horas de cada actividad de tu grupo. Tu grupo va a compartir esta información con toda la clase. Además de presentar el promedio de las actividades, contesten las siguientes preguntas.

1. ¿En qué actividad pasan Uds. más tiempo?
2. ¿Hay diferencias entre las mujeres y los hombres? ¿Cuáles son?

Paso 4   (Optativo) Escribe un párrafo en que comparas tu uso de la computadora con el de tus compañeros/as.

¡Exprésate!

To say *to spend time doing something*, Spanish uses **pasar tiempo** + *present participle*. The participle (or *gerund*) is formed by adding **-ando** to the stem of **-ar** verbs and **-iendo** to **-er** and **-ir** verbs and is translated as the *-ing* form of the verb in English. The verb **leer,** however, adds **-yendo** instead of **-iendo.** The examples below will help you with **Actividad D.**

¿Cuánto tiempo **pasas leyendo** y **contestando** el correo electrónico?

How much time do you spend reading and answering e-mail?

Paso mucho tiempo haciendo investigaciones para las clases.

I spend a lot of time doing research for my classes.

You will learn more about the present participle in **Lección 8A.**

Gramática

¡Me fascina!

Verbs Like **gustar**

More on Talking About Likes and Dislikes

Other Verbs Like **gustar**		
agradar	*to please*	**Me agrada** mucho. *It pleases me a lot.*
apetecer (zc)	*to appeal, be pleasing*	**¿Os apetece?** *Does it appeal to you (all)?*
caerle (*irreg.*) **bien/mal a alguien**	*to like/dislike someone* (lit.: *to strike someone well/poorly*)	Julio **me cae bien.** *I like Julio.* (lit.: *Julio strikes me well.*)
darle (*irreg.*) **miedo a alguien**	*to scare someone* (lit.: *to give someone fright*)	La tecnología no **me da miedo.** *Technology doesn't scare me.*
encantar	*to love* (lit.: *to enchant*)	**Nos encanta** la música. *We love music.* (lit.: *Music enchants us.*)

fascinar	*to love, be fascinated by*
	(lit.: *to fascinate*)
		A Jorge **le fascinan** las
		  computadoras.
		*Jorge loves (is fascinated by)
		  computers.*
		(lit.: *Computers fascinate Jorge.*)

importar	*to be important; to matter*	**¿Les importa?** *Does it matter to you (all) / them?*
interesar	*to interest, be interesting*	**¿Te interesan** las lenguas? *Do languages interest you? / Are languages interesting to you?*
molestar	*to annoy, bother*	A nosotros **nos molestan** las conexiones lentas. *Slow connections annoy us.*
parecer (zc)	*to seem* (*like*)	**¿Te parece** buena idea? *Does it seem like a good idea to you?*

You have already been talking about your likes and dislikes using the verb **gustar.** As you may remember, **gustar** literally means *to be pleasing*. In order to say *I like to surf the Internet,* you say **Me gusta navegar el Internet** (lit.: *Surfing the Internet pleases me.*) You may also remember that **gustar** always takes an indirect object pronoun in order to indicate *to whom* something is pleasing. The new verbs in this section, many of which you've already seen, function the same way. And as with **gustar,** the preposition **a** must be used if the indirect object noun is mentioned.

A Juan le importa mucho
  su familia.

*Juan's family really matters
  to him.*

A mis amigos les encantó la fiesta.

My friends loved the party.

Puente musical

Go to the *Sol y viento* iMix section on the Online Learning Center Website (**www.mhhe.com/solyviento3**), where you can purchase "Me molestas" by the group Kamenbert. Can you identify all of the things that bother the singer?

Comunicación útil

To respond in agreement or disagreement when someone uses a verb like **gustar,** the following expressions are used. Note the use of the preposition **a.**

—Me encantó la película.	I loved the movie.
—**A mí también.**	Me too.
—A Bernardo no le apetece ir.	Bernardo doesn't feel like going.
—**A mí tampoco.**	Me neither. / Neither do I.
—No les interesa nada.	It doesn't interest them at all.
—**A él sí.**	It does (interest) him.
—A Uds. les fascina navegar la red.	You (all) love surfing the Web.
—**A ti no.**	Not you. / You don't.

Actividad E   ¿Estás de acuerdo?

Indica si estás de acuerdo o no con las oraciones a continuación.

	ESTOY DE ACUERDO.	NO ESTOY DE ACUERDO.
1. A Jaime le encanta Santiago.	☐	☐
2. A María no le agrada mucho su trabajo en la universidad.	☐	☐
3. A Mario le cae bien Jaime.	☐	☐
4. A María le interesa conocer mejor a Jaime.	☐	☐
5. A Jaime le importa más el aspecto físico de las mujeres que la inteligencia.	☐	☐
6. A Mario le molesta ser conductor de Jaime.	☐	☐
7. A Carlos le apetece vender «Sol y viento».	☐	☐

Actividad F   ¿Qué te interesa?

Paso 1   Completa las oraciones a continuación con información verdadera sobre el uso de las computadoras. Puedes usar las siguientes expresiones u otras, si quieres.

> comprar una computadora nueva
> conocer a alguien en una sala de chat
> descargar música
> estar en Facebook continuamente
> navegar la red por muchas horas
> recibir *spam*
> ¿ ?

1. Me agrada...

2. No me interesa para nada...

3. Me molesta mucho...

4. Me parece bien/mal...

5. Me encanta...

6. Me da miedo...

Paso 2 Compara tus respuestas con las de un compañero (una compañera) de clase, según los modelos.

MODELOS: E1: Me molesta mucho recibir *spam*.

E2: A mí también. / ¿De veras? (*Really?*) A mí no. No me molesta nada.

o

E1: No me molesta nada recibir *spam*.

E2: A mí tampoco. / ¿De veras? A mí sí. Me molesta mucho.

Actividad G   ¿Qué le molesta al profesor (a la profesora)?

Paso 1 En grupos de tres, usen cinco de los verbos de la página 249 para escribir cinco oraciones sobre los gustos de tu profesor(a). Pueden usar las siguientes expresiones y otras que describan mejor los sentimientos (*feelings*) de él o ella.

algunos colegas	la película *Sol y viento*
enseñar español	usar las redes sociales
los estudiantes	viajar
los estudiantes que llegan tarde	¿ ?
otras culturas	

MODELO: A nuestro profesor (nuestra profesora) de español le caen bien todos sus estudiantes.

Paso 2 Compartan sus oraciones con su profesor(a). ¿Fueron acertadas (*correct*) sus oraciones?

MODELO: Creemos que a (nombre del profesor / de la profesora) le...

Actividad H   Una entrevista

Paso 1 Contesta cada pregunta a continuación sobre los cursos por Internet.

1. ¿Te interesa tomar un curso por Internet? ¿Cuál(es)?

2. Si ya tomas un curso por Internet, ¿te gusta? ¿Por qué (no)?

3. ¿Te parece buena idea ofrecer cursos por Internet en tu universidad? ¿Por qué (no)?

4. ¿Te importa pasar menos tiempo en clase y más tiempo en el Internet para los cursos?

5. ¿Qué te molesta de los cursos por Internet? ¿Por qué (no)?

Paso 2 Hazle a tu compañero/a las preguntas del **Paso 1** y anota sus respuestas.

Paso 3 Escribe un párrafo con la información de tu compañero/a. Di (*Say*) también si estás de acuerdo o no con él (ella). En general, ¿tienen los/las dos una actitud positiva o negativa hacia los cursos por Internet?

SEGUNDA PARTE

Vocabulario

Talking About Reliance on Technology

Mi celular

Electronic Devices

el estéreo

el (teléfono) celular

el reproductor de CD

el mando a distancia

el televisor

el reproductor de DVD

Enrique

la computadora portátil

Más vocabulario

el buzón de voz	voicemail
la máquina fax	fax machine
el reproductor de MP3	MP3 player
cambiar de canal	to change channels
funcionar	to work, function (*machines*)
grabar	to record

Cognados: la calculadora, la cámara digital, la videocámara

Vistazo cultural

Las redes sociales en el mundo hispano

Los sitios de redes sociales como Facebook y Twitter atraen[a] a millones de usuarios que quieren compartir[b] sus vidas con otros y reencontrarse[c] con antiguos amigos, compañeros e incluso ex novios o ex novias.[d] En algunos países hispanos como Chile y España, hay tantas personas que participan en redes sociales como en este país. En Bolivia y el Paraguay, hay muchos menos usuarios de las redes sociales debido al[e] acceso limitado al Internet. Sin embargo, los bolivianos que viven en el extranjero,[f] especialmente en los Estados Unidos, Costa Rica y España, utilizan las redes sociales para ponerse en contacto[g] con otros bolivianos y para compartir vídeos, fotos y enlaces con ellos.

[a]*attract*   [b]*to share*   [c]*reconnect*   [d]*incluso... including ex-boyfriends or ex-girlfriends*   [e]*debido... due to the*
[f]*en... abroad*   [g]*ponerse... get in touch*

Actividad A   Asociaciones

Escucha las actividades que menciona tu profesor(a) y pon el número de la actividad al lado del aparato correspondiente.

a. _____ el reproductor de DVD

b. _____ la computadora portátil

c. _____ el (teléfono) celular

d. _____ el televisor

e. _____ el reproductor de MP3

Actividad B   ¿Para qué se usa? (*What is it used for?*)

Termina cada oración con el nombre del aparato electrónico del vocabulario.

1. Se usa el _____ para cambiar de canal en el televisor.

2. Se deja (*is left*) un mensaje en el _____ cuando alguien no contesta su celular.

3. Se usa la _____ para recibir y mandar documentos.

4. Se usa el _____ para llamar a otras personas, especialmente cuando uno está fuera de casa.

5. Se usa la _____ para sacar fotos y verlas en la computadora.

6. Se usa el _____ para ver películas.

¡Exprésate!

The expression **se usa** in this activity is what is called an *impersonal expression.* You have seen many of these throughout *Sol y viento.* English normally translates this as *one uses* or sometimes *you use,* but the *you* does not refer to any specific person. You will learn more about impersonal expressions in the **Lección final.**
You will learn another use of **se** in the next **Gramática** section.

254 doscientos cincuenta y cuatro ■ **Lección 5A** La tecnología y yo

Actividad C   ¿De qué dependes más?

Paso 1   Completa cada oración a continuación con los nombres de los aparatos electrónicos de la página 252, según tu opinión personal.

1. No puedo vivir sin _____ (y _____).
2. Tengo un(a) _____ (y _____), pero puedo vivir sin este aparato (estos aparatos).
3. No uso _____ (y _____), y no me hace(n) falta.

Paso 2   Compara tus respuestas con las de tres compañeros/as y justifica cada opinión que elegiste en el **Paso 1.**

MODELOS: E1: ¿Puedes vivir sin calculadora?

E2: Sí. No la uso y no me hace falta porque no tengo clase de matemáticas.

¿Puedes vivir sin computadora portátil?

¡Exprésate!

To say that one *needs* or *misses* something, Spanish uses the expression **hacerle falta (a alguien).**

Me hace(n) falta.   *I miss/need it (them).*

No me hace(n) falta.   *I don't miss/need it (them).*

Actividad D   ¿Qué necesita un estudiante nuevo?

Paso 1   En grupos de tres o cuatro personas, hagan una lista de los aparatos electrónicos que va a necesitar un estudiante de primer año en la universidad.

Paso 2   Ahora indiquen si cada aparato mencionado en el **Paso 1** es **absolutamente necesario** o **no es necesario pero sería** (*it would be*) **bueno tenerlo.** Justifiquen el uso de cada aparato.

MODELO: Un reproductor de MP3 es absolutamente necesario. Hay mucho trabajo y estrés con las clases y un nuevo estudiante necesita relajarse (*to relax*).

Gramática

Ya te lo dije.
Double-Object Pronouns | More on Avoiding Redundancy

Double-Object Pronouns

The Indirect Object Precedes the Direct Object

me lo (la, los, las)	**nos lo (la, los, las)**
te lo (la, los, las)	**os lo (la, los, las)**
se lo (la, los, las)	**se lo (la, los, las)**

¿Los libros? **Te los** doy más tarde.   Sí, la computadora. ¿**Nos la** vendes?

le/les → se when Followed by lo, la, los, or las

¿<u>Le</u> diste <u>el televisor</u> a tu mamá?

Sí. **Se lo** di la semana pasada.

<u>Mis hermanos</u> quieren <u>los dos teléfonos</u> que tenemos.

¿Por qué no **se los** regalamos de sorpresa?

It is typical to use two object pronouns together to avoid redundancy.

> *Do you have my book?*
> *Yes. I'll give it to you right now.*

In the preceding exchange, the response includes a direct object pronoun, *it*, and an indirect object pronoun, *you*. In Spanish, when both direct and indirect object pronouns appear together, the indirect object pronoun always precedes the direct object pronoun.

> ¿Tienes mi libro?
> Sí. Ahora mismo **te lo** doy.

The order is always indirect object followed by direct object no matter whether the pronouns appear before the verb, as in the above example, or are attached to the end of an infinitive.

> ¿Tienes mi libro?
> Sí, pero no quiero dár**telo** ahora.

When both indirect and direct object pronouns begin with the letter **l** (i.e., **le/les** and **lo, la, los, las**), the indirect object pronoun changes to **se.** This is not a reflexive construction.

There are several other points to keep in mind about double-object pronouns.

■ Given that **se** can refer to both singular and plural indirect objects, it is often accompanied by a phrase with **a** that explains who the indirect object is if context does not make the meaning clear.

> Ya **se** lo di **a mi hermano.**
> **Se** la escribimos **a mis padres.**

■ With the verb **decir,** it is typical to use **lo** when a direct object is implied, that is, that something was said.

> ¿No te **lo dije**? *Didn't I tell you?* (lit.: *Didn't I tell it to you?*)

■ Remember that these pronouns are not subjects of the verb, so **se** does not translate as *you/he/she/them* but rather as *to* or *for you/him/her/them*.

Comunicación útil

The use of two pronouns with **decir** is common in Spanish. Examine the following sentences.

> Ya **te lo dije.** *I already told (it to) you.*
> ¿**Me lo** vas a **decir**? *Are you going to tell me (it)?*

The **lo** represents the "thing" that was said or is to be said. Note that the pronoun is always masculine singular.

Actividad E ¿Qué pasó?

Escoge la respuesta correcta según lo que recuerdas de *Sol y viento*.

1. En el **Episodio 1,** ¿a quién le dijo Jaime «Lo veo mañana, como a las 10:00»?
   a. Se lo dijo a María.
   b. Se lo dijo a Mario.
2. Cuando Jaime habló con Carlos por teléfono, ¿le dio su número en el hotel?
   a. Sí, se lo dio.
   b. No, no se lo dio.
3. ¿Qué hizo María con la tarjeta que encontró Jaime en el parque?
   a. Se la dio.
   b. Se la quitó (*She took it away*).
4. Al final del **Episodio 2,** ¿qué hizo Jaime con el papelito de la suerte que decía «El amor es un torbellino»?
   a. Se lo dio a María.
   b. Se lo dio a Mario.

Actividad F   Situaciones

Escucha las situaciones que menciona tu profesor(a) y escoge la reacción más apropiada a cada una. Luego, indica la palabra a la que se refiere el pronombre.

1. **a.** me lo dan   **b.** no me lo dan
2. **a.** me la pide   **b.** no me la pide
3. **a.** se lo presto   **b.** no se lo presto
4. **a.** se lo doy   **b.** no se lo doy
5. **a.** se la doy   **b.** no se la doy

Actividad G   ¿Se lo/la prestas (*loan, lend*)?

Indica a quién(es) le(s) prestas o das las cosas a continuación.

1. mi celular
   a. No se lo presto a nadie.
   b. Se lo presto a _____.
2. mi computadora portátil
   a. No se la presto a nadie.
   b. Se la presto a _____.
3. mi reproductor de MP3
   a. No se lo presto a nadie.
   b. Se lo presto a _____.
4. mi contraseña del correo electrónico
   a. No se la doy a nadie.
   b. Se la doy a _____.

Actividad H   ¿Dónde está?

Esta actividad consiste en un juego.

1. La clase va a dividirse en dos grupos, A y B. Una persona del grupo A y otra del grupo B deben ir al frente de la clase. Estas personas serán (*will be*) «los capitanes» de sus respectivos grupos.
2. A cada persona, menos a los capitanes, se le va a dar un papel con el nombre de algún aparato electrónico (por ejemplo, el reproductor de MP3, la cámara digital, etcétera). Esta información (nombre de la persona y el aparato) se verá (*will be displayed*) en la pizarra también.
3. Los capitanes deben cerrar los ojos o no mirar a los demás.
4. Mientras los capitanes no miran, los demás deben hablar con otras personas (o hacer algún tipo de ruido) y, si quieren, pueden intercambiar sus «objetos».
5. Luego los capitanes abrirán (*will open*) los ojos y por turnos van a escoger a personas de su grupo diciendo: «Barbara, el profesor (la profesora) te dio el televisor. Lo tienes todavía / Se lo diste a otra persona», dependiendo de lo que el capitán crea (*believes*).
6. El objetivo: el grupo del capitán que primero se equivoque (*is wrong*) tres veces, pierde.

¡BONO! (*BONUS POINT!*) Si el capitán adivina (*guesses*) que una persona le pasó el aparato a otra persona y también *adivina a quién*, a su grupo se le va a asignar un bono. Entonces, si hace un error después, el bono cancela ese error. No se toma como error si el capitán no adivina el nombre de la persona que recibió el aparato.

TERCERA PARTE

Vocabulario

Talking About When
You Were Younger

www

Mi niñez y juventud

Typical Childhood and
Adolescent Activities

Algunas actividades típicas de los niños y los jóvenes

dibujar y colorear

jugar (ue) (gu) a los
videojuegos

meterse en líos

sacar (qu) la licencia
de conducir

Más vocabulario

enamorarse (de)	to fall in love
hacer (*irreg.*) **novillos**	to skip/cut school
jugar (ue) (gu) al escondite	to play hide and seek
llevarse bien/mal con	to get along well/poorly with
pelearse	to fight
portarse bien/mal	to behave well/poorly
la cita	date (*social*)
la juventud	youth; adolescence
el/la mentiroso/a	liar
las muñecas	dolls
la niñez	childhood
el recreo	recess
las tiras cómicas	comics

Características de los niños y los adolescentes

cabezón (cabezona)	stubborn	**torpe**	clumsy
precavido/a	cautious	**travieso/a**	mischievous

Cognados: adaptable, (im)paciente, obediente

Vistazo cultural

Sacar la licencia de conducir en los países hispanos

Para los adolescentes, tanto norteamericanos como hispanos, sacar la licencia de conducir significa tener más independencia. Aunque el proceso puede ser distinto de país a país,[a] en general, en muchos países latinoamericanos (como Bolivia y el Paraguay) hay que ser mayor de 18 años y hacer un examen teórico sobre las leyes y señales de tráfico,[b] además de un examen práctico. También es necesario hacer un examen de vista y oído.[c] En España, el proceso es mucho más caro y complicado. Allí, hay que asistir a entre quince y veinte horas de clases prácticas en una autoescuela como preparación para el examen práctico. El proceso puede costar hasta mil euros, aproximadamente $1.500 (mil quinientos dólares).

¿Cuántos años tenías (*did you have*) cuando aprendiste a conducir?

[a]de... *from country to country*   [b]leyes... *traffic laws and signals*
[c]examen... *vision and hearing test*

Actividad A　Definiciones

Pon el número de cada descripción que lee tu profesor(a) al lado de la palabra o expresión correspondiente.

a. _____ las tiras cómicas 　　　e. _____ hacer novillos

b. _____ el escondite　　　　　　f. _____ las muñecas

c. _____ el lío　　　　　　　　　g. _____ las tareas domésticas

d. _____ el recreo

Actividad B　Asociaciones

Un niño que...

1. no dice la verdad es _____.　　　　　　　　a. precavido

2. tiene muchos accidentes es _____.　　　　　b. travieso

3. se mete en mucho líos es _____.　　　　　　c. impaciente

4. hace lo que le dicen los padres es _____.　　d. mentiroso

5. se acostumbra fácilmente es _____.　　　　　e. cabezón

6. es muy creativo es _____.　　　　　　　　　f. torpe

7. no quiere obedecer a nadie es _____.　　　　g. adaptable

8. no sabe esperar es _____.　　　　　　　　　h. imaginativo

9. no es impulsivo es _____.　　　　　　　　　i. obediente

Actividad C　¿A qué edad?

Paso 1　Utilizando el nuevo vocabulario y las frases a continuación, indica a qué edad se pueden hacer ciertas actividades. Debes escribir por lo menos cinco oraciones, cada una sobre una actividad diferente.

Uno ya deja de (*stops*) _____ a los _____ años.
Se puede _____ a cualquier edad.
Se puede _____ a cualquier edad, pero depende de la situación.

MODELO: Uno ya deja de jugar al escondite a los doce años.

Paso 2　Comparte tus opiniones con la clase. ¿Qué actividades son normales a cualquier edad y cuáles no?

Actividad D　Los pasatiempos (*pastimes, hobbies*) favoritos

Paso 1　Prepara una lista de pasatiempos para cada tema a continuación.

■　Los pasatiempos favoritos de mi niñez

■　Mis pasatiempos favoritos ahora

Paso 2　Compara tus pasatiempos con los de tres compañeros/as. ¿Qué actividades tienen en común para la niñez y para ahora?

Paso 3　¿En cuál de las dos etapas son más comunes actividades o pasatiempos que tienen que ver con la tecnología? ¿Por qué?

Gramática

¿En qué trabajabas?   Introduction to the Imperfect Tense

Thus far you have been using the preterite to talk about what you did yesterday, last weekend, and so forth. But to talk about repeated, habitual, ongoing events and activities in the past (i.e., what you *used to do*), Spanish uses a different verb form: the *imperfect.** As the chart indicates, the imperfect is formed by adding **-aba** to the stem of **-ar** verbs and **-ía** to the stem of **-er** and **-ir** verbs. Verbs that have a stem change in the present tense do not change in the imperfect. Furthermore, the imperfect has only three irregular verbs: **ir, ser,** and **ver.**

Cuando **era** niño, **jugaba** mucho al escondite.	*When I was a child, I used to play hide and seek a lot.*
¿**Te metías** en muchos líos?	*Did you used to / Would you get in a lot of trouble?*
Me **gustaba** mucho leer las tiras cómicas.	*I used to like to read comics.*

Notice that this use of the imperfect is normally translated as *would . . .* or *used to . . .* and is used to communicate actions that used to be normal or habitual occurrences in the past.

The imperfect of **hay** is **había** (*there was / there were*).

The Imperfect of Regular Verbs					
jugar		**comer**		**vivir**	
jugaba	jugábamos	comía	comíamos	vivía	vivíamos
jugabas	jugabais	comías	comíais	vivías	vivíais
jugaba	jugaban	comía	comían	vivía	vivían
jugaba	jugaban	comía	comían	vivía	vivían

Irregular Verbs in the Imperfect					
ir		**ser**		**ver**	
iba	íbamos	era	éramos	veía	veíamos
ibas	ibais	eras	erais	veías	veíais
iba	iban	era	eran	veía	veían
iba	iban	era	eran	veía	veían

---

*Although there are a number of uses of the imperfect, in this section you will be using the imperfect to talk about activities that you *used to do*. You will learn more uses of the imperfect in **Lección 5B.**

Más gramática

There are two uses of the verb *would* in English: to express habitual actions in the past such as *When I was younger, I would always get into trouble*, and unreal conditions such as *I would go if I could*. For the first kind of *would*, Spanish uses the imperfect (**Cuando era más joven, siempre me metía en líos.**) For the second kind, Spanish uses a different verb form called the conditional (**Yo iría...).** You will learn more about this second kind of *would* and conditional forms in **Lección 8A.**

Actividad E ¿Cómo eran?

¿Cómo eran las vidas de Jaime y María hace quince o veinte años? Completa las oraciones sobre lo que piensas de las juventudes de Jaime y María.

1. Jaime vivía en _____ y era muy _____.

   Le gustaba _____.

2. María vivía en _____ y era muy _____.

   Le gustaba _____.

Actividad F Generaciones diferentes

Con otra persona, completa cada oración con un verbo de la lista para describir lo que dos estudiantes hacían con sus amigos durante sus años en la universidad. Luego, indiquen si cada descripción se refiere a estudiantes que se graduaron en el año 1980 (mil novecientos ochenta) o treinta años más tarde, en 2010 (dos mil diez) o a los dos.

descargar	escribir	leer	salir
escuchar	estar	llamar	usar

Mis amigos y yo...

1. _____ el correo electrónico tres veces al día.

2. _____ un catálogo para buscar libros en la biblioteca.

3. _____ los trabajos a mano (*by hand*) o a máquina (*with a typewriter*).

4. _____ mucha música, vídeos y juegos.

5. _____ música en cintas (*tapes*).

6. _____ a tomar cerveza los fines de semana.

7. _____ a los amigos por teléfono celular.

8. _____ en contacto con amigos de otras universidades por redes sociales.

Actividad G ¿Cómo era tu compañero/a?

Paso 1 Usando las expresiones a continuación, escribe ocho preguntas en el imperfecto para averiguar (*find out*) cómo era un compañero (una compañera) de clase cuando tenía 14 años.

obedecer a los padres	jugar a los videojuegos
estudiar mucho	meterse en líos
decirles mentiras (*lies*) a los padres	portarse bien en la escuela
llevarse bien con los hermanos	subirse a los árboles (*to climb trees*)
hacer novillos	practicar algún deporte

Paso 2 Ahora hazle las preguntas a un compañero (una compañera) de clase y apunta sus respuestas. Además, contesta las preguntas que te hace a ti.

Paso 3 Teniendo en cuenta (*Keeping in mind*) las respuestas de tu compañero/a en el **Paso 2,** ¿cómo crees que era tu compañero/a a los 14 años? Elige uno de los siguientes adjetivos y justifica tu selección.

☐ obediente

☐ tranquilo/a (*calm*)

☐ rebelde (*rebellious*)

☐ trabajador(a)

☐ travieso/a

Actividad H ¿Qué opinas?

Escribe un párrafo sobre el siguiente tema y explica si estás de acuerdo o no y por qúe.

La vida era mucho más difícil hace 50 años sin todos los aparatos electrónicos que tenemos hoy.

Resumen de gramática

Actividad A   Un remolino (*pinwheel*)

In **Episodio 5** of *Sol y viento,* you will see a segment in which Jaime gives something to María. Part of their conversation appears here. Before watching the segment, review the list of verbs like **gustar** on p. 249, then decide which verbs could be placed in the blanks.

MARÍA: ¡Un remolino! ¡Me _____¹ los remolinos!

JAIME: Lo compré allí. Me _____² bonito.

Actividad B   Un regalo de los dioses (*Gods*)

At the end of his tour of the winery in **Episodio 4,** Jaime notes the deep feelings Traimaqueo has about wine, wine making, and the Sol y viento vineyard. Read the following exchange and then answer the questions.

TRAIMAQUEO: ¡El vino es un regalo de los dioses, don Jaime! ¡Algo maravilloso! Como decíaª el poeta, don Pablo Neruda: «Vino color de día, vino color de noche, vino con pies de púrpuraᵇ o sangre de topacio,ᶜ vino... »

JAIME: Ya _____ lo dije, señor. Su pasión es evidente.

Which indirect object pronoun do you think Jaime uses here, **te** or **se?** What does this sentence mean literally?

ª*said*   ᵇ*pies... purple feet*   ᶜ*sangre... topaz-colored blood*

Actividad C   Hijo de campesinos (*farmworkers*)

In **Episodio 5** of *Sol y viento* you will watch a scene in which Jaime explains to María why he knows so much about wine. Part of their conversation appears here.

MARÍA: Parece que sabes mucho de vino.

JAIME: Algo. He estado rodeado^a de uvas,^b o jugo de uvas, toda mi vida.

MARÍA: ¿Cómo?

JAIME: Mis padres _____... campesinos. En el Valle Central de California.

Which verb in the imperfect would you put in the blank above?

^a*He... I've been surrounded*   ^b*grapes*

Actividad D   Síntesis

Paso 1   Pon (*Put*) las palabras de cada oración en el orden correcto, haciendo los cambios necesarios. Luego indica quién de *Sol y viento* lo diría (*would say it*).

1. trabajar mucho / cuando ser / con uvas / más joven
2. fascinarle / conmigo / a Diego / en la excavación / trabajar
3. molestarme / de Carlos / las mentiras
4. agradarme / el conductor / mucho / ser / de don Jaime
5. querer / hace tiempo / la viña / vender
6. no tener interés / a Chile, / en venir / gustarme / ahora / pero

Paso 2   Utilizando la gramática de esta lección, inventa dos oraciones como las del **Paso 1** mezclando infinitivos y otras palabras. ¿Pueden los demás poner las palabras en el orden correcto para formular las oraciones?

Panorama cultural

Bolivia y el Paraguay

Bolivia y el Paraguay tienen algunas cosas en común: el español como idioma oficial, la existencia de civilizaciones precolombinas* y los turbulentos procesos políticos del último[a] siglo. Además, son los únicos países hispanohablantes y los únicos países en todo el hemisferio occidental que no tienen acceso al mar. Sin embargo, existe mucha diversidad entre estos países y dentro de ellos en el «corazón de América». Los Andes dividen Bolivia en dos regiones: el Altiplano[b] y el Oriente[c] boliviano. Debido a[d] la dificultad de viajar de una región a la otra, las dos regiones desarrollaron[e] sus propias tradiciones culturales y tendencias políticas. En el Paraguay, el río Paraguay divide el país en dos regiones: la región Oriental (la más poblada[f]) y la Occidental.

[a]*last* [b]*Highlands* [c]*East* [d]*Debido... Due to* [e]*developed* [f]*populated*

[DATOS BÁSICOS]		
	BOLIVIA	**EL PARAGUAY**
CAPITAL	LA PAZ	ASUNCIÓN
POBLACIÓN	10 MILLONES (APROX.)	7 MILLONES (APROX.)
IDIOMAS OFICIALES	ESPAÑOL, AYMARA, QUECHUA	ESPAÑOL, GUARANÍ
TASA DE ALFABETIZACIÓN	87%	94%
MONEDA	EL PESO BOLIVIANO	EL GUARANÍ

Diversidad lingüística

En Bolivia y el Paraguay el español y algunos idiomas indígenas son cooficiales. En Bolivia, la Constitución del estado reconoce los 36 idiomas indígenas y el español como idiomas oficiales. Entre ellos, el aymara y el quechua son los más hablados.[a] En el Paraguay, el español y el guaraní son lenguas oficiales y el 90% de los paraguayos por lo menos[b] entiende el guaraní.

[a]*spoken* [b]*por... at least*

*****Civilizaciones precolombinas** refers to cultures in the New World that existed before the arrival of Christopher Columbus in 1492.

El Salar de Uyuni

En el Altiplano boliviano se encuentra el mayor desierto de sal[a] del mundo. A unos 3.650 metros —aproximadamente 12.000 pies[b]— sobre el mar,[c] este desierto es casi tan grande como el estado de Connecticut y se ha convertido en[d] una de las maravillas[e] del mundo.

[a]*salt* [b]*feet* [c]*sobre... above sea level* [d]*se... has become* [e]*wonders*

El Salar de Uyuni

El fricasé es un plato típico del Altiplano de Bolivia.

La comida boliviana

La diversidad geográfica y climática de Bolivia se refleja[a] en su comida. En el Altiplano, las sopas espesas[b] y los platos de carne de cerdo, llama o cabra[c] y de papas son típicos. En el Oriente predominan los platos que llevan plátanos, yuca, arroz y pollo.

[a]*se... is reflected* [b]*thick; hearty* [c]*goat*

En el Internet

Busca información sobre uno o más de los siguientes temas:

1. un grupo indígena como los aymara, quechua o guaraní
2. la educación bilingüe para los indígenas
3. cómo se prepara el fricasé

Trae la información a la clase para compartir con tus compañeros/as.

El Parque Nacional Ybycuí

El Parque Nacional Ybycuí

Este parque es uno de los pocos bosques lluviosos[a] que quedan[b] en el Paraguay. Este bosque es conocido por su terreno empinado,[c] vegetación densa, cascadas[d] bonitas y por su cantidad de mariposas.[e]

[a]*bosques... rainforests* [b]*are* [c]*steep* [d]*waterfalls* [e]*butterflies*

Prueba

1. Una de las características que *no* comparten Bolivia y el Paraguay es...
   a. que no tienen acceso al mar
   b. la inestabilidad política
   c. que los Andes dividen a los dos países

2. En el Paraguay se hablan...
   a. aymara y quechua
   b. guaraní y español
   c. español y quechua

3. El desierto en el Altiplano boliviano se llama...
   a. el Fricasé   b. Ybycuí   c. el Salar de Uyuni

4. La comida en el Oriente boliviano se conoce por los platos de carne. ¿Cierto o falso?
   a. Cierto   b. Falso

5. La mayoría de la población paraguaya entiende...
   a. el guaraní   b. el quechua   c. el aymara

Si viajas allí

Consulta con un médico (*doctor*) antes de ir a Bolivia. Debido a la altitud del Altiplano boliviano, el mal de montaña (*altitude sickness*) —también conocido como «soroche»— es común entre los que no están acostumbrados a esta altitud.

Vocabulario

Verbos

agradar	to please
apetecer (zc)	to appeal, be pleasing
caerle (*irreg.*) **bien/mal a alguien**	to like/dislike someone
darle (*irreg.*) **miedo a alguien**	to scare someone
encantar	to love
parecer (zc)	to seem (like)

Cognados: fascinar, importar, interesar
Repaso: gustar, molestar

Las computadoras y el Internet

apagar (gu)	to turn off
congelarse	to freeze up (*screen*)
descargar (gu)	to download
encender (ie)	to turn on (*machines*)
guardar (documentos)	to save (documents)
hacer (*irreg.*) **clic**	to click
hacer (*irreg.*) **una búsqueda**	to do a search
mandar	to send
navegar (gu) la red	to surf the Web
el archivo	file
la barra de memoria	memory stick
la contraseña	password
el correo electrónico	e-mail
el disco duro	hard drive
el enlace	link
el mensaje	message
la página Web	Web page
el ratón	mouse
el teclado	keyboard

Cognados: conectar, copiar; la computadora portátil, el monitor
Repaso: enviar (envío); la computadora, la pantalla

Otros aparatos electrónicos

cambiar de canal	to change channels
funcionar	to work, function (*machines*)
grabar	to record
el buzón de voz	voicemail
el mando a distancia	remote control
el reproductor de CD (DVD, MP3)	CD (DVD, MP3) player

Cognados: la calculadora, la cámara digital, el estéreo, la máquina fax, el (teléfono) celular, la videocámara
Repaso: el televisor

Los niños y jóvenes

dibujar	to draw
enamorarse (de)	to fall in love (with)
hacer (*irreg.*) **novillos**	to skip/cut school
jugar (ue) (gu) a los videojuegos	to play video games
jugar (ue) (gu) al escondite	to play hide and seek
llevarse bien/mal con	to get along well/poorly with
meterse en líos	to get into trouble
pelearse	to fight
portarse bien/mal	to behave well/poorly
sacar (qu) la licencia de conducir	to get a driver's license
la cita	date (*social*)
la juventud	youth; adolescence
el/la mentiroso/a	liar
las muñecas	dolls
la niñez	childhood
el recreo	recess
las tiras cómicas	comics
cabezón (cabezona)	stubborn
precavido/a	cautious
torpe	clumsy
travieso/a	mischievous

Cognados: colorear; el/la adolescente; adaptable, impaciente, obediente, paciente

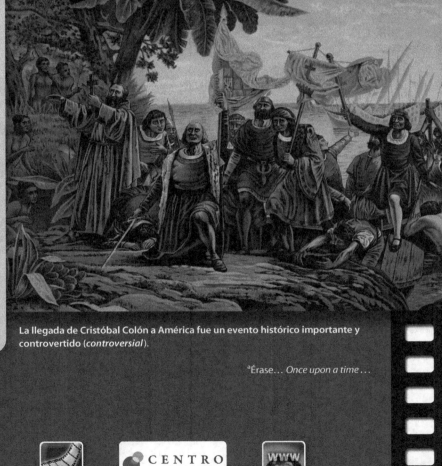

LECCIÓN 5B

Érase una vez...ª

OBJETIVOS

IN THIS LESSON, YOU WILL LEARN:

▶ to express years, decades, and centuries

▶ to use the preterite and the imperfect together to narrate events

▶ to talk about important historical events

▶ to talk about important personal events

▶ some interesting things about El Salvador, Honduras, and Nicaragua

In addition, you will watch **Episodio 5** of the film *Sol y viento*.

La llegada de Cristóbal Colón a América fue un evento histórico importante y controvertido (*controversial*).

ªÉrase... *Once upon a time...*

The following media resources are available for this lesson of *Sol y viento*:

  CENTRO Your media center for languages

PRIMERA PARTE ▮▮▮▮▯▮▯▮▯▮▯▮▯▮▯▮▯▮▯▮▯▮

Vocabulario

Expressing Years

En 1972...

Numbers 1,000 and Higher

1.000	mil	102.000	ciento dos mil
1.001	mil uno	200.000	doscientos mil
1.002	mil dos	300.000	trescientos mil
1.998	mil novecientos	400.000	cuatrocientos mil
	noventa y ocho	500.000	quinientos mil
2.000	dos mil	600.000	seiscientos mil
2.005	dos mil cinco	700.000	setecientos mil
3.000	tres mil	800.000	ochocientos mil
10.000	diez mil	900.000	novecientos mil
100.000	cien mil	1.000.000	un millón
101.000	ciento un mil	2.000.000	dos millones

Years are expressed in Spanish by saying the whole number.

1898	mil ochocientos noventa y ocho
1985	mil novecientos ochenta y cinco
2009	dos mil nueve

Remember that when numbers 200 through 900 modify a noun, they must agree in gender.

30.200 personas   treinta mil doscien**tas** person**as**

Mil does not have a plural form when used in front of a noun, but **millón** does. Also, when used with a noun, **millón** must be followed by **de**.

5.000	cinco **mil** habitantes
5.000.000	cinco **millones** **de** habitantes

Más vocabulario

los años veinte (treinta)	the 20s (30s) (*decades*)
la década	decade
la fecha	date (*calendar*)
el siglo	century
el siglo XXI	the 21st century

Vistazo cultural

Algunas fechas importantes con respecto a[a] Centroamérica

¿Cuánto sabes de la historia de los países centroamericanos? A continuación hay una lista de algunas fechas históricas importantes.

1492	Cristóbal Colón llegó a América
1821	Los países centroamericanos se independizaron de España
1904–1914	Construcción del Canal de Panamá
1979–1988	Revolución sandinista de Nicaragua
1979–1991	Guerra[b] civil de El Salvador
1987	Óscar Arias Sánchez, presidente de Costa Rica, ganó el Premio Nóbel de la Paz[c]
1989	Los Estados Unidos invadió a Panamá y expulsó al General Manuel Noriega
1990	Violeta Chamorro llegó a ser presidenta de Nicaragua y la primera mujer elegida para este cargo[d] en un país latinoamericano
1992	Rigoberta Menchú, activista indígena guatemalteca, ganó el Premio Nóbel de la Paz
1998	El huracán[e] Mitch causó destrucción y muerte en Honduras, Nicaragua y Guatemala
2009	Golpe de estado[f] en Honduras

¿Quién es esta famosa mujer centroamericana? ¿Con qué evento histórico se asocia?

[a]con... *with respect to* [b]*War* [c]*Peace* [d]*position*
[e]*hurricane* [f]Golpe... *Coup (d'état)*

Actividad A ¿Qué año?

Paso 1 Escribe los años que lee tu profesor(a).

1. _____   3. _____   5. _____

2. _____   4. _____

Paso 2 ¿Sabes cuál es la importancia de los años del **Paso 1** en el mundo hispano? Mira el **Vistazo cultural** en esta página para emparejar cada año del **Paso 1** con el evento correspondiente.

Actividad B   ¿Cuántos habitantes?

Paso 1   Pensando en la geografía de Centroamérica, ¿sabes cuál de los siguientes países tiene más habitantes? ¿Cuál tiene menos habitantes? Pon en orden los países según el número de habitantes que crees que es correcto (1 = más habitantes, 6 = menos habitantes).

   a. _____ Costa Rica _____   **d.** _____ Honduras _____

   b. _____ El Salvador _____   **e.** _____ Nicaragua _____

   c. _____ Guatemala _____   **f.** _____ Panamá _____

Paso 2   Tu profesor(a) va a leer el número de habitantes de los países del **Paso 1.** Escribe ese número al lado del nombre de cada país.

Paso 3   Compara el número que escribiste en el **Paso 1** con las poblaciones que leyó tu profesor(a). ¿Adivinaste (*Did you guess*) bien cuáles son los países con más y menos habitantes?

Actividad C   Los precios

Paso 1   Con un compañero (una compañera) de clase, indiquen un precio razonable para las siguientes cosas.

MODELO: un libro de texto → cincuenta dólares

   1. un auto nuevo   _____

   2. un auto usado   _____

   3. una nueva computadora portátil   _____

   4. una casa de tres habitaciones   _____

   5. el alquiler de un apartamento de dos habitaciones _____

   6. un televisor con pantalla amplia (*wide*)   _____

   7. un reproductor de DVD   _____

Paso 2   Ahora conviertan esos precios en dólares a la moneda que les dé su profesor(a).

Paso 3   Cada grupo va a compartir cuánto costarían (*would cost*) algunas de las cosas del **Paso 1** en la moneda de un país hispano. ¿En qué país les sería (*would it be*) más difícil manejar la tasa de cambio (*to manage the exchange rate*)?

Actividad D   ¿En qué año fue?

Paso 1   Antes de llegar a clase, elige algún año histórico. Luego, prepara una lista de tres eventos importantes que ocurrieron en ese año.

MODELO: mil novecientos ochenta y nueve →
              Cayó (*Fell*) el muro (*wall*) de Berlín.
              Hubo una invasión en Panamá.
              Inició su presidencia George Bush (padre).

Paso 2   Lee tu lista de eventos a cinco compañeros. ¿Pueden adivinar (*guess*) el año que describes?

Paso 3   Ahora tu profesor(a) va a describir la época en que él/ella nació. ¿Pueden Uds. adivinar el año en que nació?

Gramática

¿Qué hacías cuando te llamé?

Contrasting the Preterite and Imperfect

More on Talking About the Past

The Imperfect: Ongoing Actions

Anoche a las diez yo **estudiaba** en la biblioteca.	*Last night at 10:00 I was studying in the library.*
Mientras María **trabajaba** en la excavación, Jaime **visitaba** la ciudad de Santiago.	*While María was working at the excavation site, Jaime was visiting Santiago.*

The Preterite: Completed Actions

La Guerra Civil española **duró** tres años.	*The Spanish Civil War lasted three years.*
«**Vine, vi, vencí.**» (Julio César)	*"I came, I saw, I conquered."*
Anoche **trabajé** hasta las nueve y luego **salí** con unos amigos.	*Last night I worked until nine, and then I went out with some friends.*

The Preterite and Imperfect Together: Narrating a Story or Describing a Situation

IMPERFECT (actions in progress, gives background information)	PRETERITE (specific events in the past, advances the story)
Mis amigos y yo **jugábamos** afuera... *My friends and I were playing outside . . .*	cuando **empezó** a llover. *when it began to rain.*
Lo **pasábamos** muy bien... *We were having a very good time . . .*	hasta que los vecinos **se quejaron.** *until the neighbors complained.*
Ya **existían** grandes civilizaciones en América . . . *Great civilizations already existed in America . . .*	cuando **llegaron** los españoles. *when the Spaniards arrived.*

Besides expressing repeated and habitual actions in the past, the imperfect is also used to signal that an event or condition was in progress at a specific point in time or that two events were simultaneously in progress in the past. The words **mientras** (*while*) and **cuando** are often used with the imperfect. The English equivalent of this use of the imperfect is usually *was/were -ing* (e.g., *was studying, were playing, were living,* and so forth).

(Continúa.)

The preterite and imperfect may be used together in the same sentence. In fact, it is often difficult to tell a story in the past without using both. The imperfect describes an activity or condition in progress (i.e., provides background information), whereas the preterite communicates an interruption of that activity or condition. As such, it is the verb form that moves the narrative along in time. Note that the preterite is almost always used when a specific time frame or other information limits the event, as in *it rained **for three days,** I ran **six miles,** he lived **his whole life** in Mexico City.*

Actividad E   Cuando...

Completa cada oración con la mejor opción.

1. Cuando Jaime se chocó con María,...

   a. estaba en el hotel.   **b.** leía el papelito de la suerte.

2. Cuando Jaime llegó a la viña, Carlos...

   a. le gritaba a Traimaqueo.   **b.** hablaba con su madre.

3. Cuando Jaime supo (*found out*) que doña Isabel estaba en casa,...

   a. tomaba vino.   **b.** hablaba con Traimaqueo.

4. Cuando Jaime vio a María,...

   a. andaba por las tiendas.   **b.** hablaba por teléfono.

Actividad F   Un poco de historia

Paso 1   Termina cada oración con uno de los pares de verbos de la lista. Pon uno de los verbos en el pretérito y el otro en el imperfecto.

existir/llegar	ser/perder	vivir/conquistar
ser/atacar	sufrir/entrar	vivir/morir

1. El país _____ una depresión económica cuando _____ en la Segunda Guerra Mundial.

2. Los incas _____ en la región andina cuando los _____ Francisco Pizarro.

3. George W. Bush _____ presidente de los Estados Unidos cuando un grupo terrorista _____ las torres gemelas en Nueva York.

4. Texas _____ territorio mexicano hasta que México lo _____ en una guerra con los Estados Unidos.

5. España _____ bajo una dictadura militar hasta que _____ el General Franco.

6. En México ya _____ una civilización muy avanzada cuando _____ Hernán Cortés.

Paso 2   ¿Hay algunos eventos del **Paso 1** que no sabías antes? ¿Cuáles son?

MODELO: No sabía que...

Actividad G   Una historia

Paso 1   Con un compañero (una compañera) escriban una historia de cuatro a seis oraciones que describan lo que ocurre en los dibujos a continuación. Deberías usar el pretérito y el imperfecto en tu narración.

Paso 2   Compartan su historia con la clase. ¿Tienen todos los grupos la misma información?

Actividad H   Un evento inolvidable (*unforgettable*)

Paso 1   Toda la clase va a identificar algún evento que todos recuerdan muy bien. Puede ser algo que tuvo impacto en la universidad, en la ciudad donde viven, en el país y/o el mundo.

Paso 2   Contesta las preguntas a continuación acerca del (*about the*) evento.

1. Cuando ocurrió, ¿dónde estabas?
2. ¿Qué hora era cuando te enteraste (*you found out*) del evento?
3. ¿Con quién(es) estabas?
4. ¿Cómo te sentías? (feliz, triste, enojado/a, confundido/a [*confused*], emocionado/a, asustado/a [*frightened*])
5. ¿Qué hiciste después de enterarte de lo que pasó?

Paso 3 Comparte tus respuestas con un compañero (una compañera) de clase y apunta lo que él/ella te dice. Luego, escribe un párrafo sobre el evento incluyendo la información que diste en el **Paso 2** y la de tu compañero/a.

SEGUNDA PARTE

Vocabulario

Talking About
Historical Events

Durante la guerra...   Important Events and Occurrences

Los eventos históricos y los desastres naturales

Los efectos del **huracán** Mitch (Honduras)

conquistar	to conquer
descubrir	to discover
establecer (zc)	to establish
la conquista	conquest
el descubrimiento	discovery
el encuentro	encounter
la fundación	founding
la guerra	war
el huracán	hurricane
la llegada	arrival
el terremoto	earthquake
difícil	difficult
emocionante	exciting
feliz	happy
oscuro/a	dark; scary
pacífico/a	peaceful

Cognados: celebrar, colonizar (c), explorar, invadir; la depresión (económica), la exploración, la independencia, el/la inmigrante, la invasión, la migración, la revolución; estable, tumultuoso/a

Vistazo cultural

¿Un descubrimiento?

Muchos aprenden desde una edad temprana que el año 1492 es la fecha del «descubrimiento de América», o que Cristóbal Cólon «descubrió» América en ese año. Pero hay que tener en cuenta[a] que este acontecimiento[b] es un descubrimiento sólo desde el punto de vista[c] europeo. A muchos indígenas y latinoamericanos no les agrada el término **descubrimiento.** Para ellos, la llegada de los europeos no representa ningún descubrimiento del continente americano, ya

¿Descubrimento o encuentro?

que[d] los indígenas vivían allí durante muchos siglos. Según la perspectiva de una persona americana, los europeos que vinieron *invadieron* y *conquistaron* los terrenos[e] nativos de los indígenas. Por eso, en vez de hablar del «descubrimiento de América en 1492», se habla del «encuentro» de los dos mundos: el mundo europeo y el indígena americano.

[a]tener... *keep in mind*   [b]*event*   [c]punto... *point of view*   [d]ya... *since*   [e]*lands*

Actividad A Definiciones

Empareja cada palabra con la definición apropiada.

1. ___ el terremoto
2. ___ la fundación
3. ___ la independencia
4. ___ la exploración
5. ___ la migración
6. ___ el descubrimiento
7. ___ la guerra

a. el movimiento (*movement*) de personas de un lugar a otro

b. un conflicto violento entre dos países

c. un movimiento de la tierra

d. el encuentro de algo nuevo

e. cuando un país ya no está bajo el control de otro

f. el proceso de aventurarse en un territorio nuevo

g. el establecimiento de una ciudad o una organización

Actividad B Algunos ejemplos

Paso 1 Escribe el primer ejemplo que te venga a la mente (*comes to mind*) de cada evento a continuación. Incluye la fecha si la sabes.

MODELO: un encuentro → 1492, Cristóbal Colón en América

1. una lucha (*struggle*) por la independencia
2. una migración
3. una guerra
4. un terremoto
5. una invasión
6. un huracán

Paso 2 Compara los ejemplos que escribiste en el **Paso 1** con los de tres compañeros/as. ¿Tienen los mismos ejemplos? Si todos tienen los mismos ejemplos para algunos eventos, ¿cuál puede ser la razón?

Paso 3 Ahora repite el **Paso 1,** pero esta vez piensa en un ejemplo menos común. ¿Qué eventos se te ocurren? Comparte tus ideas con los demás miembros de la clase.

Actividad C   ¿Cómo era durante esa época?

Paso 1   Con un compañero (una compañera) de clase, utilicen los nuevos adjetivos de la página 276 para describir las siguientes épocas de la historia norteamericana.

MODELO: los años veinte del siglo XX → difíciles, oscuros, tumultuosos

1. la Revolución norteamericana
2. la Guerra Civil
3. los años veinte del siglo XX
4. la Guerra Fría
5. los años 60
6. los años 90
7. los meses después del 11 de septiembre de 2001

Paso 2   Piensa en los adjetivos que escribiste en el **Paso 1.** ¿Cuáles son los eventos que influyeron en tu selección de adjetivos?

MODELO: los años veinte del siglo XX → la depresión económica, conflictos en Europa

Actividad D   Expandiendo un poco

Paso 1   Escoge un período histórico o un evento de la **Actividad C** y escribe un párrafo de cuarenta palabras como máximo para describir cómo era esa época y lo que pasaba entonces. Cuidado con el uso del pretérito y el imperfecto.

Paso 2   Lee tu párrafo a la clase. ¿Están todos de acuerdo con lo que escribiste? ¿Ha escrito otra persona (*Has another person written*) sobre el mismo tema? ¿De qué forma se comparan sus ideas?

Sol y viento Enfoque cultural

En el **Episodio 5** vas a ver un parque con una estatua enorme de la Virgen María. Los habitantes de Chile son, en su mayoría, católicos, como en la mayoría de los demás países hispanos. Por ejemplo, en España el 94% de la población es católico; en Chile, el 70%; en Venezuela, el 96%; y en Puerto Rico, el 85%.* Hasta en la Guinea Ecuatorial, donde hay una fuerte influencia de las culturas africanas, la mayoría de las personas se identifica con la Iglesia católica. Compara esas cifras[a] con el número de personas estadounidenses que se identifican como católicos: sólo llega al 24%. Claro, la manera en que se practica el catolicismo varía de país a país. Por ejemplo, en México la devoción a la Virgen de Guadalupe es casi más fuerte que la devoción a Jesucristo. Y en la zona andina (el Perú, Bolivia, el Ecuador) los indígenas han forjado[b] un catolicismo con restos[c] de la mitología y creencias de sus antepasados,[d] los incas.

[a]*figures* [b]*han... have created* [c]*remnants* [d]*ancestors*

La estatua de la Virgen María en el Cerro San Cristóbal en Santiago

*C.I.A. World Factbook, 2010.

Gramática

¡No lo sabía!

More on Using the Preterite and Imperfect Together

More on Talking About the Past

When using verbs that express states or conditions in the past, Spanish often uses the imperfect. This is because states and conditions are usually ongoing, and they provide background information in relation to a specific event or action in the past.

Tenía dieciséis años cuando...   **aprendí** a conducir.

I was sixteen years old when . . .   *I learned to drive.*

Eran las ocho cuando...   me **llamaron.**

It was eight o'clock when . . .   *they called me.*

You have already learned that when some verbs that express states or conditions are used in the preterite, the English equivalent may be different.

—¿**Sabías** que Julio y Marta eran novios?   *"Did you know that Julio and Marta were boyfriend and girlfriend?"*

—Lo **supe** ayer.   *"I found out about it yesterday."*

Quería ir al concierto, pero no **pude.**   *I wanted to go to the concert, but I couldn't.*

No **quiso** escucharme.   *He refused to listen to me.*

You will learn more about the uses of verbs that describe states and conditions in **Lección 7A.**

Verbs with Different English Equivalents in the Imperfect and Preterite			
Imperfect		**Preterite**	
conocía	I knew (*a person*)	**conocí**	I met (*a person*)
podía	I was able, could	**pude**	I could (and did)
no podía	I wasn't able, couldn't	**no pude**	I couldn't (and didn't)
quería	I wanted	**quise**	I tried
no quería	I didn't want	**no quise**	I refused
sabía	I knew (*something*)	**supe**	I found out
no sabía	I didn't know	**no supe**	I never knew / found out

Actividad E   ¿Quién lo diría (*would say it*)?

Indica cuál de los personajes de *Sol y viento* diría cada oración a continuación. Presta atención al uso del pretérito y del imperfecto.

   a. Jaime   **b.** María

   1. ____ Leía un papelito de la suerte cuando me choqué con (*I bumped into*) alguien en el parque.

   2. ____ Colgaba (*I was hanging*) unos carteles cuando vi al norteamericano otra vez.

   3. ____ Hablaba con Traimaqueo cuando supe que doña Isabel estaba en casa.

   4. ____ Estaba en una tienda cuando vi una figura que simboliza el espíritu protector de los mapuches.

Actividad F   ¿Cuántos años tenías?

Paso 1   Inventa oraciones para indicar cuántos años tenías cuando ocurrió cada evento a continuación.

MODELO: Tenía 16 años cuando aprendí a conducir un auto.

   1. tener mi primera cita de amor

   2. hacer mi primer viaje en avión

   3. empezar a asistir a la universidad

   4. empezar a estudiar español

   5. saber que Papá Noel no existía

   6. aprender a ¿ ?

Paso 2   Compara tus oraciones con las de tres compañeros/as. ¿Tienen las mismas respuestas? ¿Hay una edad típica en que ocurren ciertos eventos?

MODELO: Nosotros teníamos 18 años cuando empezamos a asistir a la universidad. Nos parece una edad típica.

Actividad G   ¿A quién conociste?

Paso 1   Piensa en el momento en que conociste a alguien que ha tenido (*has had*) gran influencia en tu vida. Puede ser una persona famosa, un novio (una novia), tu mejor amigo/a o cualquier persona importante en tu vida.

   Nombre de la persona _____

Paso 2   Escribe cuatro o cinco oraciones que describen el momento en que lo/la conociste. Usa las preguntas a continuación para organizar lo que vas a decir.

   1. ¿En qué año lo/la conociste?

   2. ¿Dónde estabas cuando lo/la conociste?

   3. ¿Con quién estabas?

   4. ¿Cómo era esa persona? (simpático/a, guapo/a, bonito/a, etcétera)

   5. ¿Quién habló primero, tú o la otra persona?

   6. ¿Cómo te sentías? (nervioso/a, emocionado/a, contento/a, etcétera)

Paso 3 Cuéntales tu historia a tres compañeros/as.

MODELO: Conocí a _(nombre)_ en el año... Estaba en...

Paso 4 ¿De quiénes hablaron tus compañeros/as? ¿Hablaron de personas famosas? ¿de profesores? ¿de novios/as?

Actividad H   ¿Qué querías hacer?

Paso 1 Cuando estabas en el último año de la escuela secundaria, ¿qué planes tenías para ese año o para después de graduarte? ¿Qué querías hacer? Escribe cinco oraciones que describan tus planes.

MODELO: En el año _____ quería asistir a la universidad de...

Paso 2 ¿Pudiste realizar (_achieve_) lo que querías hacer? Ahora añade más información a las oraciones del **Paso 1** para indicar lo que pasó.

MODELOS: En el año _____ quería asistir a la universidad de _____ y lo hice. ¡Aquí estoy!

En el año _____ quería asistir a la universidad de _____, pero no pude. No pude pagar la matrícula (_tuition_).

Paso 3 Compara la información que tienes en los **Pasos 1** y **2** con la de un compañero (una compañera). Luego prepara dos oraciones para compartir con la clase.

MODELOS: (Nombre) y yo queríamos asistir a la universidad de _____, y lo hicimos.

(Nombre) quería asistir a la universidad de _____ y yo quería asistir a la universidad de _____, pero no pudimos. A (nombre) no lo/la aceptaron y yo no pude pagar la matrícula.

¿Pudiste asistir a la universidad donde querías estudiar?

TERCERA PARTE

Vocabulario

Talking About Special Events www

Me gradué en 2010.

Personal Events, Triumphs, and Failures

Algunos eventos importantes de la vida

la graduación

graduarse (me gradúo)

la boda

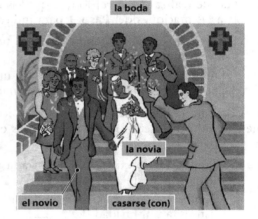

la novia

el novio   casarse (con)

el nacimiento

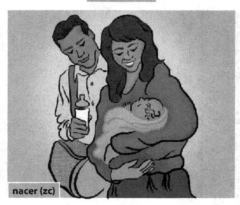

nacer (zc)

la mudanza

mudarse

Más vocabulario

divertirse (ie, i)	to have fun	**el éxito**	success
fracasar	to fail	**el fracaso**	failure
tener (*irreg.*) **éxito**	to succeed, be successful	**la muerte**	death

Cognados: divorciarse (de); el divorcio, el matrimonio
Repaso: morir (ue, u)

Vistazo cultural

Las bodas en los países hispanos

Como en muchos países del mundo, las bodas en los países hispanos son grandes celebraciones y es común invitar a más de doscientas personas para celebrarlas. Si tienes la oportunidad de asistir a una boda en un país hispano, puedes notar algunas diferencias con las bodas norteamericanas. Por ejemplo, muchas bodas hispanas empiezan a eso de las siete de la tarde, y el novio va al altar acompañado de su madre o madrina.[a] Muchas veces no hay ni padrinos de boda[b] ni damas de honor.[c] Durante la ceremonia, el sacerdote[d] pone un rosario largo alrededor de los hombros[e] y las manos[f] de la pareja para simbolizar la unión y la protección del matrimonio. La ceremonia no suele durar más de una hora, pero la fiesta después de la boda puede durar hasta la madrugada[g] del día siguiente.

Una boda hispana

[a]*godmother* [b]*padrinos... groomsmen* [c]*damas... bridesmaids* [d]*priest* [e]*shoulders* [f]*hands* [g]*dawn*

Actividad A ¿Qué evento se describe?

Tu profesor(a) va a leer descripciones de algunos eventos importantes. Escribe el número de la descripción al lado del evento correspondiente.

a. _____ la mudanza   e. _____ la graduación

b. _____ la muerte   f. _____ el nacimiento

c. _____ la boda   g. _____ el divorcio

d. _____ el fracaso

Actividad B ¿Cómo te sentías?

Paso 1 Empareja las emociones de la columna B con cada evento de la columna A. Hay más de una respuesta posible en muchos casos.

	A		B
	Uno se siente...		
1.	_____ después de un divorcio.	**a.**	feliz
2.	_____ antes de casarse.	**b.**	deprimido/a
3.	_____ al conseguir un trabajo.	**c.**	nervioso/a
4.	_____ al graduarse.	**d.**	enojado/a
5.	_____ después de un nacimiento.	**e.**	triste
6.	_____ al cumplir veintiún años.	**f.**	orgulloso/a
7.	_____ al cumplir cuarenta años.		
8.	_____ antes de mudarse a otra ciudad.		
9.	_____ en la boda de unos amigos.		

(Continúa.)

¡Exprésate!

Important events often provoke certain emotions, which can be described using the verb **sentirse.**

Me siento...

ansioso/a	*anxious*
deprimido/a	*depressed*
enojado/a	*angry*
feliz, contento/a	*happy*
nervioso/a	*nervous*
orgulloso/a (de)	*proud (of)*
triste	*sad*

Also, **al** + *infinitive* in Spanish means *upon/ while/when* (*doing something*). For example, **al cumplir veintiún años** means *upon turning* (*when turning*) *twenty-one.*

Paso 2   Con un compañero (una compañera), comenten las respuestas posibles para los eventos del **Paso 1.** ¿Es posible sentir emociones opuestas (*opposite*) en algunas circunstancias? ¿Por qué?

Paso 3   Elige tres de los eventos del **Paso 1** que te han pasado (*that have happened to you*) y describe cómo te sentías. Comparte tus descripciones con tres compañeros.

MODELO: E1: Al cumplir veintiún años me sentía muy feliz.

         E2: Yo también me sentía muy feliz.

o

         ¿Ah, sí? Yo no. Me sentía muy deprimida.

Actividad C   Un éxito memorable

Paso 1   Piensa en algún éxito personal que has experimentado (*you've experienced*). Puede ser la graduación de la escuela secundaria, una competición que ganaste, un trabajo o una carta de aceptación para ir a la universidad que conseguiste, la conquista del hombre / de la mujer de tus sueños (*dreams*), etcétera. Escribe el evento en el siguiente espacio en blanco.

_____

Paso 2   Escribe cuatro oraciones que describan el evento. Puedes usar las preguntas a continuación para organizar tus ideas.

     ¿En qué año ocurrió?
     ¿Cuántos años tenías?
     ¿Cómo te sentías?
     ¿Qué hiciste para celebrar el éxito?

Paso 3   Comparte tu experiencia con otras tres personas. Luego, escucha bien las experiencias de tus compañeros/as y apunta algunos momentos importantes.

Paso 4   ¿Cómo clasificas los éxitos de tus compañeros/as?

     ☐ éxito(s) académico(s)

     ☐ éxito(s) deportivo(s)

     ☐ éxito(s) profesional(es)

     ☐ éxito(s) en la vida personal

     ☐ ¿otro(s)?

Actividad D   ¿Qué opinas?

Escribe un párrafo sobre el siguiente tema y explica si estás de acuerdo o no y por qué.

     Los eventos más importantes en la vida suelen ocurrir cuando uno tiene entre veinte y treinta años de edad.

Gramática

Tenía 30 años cuando nació mi primer hijo.

Summary of the Preterite and Imperfect

More on Talking About the Past

The chart in this section summarizes the basic uses of the preterite and imperfect that you have learned.

Uses of the Preterite

- to communicate that an event happened at a particular point in time

  | Ramón **llegó** temprano. | Ramón arrived early. |
  | La fiesta no **terminó** hasta las 2:00 de la mañana. | The party didn't end until 2:00 in the morning. |

- to communicate an event that was confined by time limits

  | El partido **duró** tres horas. | The game lasted three hours. |
  | **Viví** allí desde 1995 hasta 2003. | I lived there from 1995 to 2003. |

- to communicate a series of completed or consecutive events

  | **Preparé** un café y **leí** el periódico. | I made coffee and read the newspaper. |

- to express that one event occurred while another was in progress

  | Mi madre **llamó** mientras comíamos. | My mom called while we were eating. |

Uses of the Imperfect

- to communicate that an event was in progress at a certain time

  | A las 8:00 todavía **estudiaba.** | I was still studying at 8:00. |

- to communicate that two events were taking place at the same time

  | Mientras **comía, veía** la tele. | While I ate (was eating), I watched (was watching) TV. |

- to communicate that an event occurred repeatedly in the past

  | Mis amigos y yo **nos metíamos** en muchos líos. | My friends and I used to get into a lot of trouble. |

- to provide background information (time, weather, age, physical/mental characteristics, states) while narrating an event

  | **Hacía** muy buen tiempo el día de la fiesta. **Había** mucha gente allí que **tenía** entre 25 y 40 años. | The weather was very good on the day of the party. There were lots of people there who were between 25 and 40 years old. |

286   doscientos ochenta y seis ■ **Lección 5B** Érase una vez...

Puente musical

Go to the *Sol y viento* iMix section on the Online Learning Center Website (**www.mhhe.com/ solyviento3**), where you can purchase "Tú me salvaste" by Maná. Can you identify the verbs in the preterite and the imperfect?

Comunicación útil

To ask about an event ("How was . . . ?"), Spanish uses the expression **qué tal** with the preterite of the verb **estar.**

¿Qué tal estuvo el partido (la película, la boda, la clase...)?
How was the game (the movie, the wedding, the class . . .)?
Estuvo bien (mal, interesante, aburrido/a, divertido/a...).
It was good (bad, interesting, boring, fun . . .).

Spanish can also use **fue,** but only with indirect objects.

¿Cómo **te fue** en la entrevista?
How did it go for you in the interview? / How was the interview?
Me fue muy bien, gracias.
It went really well for me, thanks. / It was great, thanks.

Actividad E   ¿Qué escuchaste?

Paso 1   Escucha el párrafo que lee tu profesor(a) a la clase. Vas a escuchar el párrafo dos veces. Trata de recordar la información, pero no tomes apuntes.

Paso 2   En grupos de tres, escriban una versión del párrafo para luego compartir con la clase.

Actividad F   La primera cita

Paso 1   Pon en orden lógico las siguientes oraciones, que narran la primera cita entre dos personas. Presta atención a los verbos en el pretérito y en el imperfecto.

a. _____ Entonces, el sábado, Arturo llegó a la casa de Raquel y salieron para el restaurante.

b. _____ Mientras caminaban por el parque hablaban de sus gustos personales.

c. _____ Un día Raquel trabajaba en casa cuando Arturo la llamó.

d. _____ Todo iba muy bien hasta que...

e. _____ Arturo le preguntó a Raquel si quería salir a cenar con él el sábado por la noche.

f. _____ Después de cenar, Arturo la invitó a dar un paseo por el parque.

g. _____ Como Raquel estaba nerviosa, no tenía mucha hambre y sólo pidió una ensalada.

h. _____ Raquel le dijo que sí y que estaba muy contenta.

Paso 2   Compara el orden de las oraciones con el de un compañero (una compañera). Luego escriban tres oraciones para terminar la historia.

Paso 3   Tu profesor(a) va a pedir que varios grupos lean (*read*) sus historias a la clase. ¿Qué grupo tiene el final de la historia más creativo?

Actividad G   Una mudanza

Escribe un parrafo sobre la última vez que te mudaste. Menciona si te mudabas a otra ciudad o solamente de casa, si tenías ayuda, si se rompió (*broke*) algo, qué tiempo hacía y, por lo menos, dos detalles más. Presenta tu descripción a la clase. Al escuchar las historias, la clase va a colocar cada mudanza en la siguiente escala.

Fácil (*Easy*)   Estresante (*Stressful*)
　　0　　　　1　　　2　　　3　　　4　　　5

¿Cuándo fue la última vez que te mudaste?
¿Tenías ayuda? ¿Se rompió algo?

Actividad H   Eventos importantes en mi vida

Paso 1   Elige cinco eventos importantes en tu vida. Puedes incluir éxitos, tragedias, nacimientos, bodas, etcétera. Indica el año de cada evento en una línea como la de abajo, pero no escribas el evento.

MODELO: ├───────────────┼──────────┤

　　　　　1992　　　　　　　2010　　　Hoy

Paso 2   Prepara de tres a cinco oraciones para cada evento. Puedes usar las preguntas a continuación para organizar tus ideas.

> ¿Qué ocurrió?
> ¿Cuántos años tenías?
> ¿Cómo te sentías?
> ¿Dónde / Con quién estabas?
> ¿Qué pasó después?

Paso 3   Con un compañero (una compañera) compartan los eventos que describieron. Sigan el modelo a continuación para empezar su conversación. Además de la pregunta inicial, tienen que pensar en por lo menos una pregunta para hacerle a su compañero/a sobre cada evento.

MODELO: E1:   ¿Qué ocurrió en dos mil diez?

　　　　　　E2:   Me gradué de la escuela secundaria. Tenía dieciocho años y estaba muy contento. Estaba con toda mi familia y mis amigos. Después de la ceremonia tuvimos una fiesta en mi casa.

　　　　　　E1:   ¿De qué escuela te graduaste?

Resumen de gramática

Actividad A   Mucho trabajo

In **Episodio 5** of *Sol y viento* you will watch a scene in which Carlos complains to his mother about the work that he has at the vineyard. Part of their conversation appears in the dialogue. Before watching the segment, think about which verb forms you think the characters will use.

CARLOS: Entonces sabrás[a] que tengo mucho trabajo con la viña, mamá.

ISABEL: Cuando _____[1] tu papá, _____[2] de los negocios. Yo ya _____[3] vieja y tu hermana _____[4] otros intereses.

1. **a.** murió   **b.** moría
2. **a.** te encargaste[b]   **b.** te encargabas
3. **a.** estuve   **b.** estaba
4. **a.** tuvo   **b.** tenía

[a]*you must know*   [b]*encargarse = to take over*

Actividad B   ¿Dónde está la señora Isabel?

In **Episodio 4** of *Sol y viento,* you watched a scene in which Jaime talked with Traimaqueo at the vineyard. Part of their conversation appears in the dialogue. Which form of the verb would you put in the blank?

TRAIMAQUEO: La señora Isabel me espera en la casa.

JAIME: Creía que la señora Isabel _____ en Santiago.

TRAIMAQUEO: No, no, no. La señora Isabel no hace muchos viajes en estos días. No está de muy buena salud.

1. estuvo
2. estaba

Actividad C   ¿Novio o ayudante?

In **Episodio 5** of *Sol y viento,* you will watch a scene in which María remembers that she had previously made plans with Diego and has to leave suddenly. Part of their conversation appears here. Before watching the segment, indicate which verb forms you think belong in the blanks.

MARÍA: Diego es un estudiante. Es mi ayudante en la excavación. Lo _____[1] pasando tan bien contigo que no _____[2] en la hora.

JAIME: _____[3] que... pues, que...

MARÍA: ¿Que... que Diego _____[4] mi novio?[a] ¿Que _____[5] contigo sólo para investigar quién _____[6] este espécimen norteamericano?

1. **a.** estaba   **b.** estuve
2. **a.** me fijaba[b]   **b.** me fijé
3. **a.** Pensaba   **b.** Pensé
4. **a.** era   **b.** fue
5. **a.** venía   **b.** vine
6. **a.** era   **b.** fue

[a]*boyfriend*   [b]*fijarse = to notice*

Actividad D   Síntesis

Paso 1   Completa cada oración utilizando el pretérito o el imperfecto de los verbos indicados. Luego, pon (*put*) las oraciones en el orden correcto para formar un párrafo sobre lo que ha pasado en *Sol y viento* hasta el momento. Escribe el orden a la izquierda de las oraciones. Nota: El sujeto de cada verbo es Jaime, salvo en los casos indicados.

a. _____ colgar (*to hang*), ver: Unos minutos más tarde, María _____ carteles (*posters*) cuando Jaime la _____.

b. _____ comprar: La _____ para dársela luego a María.

c. _____ volver, decidir: Entonces, Jaime _____ a Santiago y _____ hacer unas compras.

d. _____ poder: Jaime no _____ conocer a doña Isabel.

e. _____ dar, quedar (*to agree to*): Le _____ el regalo y los dos _____ en reunirse más tarde.

f. _____ decir, estar, ser: Carlos le _____ que su madre _____ en Santiago, pero _____ mentira (*lie*).

g. _____ andar, ver: Mientras _____ por las tiendas, _____ una figura de los mapuches.

Paso 2   Compara tu párrafo con el de un compañero (una compañera) de clase. ¿Son iguales?

Sol y viento

Episodio 5

Antes de ver el episodio

Actividad A   *Sol y viento* en resumen

¿Recuerdas lo que viste en el **Episodio 4**? Indica si las oraciones a continuación son ciertas o falsas. Si la oración es falsa, cámbiala.

		CIERTO	FALSO
1.	Jaime pudo conocer a doña Isabel.	☐	☐
2.	Carlos le regaló a Jaime una botella de vino.	☐	☐
3.	Diego no sabe si va a continuar con sus estudios por presiones familiares.	☐	☐
4.	La figura que compró Jaime simboliza un espíritu azteca.	☐	☐
5.	Jaime y María quedaron en reunirse en el bar del hotel de Jaime.	☐	☐

Actividad B   ¡A escuchar!

En un momento, vas a ver el **Episodio 5**. Repasa la siguiente escena. Luego, mientras la ves, completa lo que dicen los personajes con las palabras que faltan.

ISABEL: ¡Hijo! Me _____^{1} dormida. ¿Te _____^{2} algo, hijo?

CARLOS: No, nada. ¿Por qué?

ISABEL: Sí, algo te _____.^{3} Soy tu mamá y te _____^{4} mejor que nadie.

CARLOS: Entonces sabrás que _____^{5} mucho trabajo con la viña, mamá.

ISABEL: Cuando _____^{6} tu papá, te _____^{7} de los negocios. Yo ya _____^{8} vieja y tu hermana _____^{9} otros intereses.

Actividad C   El episodio

Ahora mira el episodio. Si hay algo que no entiendes bien, puedes volver a ver la escena en cuestión.

Después de ver el episodio

Actividad A   ¿Qué recuerdas?

Termina cada oración con la opción correcta.

1. Mientras esperaba a María, Jaime...

   a. hablaba por teléfono con Andy.
   b. leía un artículo en el periódico.

2. Jaime piensa que María tiene una vida...

   a. más interesante que la suya.
   b. menos interesante que la suya.

3. Después de hablar con Carlos, doña Isabel...

   a. habló con su esposo que ya murió.
   b. volvió a la casa para descansar.

4. La palabra «mapuche» significa...

   a. la madre tierra.
   b. gente de la tierra.

5. En su juventud, Jaime...

   a. trabajaba en la fermentación de vinos.
   b. trabajaba en la exportación de vinos.

6. Jaime colgó (*hung up*) el teléfono mientras hablaba con Andy porque...

   a. había una mala conexión.
   b. no quería seguir hablando con él.

Actividad B   ¡A verificar!

Vas a ver otra vez la escena de **¡A escuchar!** en la página anterior. Llena los espacios en blanco, según lo que oyes.

Actividad C   Un día perfecto

Paso 1   Este episodio se titula «Un día perfecto». Con un compañero (una compañera), contesten las siguientes preguntas.

1. ¿Para quién fue un día perfecto? ¿Fue perfecto para Jaime? ¿para María? ¿para los dos?

2. En su opinión, ¿por qué fue un día perfecto?

3. ¿Creen Uds. que María y Jaime van a experimentar (*experience*) más «días perfectos»? ¿Por qué sí o por qué no?

Paso 2   Con la misma persona, comparen el día perfecto de Jaime con el día de su llegada a Santiago. Utilicen algunos verbos de estado o condiciones como **querer, tener, estar,** etcétera.

MODELO: Cuando Jaime llegó a Santiago, no conocía a nadie, pero ahora tiene una amiga.

Detrás de la cámara

Did you notice who kissed whom first in this episode? As you have seen in previous episodes, Jaime is someone who likes to be in control of situations; however, his budding relationship with María is different. She seems to be the one in control. Although Jaime is not used to a woman taking the initiative in relationships, he doesn't complain!

EPISODIO 5 Un día perfecto

Panorama cultural

El Salvador, Honduras y Nicaragua

El Salvador, Honduras y Nicaragua son tres países centroamericanos que han pasado por[a] serias dificultades durante el último siglo: inestabilidad política, guerras civiles y desastres naturales. Desafortunadamente, las múltiples intervenciones de los Estados Unidos durante la Guerra Fría en el siglo XX sólo contribuyeron a aumentar[b] la violencia en la región. Aunque estos tres países siguen tratando de[c] recuperarse de los conflictos del pasado reciente, hoy gozan de[d] más estabilidad política y del crecimiento del turismo debido a sus maravillosas bellezas naturales: lagos, volcanes, bosques lluviosos y playas vírgenes.[e]

[a]*han... have gone through* [b]*increase* [c]*siguen... continue trying to* [d]*gozan... enjoy*
[e]*lagos... lakes, volcanoes, rainforests, and virgin beaches*

[DATOS BÁSICOS]			
	EL SALVADOR	**HONDURAS**	**NICARAGUA**
CAPITAL	SAN SALVADOR	TEGUCIGALPA	MANAGUA
POBLACIÓN	MÁS DE 7 MILLONES	MÁS DE 7 MILLONES	6 MILLONES (APROX.)
IDIOMA OFICIAL	ESPAÑOL	ESPAÑOL	ESPAÑOL
TASA DE ALFABETIZACIÓN	80,2%	80%	67,5%
MONEDA	EL DÓLAR ESTADOUNIDENSE	EL LEMPIRA	EL CÓRDOBA

Copán

En el occidente de Honduras se encuentra una de las ciudades más grandes e importantes del mundo maya. A diferencia de[a] centros mayas como Tikal o Palenque, Copán no se destaca[b] por sus grandes pirámides o templos, sino[c] por los impresionantes jeroglíficos y las numerosas figuras humanas esculpidas[d] en las estelas.[e] Por eso, se dice que Copán es «el París del mundo maya».

[a]*A... Unlike* [b]*no... isn't known* [c]*rather*
[d]*sculpted* [e]*monuments*

La Escalinata de los Jeroglíficos de Copán

Rubén Darío

El poeta nicaragüense Rubén Darío es uno de los escritores más destacados[a] de la literatura hispana. Aunque en su obra[b] predominan los temas eróticos y exóticos, muchos poemas también reflejan sus preocupaciones políticas y sociales, como en los versos que siguen del poema «A Colón». Darío escribió este poema en 1892, 400 años después del «descubrimiento» de América.

> ¡Desgraciado Almirante![c] Tu pobre América,
> tu india[d] virgen y hermosa de sangre cálida,[e]
> la perla[f] de tus sueños, es una histérica
> de... convulsivos nervios y frente[g] pálida.
>
> ...
>
> ¡Cristóforo Colombo, pobre Almirante,
> ruega[h] a Dios por el mundo que descubriste!

[a]*outstanding* [b]*work* [c]*¡Desgraciado... Poor admiral!* [d]*Native American woman* [e]*warm*
[f]*pearl* [g]*forehead* [h]*pray*

Monseñor Óscar Romero

Arzobispo[a] de San Salvador durante sólo tres años (1977–1980), Monseñor Romero predicaba en contra de[b] la violencia y en defensa de los pobres. En 1980, pidió públicamente al gobierno de los Estados Unidos que dejara de[c] financiar a los militares de El Salvador. Un mes más tarde, mientras celebraba misa,[d] el Arzobispo Romero fue asesinado[e] por un miembro de un grupo paramilitar de ultraderecha. Treinta años después de su muerte, Monseñor Óscar Romero se ha convertido en el símbolo del cristianismo liberador.

Monseñor Óscar Romero

[a]*Archbishop* [b]*predicaba... preached against* [c]*que... to stop* [d]*mass* [e]*fue... was assassinated*

La comida salvadoreña

Las pupusas son el plato nacional de El Salvador. Consisten en tortillas gruesas[a] de maíz que se rellenan[b] con carne, frijoles o queso. Normalmente se sirven con salsa de tomate y una ensalada de repollo,[c] zanahorias, cebolla y chile verde picados.[d]

Pupusas salvadoreñas

[a]*thick* [b]*se... are stuffed* [c]*cabbage* [d]*finely chopped*

Si viajas allí

No te pierdas la oportunidad de visitar Los Maribios, una cordillera (*chain*) de cinco volcanes activos en Nicaragua. Allí puedes ver y participar en un deporte nuevo —¡el surf sobre volcanes!

WWW En el Internet

Busca información sobre uno o más de los siguientes temas:

1. el buceo (*diving*) en las islas de Honduras (como Roatán)
2. los mayas en Copán
3. el valor del dólar en lempiras y en córdobas
4. cómo se preparan las pupusas
5. un poema sencillo de Rubén Darío

Trae la información a la clase para compartir con tus compañeros/as.

Prueba

	CIERTO	FALSO
1. Copán es una ciudad conocida por sus grandes pirámides.	☐	☐
2. Monseñor Óscar Romero financió a los militares de El Salvador.	☐	☐
3. Las intervenciones de los Estados Unidos en Centroamérica en el siglo XX ayudaron a disminuir (*reduce*) la violencia en la region.	☐	☐
4. Rubén Darío fue un poeta nicaragüense.	☐	☐
5. El poema «A Colón» presenta una visión optimista de Darío.	☐	☐

Vocabulario

Eventos históricos e importantes

conquistar	to conquer
descubrir	to discover
establecer (zc)	to establish
los años veinte (treinta)	the 20s (30s) (*decades*)
la conquista	conquest
la década	decade
el desastre natural	natural disaster
el descubrimiento	discovery
el encuentro	encounter; meeting
la fecha	date (*calendar*)
la fundación	founding
la guerra	war
el huracán	hurricane
la llegada	arrival
el siglo (XXI)	(the 21st) century
el terremoto	earthquake

Cognados: colonizar (c), explorar, invadir; la depresión (económica), la exploración, la independencia, el/la inmigrante, la invasión, la migración, la revolución

Eventos personales

casarse (con)	to get married (to)
divertirse (ie, i)	to have fun
fracasar	to fail
graduarse (me gradúo)	to graduate
mudarse	to move (*to a new house*)
nacer (zc)	to be born
tener (*irreg.*) **éxito**	to succeed, be successful
la boda	wedding
el éxito	success
el fracaso	failure
la graduación	graduation
la mudanza	move (*to a new house*)
la muerte	death
el nacimiento	birth
el/la novio/a	groom, bride

Cognados: divorciarse (de); el divorcio, el matrimonio
Repaso: celebrar, morir (ue, u), pasarlo bien/mal, sentirse (ie, i)

Adjetivos

ansioso/a	anxious
contento/a	happy
deprimido/a	depressed
difícil	difficult
emocionante	exciting
enojado/a	angry
feliz (*pl.* **felices**)	happy
nervioso/a	nervous
orgulloso/a (de)	proud (of)
oscuro/a	dark; scary
pacífico/a	peaceful

Cognados: estable, tumultuoso/a
Repaso: triste

Los números del 1.000 al 2.000.000

dos (tres,...) mil, diez mil, cien mil, doscientos mil, trescientos mil, cuatrocientos mil, quinientos mil, seiscientos mil, setecientos mil, ochocientos mil, novecientos mil, un millón (de), dos millones (de)
Repaso: mil

Otras palabras y expresiones

al + *infin.*	upon/while/when (*doing something*)
mientras	while

Confrontación

EPISODIO

6

LECCIÓN 6A

LECCIÓN 6B

Confrontación

Escena 1

PACO: ¡Ah, Isabel! ¡Qué sorpresa!... Sí, sí, sí te oigo. ¿Cómo estás?... ¿Cómo?... No entiendo... ¿Carlos?... ¿Qué?...

Escena 2

ISABEL: ¡Carlos! Deja que pase el señor. Hijo, quiero hablar a solas^a con él...

^aa... *alone*

Escena 3

JAIME: ¡La verdad es que no tiene nada! ¡Mi compañía quiere estas tierras!

CARLOS: Por favor, espere un par de días más. Se las voy a conseguir.

JAIME: Tenemos que firmar el contrato esta semana... ¡y Ud. no tiene la influencia necesaria!

¿Qué crees tú?

Escena 1

1. ¿Quién es Paco? ¿Qué tiene que ver con la viña «Sol y viento»?
2. ¿Con quién habla Paco? ¿De qué están hablando?

Escena 2

1. ¿Qué crees que Isabel le quiere decir a Jaime?
2. ¿Por qué Isabel no quiere que Carlos esté presente?

Escena 3

1. Describe el estado de ánimo (*state of mind*) de Jaime. ¿Cómo está?
2. ¿Por qué vacila (*is hesitating*) Carlos? ¿Crees que en realidad tiene la autoridad de negociar las tierras de su familia?

LECCIÓN

6A

Vamos al extranjero[a]

OBJETIVOS

IN THIS LESSON, YOU WILL LEARN:

▶ vocabulary related to taking trips and traveling

▶ how to give someone instructions using formal commands

▶ vocabulary related to giving and receiving directions

▶ vocabulary related to restaurants and ordering food

▶ to talk about what has happened using the present perfect

▶ about Perú, one of the Andean nations of South America

You will also prepare to watch **Episodio 6** of the film *Sol y viento*.

Machu Picchu, en el Perú, es uno de los sitios arqueológicos más importantes del Imperio inca.

[a]al... *abroad*

The following media resources are available for this lesson of *Sol y viento*:

Episodio 6 of

CENTRO
Your media center for languages

Online *Manual*

WWW

Online Learning

PRIMERA PARTE

Vocabulario

Talking About Taking
Trips and Traveling

Para hacer viajes

Travel Vocabulary

El chico muestra su **boleto** y su identificación antes de **pasar por seguridad.**

La habitación de Jaime en el Hotel Bonaparte en Santiago

El transporte

el autobús	bus
el avión	airplane
el barco	boat

En la agencia de viajes

el/la agente de viajes	travel agent
el boleto*	ticket
de ida	one-way
de ida y vuelta	round-trip
la clase turística	coach
el pasaporte	passport
la primera clase	first class
la reservación	reservation

En el aeropuerto

el asiento	seat
el/la asistente de vuelo	flight attendant
el equipaje	luggage
el maletero	skycap, porter

el/la pasajero/a	passenger
la sala de espera	waiting area
el/la viajero/a	traveler
el vuelo (directo)	(direct) flight

El alojamiento[a]

ᵃEl... *Lodging*

alojarse / quedarse	to stay (*in a place*)
el botones[†]	bellhop
la cama matrimonial	double bed
la cama sencilla	single bed
la habitación	room
el hotel (de lujo)	(luxury) hotel
la pensión	boardinghouse
completa	room and all meals
la media pensión	room and one meal (usually breakfast)
la propina	tip
el servicio de cuarto	room service

*El **boleto** is used throughout Latin America, whereas **el billete** is used in Spain.
†**El mozo** is also commonly used to mean *bellhop*.

Más vocabulario

bajar (de)	to get off (of)
facturar el equipaje	to check luggage
hacer (*irreg.*) **cola**	to wait in line
hacer (*irreg.*) **escala**	to make a stopover
hacer (*irreg.*) **la maleta**	to pack a suitcase
hacer (*irreg.*) **un viaje**	to take a trip
ir (*irreg.*) **al extranjero**	to go abroad
pasar por la aduana	to go through customs
pasar por seguridad	to go through security
subir (a)	to board, get on

Actividad A ¿En qué orden?

Indica en qué orden (del 1 al 12) sueles hacer los siguientes preparativos para un viaje en avión.

_____ Hago cola para pasar por seguridad.
_____ Le pido una almohada (*pillow*) al asistente de vuelo.
_____ Hago la reservación.
_____ Hago la maleta.
_____ Me duermo durante el vuelo.
_____ Llego al aeropuerto.
_____ Busco mi asiento en el avión.
_____ Facturo el equipaje con el maletero.
_____ Llego a mi destino (*destination*).
_____ Tomo asiento en la sala de espera.
_____ Hago cola antes de subir al avión.
_____ Bajo del avión.

Actividad B El viaje de Jaime

Paso 1 Indica si las siguientes oraciones sobre el viaje de Jaime son ciertas o falsas.

	CIERTO	FALSO
1. Jaime hizo su viaje a Santiago en avión.	☐	☐
2. Se queda en un hotel de lujo.	☐	☐
3. El botones llevó sus maletas a su habitación.	☐	☐
4. Cuando llegó a su habitación, pidió servicio de cuarto.	☐	☐

¿Cómo suele viajar Jaime? ¿Lleva mucho equipaje? ¿Se aloja en hoteles de lujo?

(Continúa.)

Paso 2   Con un compañero (una compañera), contesta las siguientes preguntas. ¿Pueden explicar sus respuestas?

1. ¿Creen que Jaime viajó en clase turística o en primera clase? ¿Compró un boleto sólo de ida o de ida y vuelta? ¿Creen que hizo sus propias reservaciones o se las hizo un agente de viajes?

2. ¿Creen que pide servicio de cuarto o come en los restaurantes locales? ¿Les da propinas generosas a las personas que lo atienden?

 ### Actividad C   El último viaje de mi compañero/a

Paso 1   Entrevista a otra persona de la clase para obtener información sobre el último viaje que hizo.

1. ¿A qué lugar hizo su último viaje? ¿Con quién viajó? ¿Cuál fue el próposito del viaje? (vacaciones, una boda, por el trabajo, ¿?)

2. ¿Cómo viajó? Si viajó en avión o barco, averigua si viajó en clase turística o en primera clase.

3. ¿Cómo hizo las reservaciones? ¿Las hizo por teléfono, en el Internet o en una agencia de viajes?

4. ¿Dónde se quedó? Si se quedó en un hotel, averigua si fue un hotel de lujo o un hotel económico.

5. ¿Cuánto tiempo estuvo allí? ¿Qué hizo? ¿Lo pasó bien o no?

6. ¿?

Paso 2   Prepara un breve resumen para presentar a la clase.

MODELO: Sharon hizo su último viaje a... Viajó con... Los tres viajaron en...

 ### Actividad D   ¿Qué opinas?

Escribe un párrafo sobre el siguiente tema y explica si estás de acuerdo o no y por qué.

Si un botones, maletero o conductor gana un sueldo (*salary*) por el trabajo que hace, no es necesario darle una propina.

Vistazo cultural

Las propinas

Si viajas a un país hispano, tienes que familiarizarte con las costumbres[a] con relación a las propinas. Al igual que[b] en este país, en el Perú y en los demás países hispanos se les da propina a los maleteros y a los botones. A diferencia de este país, también es costumbre dejarle propina al personal de limpieza[c] en los hoteles, ya sea[d] un hotel barato o un hotel de lujo. En cuanto al transporte, en el Perú y en otros países hispanos, no es costumbre darles propina a los taxistas a menos que ayuden al[e] cliente con las maletas. En una excursión,[f] es costumbre darle propina al guía,[g] al conductor y a las demás personas que atienden al turista.

[a]*customs*   [b]*Al... Like*   [c]*personal... cleaning staff*   [d]*ya... whether it be*   [e]*a... unless they help the*
[f]*tour*   [g]*guide*

Gramática

Vuelva Ud. mañana.   Affirmative Formal Commands   Giving Instructions

Affirmative formal commands (**los mandatos formales**) directed at one person (**Ud.**) are formed by taking the **yo** form of the present-tense indicative, dropping the **-o** or **-oy** ending, and adding the "opposite" vowel. If the verb is an **-ar** verb, the opposite vowel is **-e.** If the verb is an **-er** or **-ir** verb, the opposite vowel is **-a,** as indicated in the chart. Commands directed at more than one person (**Uds.**) add **-en** to **-ar** verbs and **-an** to **-er** and **-ir** verbs.

Hable más despacio, por favor.	*Speak more slowly, please.*
Abra la puerta.	*Open the door.*
Vengan (Uds.) para las 2:00.	*Come at around 2:00.*

Verbs ending in **-car, -gar,** and **-zar** have a spelling change in order to maintain the original pronunciation of the **-c, -g,** and **-z** sounds.

Busque en el cajón.	*Look in the drawer.*
Paguen en la caja.	*Pay at the cashier.*
Empiecen ahora.	*Begin now.*

Ir and **ser** have irregular command forms.

Vaya para allá.	*Go over there.*
Sean pacientes.	*Be patient.*

—**Recuerde** Ud.: Como va al extranjero, **llegue** al aeropuerto con dos horas de anticipación (*two hours in advance*) antes de la salida de su vuelo.

The formal **Ud.** command for **dar** requires a written accent to distinguish it from the preposition **de.**

Dé un paseo por el parque.	*Take a walk through the park.*

Estar requires an accent on both **Ud.** and **Uds.** forms.

Esté aquí a mediodía.	*Be here at noon.*
Estén tranquilos.	*Be calm.*

Direct and indirect object pronouns, as well as reflexive pronouns, are attached to the end of affirmative formal commands. Remember that when both a direct and an indirect object pronoun are used, indirect objects come before direct objects. Note the written accents, which indicate where the stress would normally fall on the verb if there were no pronouns included.

¿La tarea? **Háganla.**	*The homework? Do it.*
Despiértense.	*Wake up.*
¿El libro? **Démelo.**	*The book? Give it to me.*

Formal Commands

INFINITIVE	**yo** FORM	STEM	ADD THE "OPPOSITE" VOWEL FOR **Ud.**	ADD THE "OPPOSITE" VOWEL AND **-n** FOR **Uds.**
hablar	hablo	habl-	+ e = **hable**	**hablen**
beber	bebo	beb-	+ a = **beba**	**beban**
abrir	abro	abr-	+ a = **abra**	**abran**
decir	digo	dig-	+ a = **diga**	**digan**
conducir	conduzco	conduzc-	+ a = **conduzca**	**conduzcan**

Verbs Ending in -**car,** -**gar,** and -**zar**

INFINITIVE	**yo** FORM	STEM	SPELLING CHANGES BEFORE ADDING THE "OPPOSITE" VOWEL FOR **Ud.**	ADD THE "OPPOSITE" VOWEL AND **-n** FOR **Uds.**
sacar	saco	sac-	c → qu + e = **saque**	**saquen**
pagar	pago	pag-	g → gu + e = **pague**	**paguen**
comenzar	comienzo	comienz-	z → c + e = **comience**	**comiencen**

Actividad E   ¿A quién se lo diría Jaime (*would Jaime say it to*)?

Desde el principio (*beginning*) de la película hasta finales del **Episodio 5,** Jaime les trata (*addresses*) de Ud. a los otros personajes. Basándote en lo que sabes de Jaime hasta ahora, indica a quién le diría cada mandato a continuación.

1. Tenga este regalo. Es para Ud.   Se lo diría a _____.
2. Lléveme al Valle del Maipo, por favor.   Se lo diría a _____.
3. Déme el contrato firmado.   Se lo diría a _____.
4. Hábleme de su trabajo aquí en la viña.   Se lo diría a _____.

Actividad F   En mi ciudad

Paso 1   Imagina que un agente de viajes le da a un cliente la siguiente lista de sugerencias antes de su viaje. Completa cada sugerencia con el mandato formal apropiado de uno de los siguientes verbos. ¿Puedes adivinar qué ciudad visita el cliente?

alojarse   asistir   comer   ir   jugar   ver

1. _____ de compras a las tiendas de lujo, como Prada, Gucci y Hermes.
2. _____ en un restaurante elegante, como Fleur de Lys o Aureole.
3. _____ una exposición de arte (*art exhibit*) en una galería de arte de un hotel.
4. _____ a un espectáculo (*show*) o concierto por la noche.
5. _____ a las cartas (*cards*).
6. _____ en el Hotel Bellagio.

Paso 2   Usa mandatos afirmativos para hacer una lista de las seis cosas que un turista debe hacer si hace un viaje a tu ciudad u otra ciudad que conoces bien. Presenta tus resultados a la clase.

Nombre de la ciudad: _____

Paso 3 (Optativo)   Usa los mandatos del **Paso 2** para crear un folleto (*brochure*) para viajeros a tu ciudad.

Actividad G   Situaciones y recomendaciones

Tu professor(a) va a presentarles varias situaciones en que se encuentran muchos viajeros de avión. En grupos de tres, tienen dos minutos para escribir recomendaciones usando mandatos afirmativos. El grupo con más recomendaciones para cada situación gana.

MODELO: *Ves:*   No nos gusta hacer cola en el aeropuerto.

Escribes: Lleguen temprano.
Llévense pocas maletas.
Facturen el equipaje con el maletero.
Saquen los boletos y pasaportes antes de pasar por seguridad.

Actividad H   Consejos para los profesores

Paso 1   En grupos de tres, escriban cuatro consejos afirmativos sobre lo que los profesores deben hacer para llevarse bien con los estudiantes.

MODELO: Lleguen a clase a tiempo.

Paso 2   Presenten su lista a la clase. La clase va a decidir cuáles son las instrucciones más importantes.

SEGUNDA PARTE

Vocabulario

Getting Around Town

¿Cómo llego?   Giving and Receiving Directions

cruzar (c) la calle	to cross the street
doblar a la derecha/izquierda	to turn right/left
seguir (i, i) (g) derecho	to continue/go straight
la cuadra*	(city) block
el mapa	map (*in general*)
el plano	city map
¿Cómo se llega a... ?	How do you get to . . . ?
¿Cuánto hay de aquí a... ?	How far is it to . . . ?

Repaso: el norte, el sur, el este, el oeste

***La cuadra** is used throughout Latin America, whereas **la manzana** is used in Spain.

Actividad A ¿Adónde vamos?

Mira el siguiente plano de Lima, Perú. Tu profesor(a) va a leer una serie de direcciones. Sigue sus direcciones e indica cuál es el punto de llegada. Primero, estudia las siguientes abreviaturas (*abbreviations*).

Av.	Avenida
Pte.	Puente
Pque.	Parque

MODELO: PROFESOR(A): ¿Adónde vamos? Comiencen en la Catedral de Lima. Sigan derecho en la calle Huallaga hacia el este. Doblen a la izquierda en la calle Lampa y sigan derecho dos cuadras. Doblen a la derecha en la calle Ancash. El edificio queda a la izquierda. ¿Dónde estamos?

ESTUDIANTES: Estamos en la Iglesia y Convento de San Francisco.

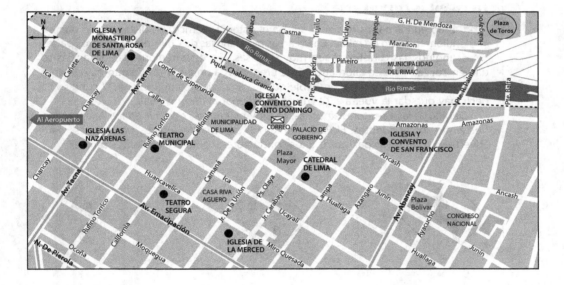

Actividad B ¿Cierto o falso?

Paso 1 Escribe seis oraciones sobre cómo ir de un lugar a otro en tu campus (o en la ciudad que rodea tu universidad). Tres oraciones deben ser verdaderas (*true*) y tres falsas.

MODELOS: Para ir de Jester Hall a la biblioteca Perry Castañeda, uno cruza la calle 21.

Para ir de Water Tower Place a Nordstrom, uno sigue derecho en la calle Michigan hacia el sur...

Paso 2 Léele sus oraciones a un compañero (una compañera) de clase. ¿Sabe cuáles son ciertas y cuáles son falsas?

MODELO: E1: Para ir de Jester Hall a la biblioteca Perry Castañeda, uno cruza la calle 21.

E2: Falso. Uno cruza la calle Speedway.

Actividad C   ¿Conoce el campus mi profesor(a)?

Paso 1   En grupos de tres, piensen en un edificio o sitio muy conocido de su campus, pero no lo mencionen. Luego, escriban instrucciones sobre cómo llegar a ese edificio o sitio. Las instrucciones deben ser apropiadas para dárselas a una persona que visita el campus.

MODELO: Ud. está enfrente de la biblioteca. Siga derecho en la calle Speedway. Doble a la derecha en la calle Randolf. Doble a la izquierda en Riverside y cruce la calle.

Paso 2   Los grupos van a leerle las instrucciones al profesor (a la profesora) a ver si él/ella puede adivinar el punto de llegada. ¿Conoce muy bien el campus su profesor(a)?

Vistazo cultural

¿A cuántas curvas está?

Como en los países hispanos se usa el sistema métrico, las distancias se dan en kilómetros, no en millas. En las áreas montañosas de Chile, el Perú y otros países andinos, las carreteras[a] son muy sinuosas.[b] En estas regiones las distancias se dan en **curvas** y no en kilómetros. Si le preguntas a un andino: «Cuánto hay de aquí al pico[c] de la montaña?», es probable que te diga[d] algo como: «Está a 22 curvas.» Es decir, hay que dar la vuelta a 22 curvas para llegar al destino final.

Debido a[e] las carreteras sinuosas, es muy peligroso[f] conducir en los Andes y son frecuentes los accidentes. El Perú emplea un sistema de señales preventivas[g] para advertirles[h] de curvas peligrosas a los conductores, como las siguientes señales.

[a]*highways* [b]*winding* [c]*top* [d]*es... he will probably tell you* [e]*Debido... Due to* [f]*dangerous* [g]*señales... warning signs* [h]*warn (them)*

Gramática

¡No vuelvan tarde!   Negative Formal Commands | More on Giving Instructions

Formal Commands Used with Object and Reflexive Pronouns	
Affirmative Formal Commands Pronouns Are Attached to the End	Negative Formal Commands Pronouns Come Before the Verb

Háble**le**.	*Talk to him* (*her*).	No **le** hable.	*Don't talk to him* (*her*).
Cómpren**la**.	*Buy it.* (*it* = la comida)	No **la** compren.	*Don't buy it.*
Dé**melo**.	*Give me it.* (*it* = el libro)	No **me lo** dé.	*Don't give it to me.*
Siénten**se**.	*Sit down.*	No **se** sienten.	*Don't sit down.*

Negative formal commands are formed in the same way as affirmative commands. Drop the **-o** or **-oy** from the first-person form (**yo**) of the present-tense indicative and add the "opposite" vowel, plus an additional **-n** for plural (**Uds.**) forms. Remember: verbs ending in **-car, -gar,** and **-zar** have a spelling change; **ir** and **ser** have irregular formal command forms; the **Ud.** commands for **dar** and **estar** require written accent marks, as does the **Uds.** command for **estar.**

No lleguen tarde.	*Don't arrive late.*
No vaya sin mí.	*Don't go without me.*
No sean ridículos.	*Don't be ridiculous.*
No estén tristes.	*Don't be sad.*

The principal difference between affirmative and negative formal commands is the placement of object and reflexive pronouns. These pronouns come *before* negative command forms, not after them. When both a direct and an indirect object are used, the indirect object pronoun precedes the direct object pronoun.

No me mire así.	*Don't look at me that way.*
No me lo dé ahora, por favor.	*Don't give it to me now, please.*
No se despierten tarde.	*Don't wake up late.*

Cómo viajar en avión sin problemas

■ Llegue al aeropuerto con dos horas de anticipación.[a]

■ Escriba su nombre y dirección en todas las maletas.

■ Quítese las joyas[b] antes de pasar por seguridad.

■ No ponga cosas frágiles en la maleta.

■ No haga más maletas de las que pueda llevar.

■ No descuide[c] su equipaje.

[a]con... *two hours in advance*   [b]*jewelry*   [c]*leave unattended*

Actividad D   ¿A quién se lo diría?

Basándote en lo que sabes de los personajes de *Sol y viento*, indica a quién Jaime le diría cada mandato a continuación.

1. No me dé más pretextos (*excuses*).   Se lo diría a _____.
Necesito las firmas.

2. No se limite solamente a carteles.   Se lo diría a _____.
Haga una campaña (*campaign*)
efectiva para ayudar a los mapuches.

3. No me deje (*drop me off*) en el hotel.   Se lo diría a _____.
Déjeme en el parque.

Comunicación útil

Direct commands can sometimes sound rude in certain contexts. One way to soften the force of a command is to use the phrase **¿Me hace el favor de... ?** followed by an infinitive, instead of a direct command.

¿Me hace el favor de   *Can you do me the favor of opening*
abrir la ventana?   *the window?*

Favor de + *infinitive* is commonly used for instructions on street signs aimed at the general public.

Favor de no fumar.   *Please don't smoke.*

Actividad E   ¿Niños o adolescentes?

Paso 1   Completa los siguientes consejos dirigidos (*directed*) a niños, adolescentes o ambos (*both*) con el mandato negativo apropiado de uno de los verbos a continuación. Luego, indica si cada consejo es para los niños, para los adolescentes o para ambos.

comer   hablar
conducir   salir
correr   saltar (*to jump*)
cruzar   sentarse

	NIÑOS	ADOLESCENTES	AMBOS
1. _____ comida chatarra (*junk food*).	☐	☐	☐
2. _____ con tijeras (*scissors*) en la mano.	☐	☐	☐
3. _____ cerca del televisor.	☐	☐	☐
4. _____ si están ebrios (*drunk*).	☐	☐	☐
5. _____ con desconocidos (*strangers*).	☐	☐	☐
6. _____ en la cama o el sofá.	☐	☐	☐
7. _____ la calle sin mirar primero en ambos sentidos (*both directions*).	☐	☐	☐
8. _____ de la casa con el pelo mojado (*wet*) o se van a enfermar.	☐	☐	☐

Paso 2   Con otra persona, indica cuáles de los consejos del **Paso 1** van a darles a sus propios hijos o sobrinos y cuáles no. ¿Qué otros consejos que no están en el **Paso 1** les van a dar?

Actividad F   La etiqueta del uso de los teléfonos celulares

Paso 1   Con un compañero (una compañera), haz una lista de consejos dirigidos a un consumidor sobre la etiqueta apropiada en cuanto al uso de los teléfonos celulares en lugares públicos. Usen por lo menos tres mandatos negativos y tres mandatos afirmativos, según los modelos.

Vocabulario útil

apagar	to turn off
el buzón de voz	voicemail
contestar	to answer
hacer una llamada	to make a call
el mensaje de texto	text message
prender	to turn on
el tono de timbre	ringtone

MODELOS: No seleccione un tono de timbre irritante (*annoying*).

Apáguelo antes de entrar al cine.

Paso 2   Presenten su lista a la clase. ¿Están todos de acuerdo en cuanto a qué constituye buena etiqueta?

Paso 3   Como clase, hagan una lista de reglas (*rules*) sobre el uso de los teléfonos celulares en la clase de español.

MODELO: No lean mensajes de texto durante exámenes.

Actividad G   En el extranjero

Paso 1   Con un compañero (una compañera), diseñe (*design*) un folleto (*brochure*) en el cual indican lo que un turista norteamericano debe o no debe hacer cuando viaja al extranjero. Mencionen cinco cosas que debe hacer (con mandatos afirmativos) y cinco cosas que no debe hacer (con mandatos negativos).

Paso 2   Entreguen su folleto al profesor (a la profesora). Su profesor(a) va a leer algunos mandatos a la clase. Entre todos, indiquen si cada consejo es válido para **todos los países** que visita o sólo para **algunos países.**

MODELO: PROFESOR(A): Pídales direcciones a los nativos.

TODOS: Para todos los países.

PROFESOR(A): No beba agua del grifo (*tap water*).

TODOS: Para algunos países.

TERCERA PARTE

Vocabulario

Ordering Meals in a Restaurant

www

En el restaurante

Dining Out

la mesera

el cocinero

el mesero

la taza

el menú*

la copa

el plato

la servilleta

el cuchillo   la cuchara

el vaso   el tenedor

Más vocabulario

atender (ie)	to wait on
dejar (una) propina	to leave a tip
ordenar / pedir (i, i)	to order
traer (*irreg.*)	to bring
los cubiertos	silverware
la cuenta	bill, check (*in a restaurant*)
el primer (segundo, tercer) plato	first (second, third) course
¿Me podría traer... ?	Could you bring me . . . ?
¿Qué trae... ?	What does . . . come with?
Buen provecho.	Enjoy your meal.

*La carta** is also used for *menu*.

Vistazo cultural

En los restaurantes hispanos

Comer en un restaurante en el mundo hispano es una experiencia muy diferente de lo que es en este país. Una costumbre norteamericana que no es común en los países hispanos es la de servir la comida al estilo bufé, donde el cliente paga un solo precio por comer todo lo que quiera.[a]

En cuanto a las bebidas, en el mundo hispano no existe el concepto del relleno gratis.[b] En muchos restaurantes de este país el cliente puede consumir cuatro refrescos, pero sólo paga uno. En los restaurantes hispanos, si uno toma cuatro refrescos tiene que pagarlos todos. La costumbre del relleno gratis también influye en[c] la manera en que los meseros atienden a los clientes. En muchos restaurantes norteamericanos, los meseros se afanan[d] por rellenar[e] las bebidas (¡aun cuando no están vacías!)[f] con la intención de recibir una buena propina. En los restaurantes hispanos, los meseros no rellenan las bebidas; no le traen al cliente una bebida nueva hasta que termina la primera, y aun así es frecuente tener que pedirla. En general, los meseros hispanos no apresuran[g] a los clientes. Y a diferencia de los restaurantes norteamericanos, los meseros hispanos no traen la cuenta a la mesa hasta que el cliente diga:[h] «La cuenta, por favor.»

[a]todo... *whatever he wants*   [b]relleno... *free refill*   [c]influye... *influences*   [d]se... *hurry*   [e]*refill*   [f]*empty*
[g]no... *don't rush*   [h]*says*

Actividad A   ¿Alta cocina (*Gourmet cooking*) o comida rápida?

Lee las oraciones a continuación e indica si se refieren a un restaurante de alta cocina o a un restaurante de comida rápida.

	RESTAURANTE DE ALTA COCINA	RESTAURANTE DE COMIDA RÁPIDA
1. La cuenta incluye la propina si hay más de ocho personas en la mesa.	☐	☐
2. Los cubiertos son de plástico.	☐	☐
3. Es común pagar la comida al momento de pedirla.	☐	☐
4. Los meseros visten trajes elegantes.	☐	☐
5. La comida se sirve en bandeja (*tray*) de plástico.	☐	☐

Actividad B   ¿En qué orden?

Paso 1   A continuación hay una lista de frases que los meseros les dicen a los clientes. Pon las frases en el orden en que ocurren, del 1 al 7.

_____ ¿Les retiro (*May I take away*) los platos?
_____ ¿Están listos para pedir?
_____ Les dejo la cuenta. Fue un placer (*pleasure*) servirles.
_____ ¿Desean algo de tomar mientras leen el menú?
_____ ¿Desean algún postre o una taza de café?
_____ El bistec para el señor y el pescado para la señora. Buen provecho.
_____ ¿Está bien la comida?

(Continúa.)

Paso 2 En grupos de tres personas, escriban una breve sátira (*skit*) entre un mesero (una mesera) y dos clientes. Las frases del **Paso 1** y del **Más vocabulario** te serán útiles (*will be useful to you*).

Paso 3 Representen la sátira, turnándose para hacer el papel de mesero (*taking turns playing the role of waiter/waitress*). **¡OJO!** (*Watch out!*) No deben memorizar o leer su parte. Deben improvisarla basándose en lo que escribieron en el **Paso 2**. Con cada cambio de mesero, los clientes deben pedir algo diferente.

Actividad C ¿Cómo se pone (*does one set*) la mesa?

En grupos de dos, un(a) estudiante va a describir cómo está puesta (*is set*) la mesa en el dibujo A. Sin mirar el dibujo, su compañero/a va a escuchar la descripción y dibujar la mesa en una hoja de papel aparte (*another sheet of paper*). Las siguientes frases pueden ser útiles: **a la izquierda/derecha de, al lado de, arriba de** (*above*), **abajo de** (*below*).

MODELO: E1: El tenedor para la ensalada está a la derecha de la cuchara.

Actividad D Más sobre las propinas

Con otra persona, indica en cuáles de las siguientes situaciones es justo rebajarle (*reduce*) la propina a un mesero (una mesera).

1. Tarda (*He/She takes*) cinco minutos en traerte el menú y ofrecerte algo de tomar.
2. Sólo te rellena (*refills*) el vaso cuando se lo pides.
3. Al rellenarte la taza, derrama (*spills*) el café sobre tu camisa.
4. Te trae la comida y al probarla (*tasting it*), ves que tiene un pelo encima.
5. Has esperado (*You have waited*) 40 minutos y todavía la comida no ha llegado (*has not arrived*). El mesero se disculpa (*apologizes*) y te explica que sólo hay un cocinero y que las órdenes se han atrasado (*have backed up*).
6. No te ofrece traer la cuenta. Tienes que pedírsela.

Gramática

¡Lo he pasado muy bien!

Introduction to the
Present Perfect

Talking About What
Has Happened

To talk about what has happened, Spanish uses a form of the verb **haber** (*to have*)*
plus a past participle. Past participles are formed by removing the **-ar, -er,** and **-ir**
verb endings and adding **-ado, -ido,** and **-ido,** respectively.

He tomado dos aspirinas hoy.	*I have taken two aspirins today.*
¿Has conocido a una persona famosa?	*Have you met a famous person?*
Hemos salido tres veces esta semana.	*We have gone out three times this week.*

> «He cometido el peor pecado que uno puede cometer: no he sido feliz.»[†]
> —Jorge Luis Borges (1899–1986), escritor argentino

Verbs ending in **-er** or **-ir** and whose stems end in a vowel require a written accent
on the **-i-** of the past participle. Verbs that end in **-uir** are the exception to this rule.

leer → **leído**

oír → **oído**

traer → **traído**

construir (*to construct*) → **construido**

Some common verbs have irregular past participles, as indicated in the chart.

Present Perfect of Regular Verbs

haber			+ Past Participle	
yo	**he**	nosotros/as	**hemos**	**viajado**
tú	**has**	vosotros/as	**habéis**	**conocido**
Ud.	**ha**	Uds.	**han**	**vivido**
él/ella	**ha**	ellos/ellas	**han**	

Irregular Past Participles

VERB	PAST PARTICIPLE	EXAMPLES
decir	**dicho**	Mi novio no me **ha dicho** la verdad.
escribir	**escrito**	**¿Has escrito** la carta?
hacer	**hecho**	**Hemos hecho** un viaje a Nueva York.
morir	**muerto**	Mis abuelos ya **han muerto.**
poner	**puesto**	**He puesto** dinero en el banco.
ver	**visto**	No **he visto** la nueva película de Brad Pitt.
volver	**vuelto**	Los niños no **han vuelto** del parque.

---

*__Haber__ is an auxiliary verb that is *not* interchangeable with **tener.** It is also an irregular verb. You already know
several of its forms: **hay** (*there is / there are*), **hubo** (*there was*), **había** (*there was / there were*).
[†]"I have committed the worst sin there is: I have not been happy."

Actividad E ¿Quiénes lo podrían (*could*) decir?

Basándote en los episodios de *Sol y viento* que has visto hasta ahora, indica los personajes que podrían decir las siguientes oraciones.

1. Hemos subido el funicular juntos (*together*).
☐ Jaime y María ☐ Jaime y Mario

2. Hemos hablado de contratos y negocios.
☐ Jaime y Carlos ☐ María y Jaime

3. Hemos hecho varios viajes en auto.
☐ Carlos y María ☐ Jaime y Mario

4. No hemos conocido a doña Isabel.
☐ Traimaqueo y Carlos ☐ Jaime y Mario

Actividad F Los famosos

Escucha lo que dice tu profesor(a). ¿Cuántas personas famosas puedes nombrar que corresponden a lo que oyes? ¿Cuántos hispanos puedes nombrar?

1. … **2.** … **3.** … **4.** … **5.** … **6.** … **7.** …

Actividad G ¿Quiénes lo han hecho?

Paso 1 Marca las actividades a continuación que se te aplican. Luego, entrevista a algunos compañeros de clase sobre las mismas actividades. Si alguien contesta **sí** a una pregunta, dile **Firma** (*Sign*) **aquí, por favor.** ¿Puedes encontrar a dos personas que contesten **sí** a cada actividad?

MODELO: E1: ¿Has hecho un papel (*played a role*) en un drama?

E2: Sí. He hecho el papel de Hamlet.

E1: Firma aquí, por favor.

YO		FIRMA 1 (*signature*)	FIRMA 2
☐	**1.** He hecho un papel en un drama.	_____	_____
☐	**2.** He recibido un premio en una competición.	_____	_____
☐	**3.** He renunciado a (*quit*) un trabajo.	_____	_____
☐	**4.** He cantado en público (y no fue karaoke).	_____	_____
☐	**5.** He perdido algo importante que nunca he encontrado.	_____	_____

Paso 2 Basándote en los resultados del **Paso 1,** presenta un dato interesante a la clase.

MODELO: John y Margaret han hecho un papel en un drama, pero yo no.

Mark y yo hemos cantado en público.

Actividad H La clase de español

Paso 1 Indica si las siguientes oraciones sobre la clase de español se te aplican o no.

Puente musical

Go to the *Sol y viento* iMix section on the Online Learning Center Website (**www.mhhe.com/solyviento3**), where you can purchase "Te he querido, te he llorado" by Ivy Queen. Listen for uses of **haber** plus a past participle. Has the singer gotten over the break-up about which she sings? How do you know?

	SÍ, SE ME APLICA.	NO, NO SE ME APLICA.
1. No he llegado tarde a clase más de tres veces.	☐	☐
2. He entregado (*turned in*) todas mis tareas.	☐	☐
3. He hecho los ejercicios del Manual.	☐	☐
4. No he hablado mucho en inglés con mis compañeros de clase.	☐	☐
5. He visto todos los episodios de *Sol y viento*.	☐	☐
6. No he faltado a (*missed*) clase más de tres veces.	☐	☐
7. He saludado (*greeted*) a mi profesor(a) en español todos los días.	☐	☐
8. He leído la lección antes de venir a clase.	☐	☐

Paso 2 Entrevista a un compañero (una compañera) de clase para averiguar si se le aplican las oraciones del **Paso 1** o no. Escribe sus respuestas en una hoja de papel aparte.

MODELO: E1: ¿Has visto todos los episodios de *Sol y viento*?

E2: Sí, los he visto.

Paso 3 Suma (*Add up*) el número de tus respuestas afirmativas en el **Paso 1.** Suma también el número de respuestas afirmativas que te dio tu compañero/a de clase. Luego, indica dónde quedan Uds. en la siguiente escala.

Muy dedicado/a	Dedicado/a	No muy dedicado/a
8————————	————4————	————————1

Paso 4 Escribe un breve párrafo en el cual resumes los datos de tu entrevista.

MODELO: Miguel y yo somos estudiantes dedicados. Miguel ha... yo también he...

Comunicación útil

To express what *had* happened or what you *had* done at a particular point in time in the past, use the imperfect of **haber** plus a past participle. The imperfect forms of **haber** are **había, habías, había, habíamos, habíais, habían.**

Yo había esperado dos semestres antes de tomar una clase de español.	*I had waited for two semesters before taking a Spanish class.*
Clinton y Bush (hijo) **habían sido** gobernadores antes de ser presidentes.	*Clinton and Bush (the son) had been governors before becoming presidents.*

Resumen de gramática

Actividad A   En el mercado

In **Episodio 6** of *Sol y viento* you will watch a scene in which a new character, don Francisco (Paco) Aguilar, buys vegetables in a Mexico City street market. Part of his conversation with Lourdes, a vendor, is repeated in the dialogue.

PACO: ¡Estos sí que son jitomates[a]! ¡Firmes y de buen color! Así me gustan.

LOURDES: Como le dije: los mejores del mercado.

PACO: _____ dos kilos, por favor.

Selecting from the following list, what command do you think don Paco says in this scene?

1. Págueme

2. Cómpreme

3. Déme

[a]*red tomatoes (Mex.)*

Actividad B   ¡Manos a la obra! (*Let's get to work!*)

In **Episodio 3** of *Sol y viento* you will recall a scene in which Carlos barks out some orders to his workers after inviting Jaime to his office to talk. Part of his dialogue appears here.

CARLOS: ¿Por qué no vamos a mi oficina para tener así más privacidad? ¡Traimaqueo! _____ y sigan trabajando. ¡Ya vuelvo!

Do you remember what Carlos says to his workers?

1. No presten atención (*Don't pay attention*)

2. No se distraigan (*Don't get distracted*)

3. No me molesten (*Don't bother me*)

Actividad C   La viña no está a la venta (*is not for sale*).

In **Episodio 6** of *Sol y viento* you will watch a scene in which Jaime and doña Isabel talk about the sale of the winery. Part of their exchange appears here.

JAIME: Nuestra oferta es muy buena, señora. Su hijo quiere vender, y me **ha indicado** que Ud. tal vez estaría de acuerdo.ª Piénselo bien, por favor.

ISABEL: Ya se lo _____. «Sol y viento» no está a la venta. Hasta luego, señor Talavera.

What do you think doña Isabel says in the space above?

1. he dicho

2. he vendido

3. he pagado

ªtal... *perhaps you would agree*

Actividad D   Síntesis

Paso 1   Completa los párrafos con las palabras y frases de la lista, teniendo en cuenta la gramática de esta lección. No hay que añadir (*add*) palabras, pero asegúrate de (*make sure*) dar la forma correcta de los verbos.

haber + conocer   haber + fascinar   oír   preguntar   ser   trabajar

Cuando Jaime invita a María a tomar un café, María sugiere que se junten (*they meet*) en el Cerro San Cristóbal. Jaime no conoce el lugar y le dice: « _____ ¿Dónde está eso?». María le responde: « _____ ¡Es fácil!».

En el funicular, Jamie le dice a María que su vida no es tan fascinante como la suya. María bromea (*jokes*) y le responde: «Tiene razón. ¡Su vida no es tan fascinante como la mía!». Jaime pudo haberle dicho (*could have said to her*): «¡No _____ sarcástica!», pero no lo dice porque a él le gusta su sentido del humor. Mientras toman vino, Jaime menciona cosas que ha hecho en la vida. Dice que trabajó en una viña y que siempre le _____ el vino. María comenta que Jaime es el primer norteamericano que _____ como amigo.

Paso 2   Compara tus respuestas con las de un compañero (una compañera) de clase. ¿Son iguales?

Panorama cultural

El Perú

El Perú es conocido como la tierra de los incas, la cultura indígena que allí habitaba hasta la invasión española. Machu Picchu, la ciudad sagrada[a] de los incas, figura[b] en la lista de las siete nuevas maravillas[c] del mundo. Yuxtapuesta[d] a la arquitectura prehispánica está la arquitectura española, la cual[e] se nota en los edificios y plazas de ciudades coloniales como Cuzco, Arequipa y Lima. El Perú tiene una fuerte tradición literaria que incluye a escritores indígenas, como Garcilaso de la Vega, Guaman Poma de Ayala y José María Arguedas. Además de su riqueza cultural e histórica, el país cuenta con[f] una gran diversidad geográfica: montañas, ríos turbulentos, bosques lluviosos, desiertos, volcanes activos y playas hermosas.

[a]*sacred*   [b]*appears*   [c]*wonders*   [d]*Juxtaposed*   [e]*la... which*   [f]*cuenta... has*

Composición étnica

Aunque la gran mayoría de los peruanos son indígenas (45%) o mestizos (de ascendencia europea e indígena a la vez) (37%), el Perú cuenta con la población más grande de personas de ascendencia china en Latinoamérica. Y después del Brasil, tiene la población más grande de personas de ascendencia japonesa en Latinoamerica.

Idiomas

Como[a] más de 3 millones de peruanos hablan el quechua (la lengua de los incas), en el Perú se ofrecen programas de educación bilingüe para niños que hablan español y quechua.

[a]*Since*

Esta niña recibe instrucción en español y quechua, su lengua nativa.

[**DATOS BÁSICOS**]

CAPITAL
LIMA

POBLACIÓN
30 MILLONES (APROX.)

IDIOMAS OFICIALES
ESPAÑOL, QUECHUA

TASA DE ALFABETIZACIÓN
93%

MONEDA
EL NUEVO SOL

La cocina

El chifa es una cocina[a] originaria de[b] Lima en la que se mezclan la comida criolla limeña[c] con la cocina china. «Chifa» se refiere tanto al estilo de cocina como al restaurante donde lo sirven. El chifa es tan popular que se ha expandido[d] a países vecinos como el Ecuador y Chile.

[a]*cuisine*   [b]*originaria... originally from*   [c]*la... which creole food from Lima is mixed*   [d]*se... it has expanded*

El surf

La costa pacífica peruana es uno de los mejores lugares del mundo para practicar el surf. Debido a su geografía, el Perú cuenta con olas[a] largas y consistentes y se puede hacer surf los 365 días del año. Algunas de las playas populares son Máncora, Playa Grande y Herradura.

[a]*waves*

Una muestra de la cocina criolla conocida como «El chifa»

Música

Aunque la zampoña es el instrumento que más se asocia con la música peruana, la escena rock es bastante fuerte en el país. A veces las bandas mezclan lo tradicional con lo contemporáneo, como lo hace el grupo Perú Salvaje. En otros casos, los grupos son de puro rock-blues, como es el caso del grupo Uchpa, que apareció durante los años 90 y que canta tanto en quechua como en español. De hecho,[a] su nombre es una palabra quechua que significa *ashes*.

[a]*De... In fact*

En el Internet

Busca información sobre uno o más de los siguientes temas:

1. una receta para un plato chifa
2. un vídeo del grupo Uchpa
3. palabras en español de origen quechua

Trae la información a la clase para compartir con tus compañeros/as.

Si viajas allí

En el Perú, no te pierdas la oportunidad de conocer los Caminos (*Paths*) del Inca, un sistema de caminos construidos por los incas que se juntan (*meet*) en la ciudad de Cuzco. No te olvides de darles propina al guía, al cocinero y a la persona que te ayuda con el equipaje.

Prueba

	CIERTO	FALSO
1. Las escuelas peruanas ofrecen educación bilingüe en español y chino.	☐	☐
2. El chifa fusiona la comida criolla con la comida japonesa.	☐	☐
3. La mayoría de la población peruana es indígena.	☐	☐
4. El surf sólo se practica en el Perú en la primavera y en el verano.	☐	☐
5. El escritor José María Arguedas es de origen indígena.	☐	☐

Vocabulario

El transporte y los viajes

bajar (de)	to get off (of)
facturar el equipaje	to check luggage
hacer (*irreg.*) **cola**	to wait in line
hacer (*irreg.*) **escala**	to make a stopover
hacer (*irreg.*) **la maleta**	to pack a suitcase
hacer (*irreg.*) **un viaje**	to take a trip
ir (*irreg.*) **al extranjero**	to go abroad
pasar por la aduana	to go through customs
pasar por seguridad	to go through security
subir (a)	to board, get on
el aeropuerto	airport
la agencia de viajes	travel agency
el/la agente de viajes	travel agent
el asiento	seat
el/la asistente de vuelo	flight attendant
el avión	airplane
el boleto	ticket
de ida	one-way
de ida y vuelta	round-trip
la clase turística	coach
el equipaje	luggage
el maletero	skycap, porter
el/la pasajero/a	passenger
la primera clase	first class
la sala de espera	waiting area
el/la viajero/a	traveler
el vuelo (directo)	(direct) flight

Cognados: el autobús, el pasaporte, la reservación
Repaso: el barco

El alojamiento

alojarse	to stay (*in a place*)
quedarse	to stay (*in a place*)
el botones	bellhop
la cama matrimonial	double bed
la cama sencilla	single bed
la pensión	boardinghouse
completa	room and all meals
la media pensión	room and one meal (usually breakfast)
la propina	tip

el servicio de cuarto	room service
de lujo	luxury

Repaso: la habitación, el hotel

¿Cómo se llega a... ?

cruzar (c)	to cross
doblar	to turn
seguir (i, i) (g) derecho	to continue/go straight
la calle	street
la cuadra	(city) block
el plano	city map
¿Cuánto hay de aquí a... ?	How far is it to . . . ?

Cognado: el mapa
Repaso: a la derecha/izquierda, el este, el norte, el oeste, el sur

En el restaurante

atender (ie)	to wait on
dejar (una) propina	to leave a tip
ordenar	to order
el/la cocinero/a	cook
la copa	glass (*wine, liquor*)
los cubiertos	silverware
la cuchara	spoon
el cuchillo	knife
la cuenta	bill, check (*in a restaurant*)
el/la mesero/a	waiter, waitress
el primer (segundo, tercer) plato	first (second, third) course
la servilleta	napkin
la taza	coffee cup
el tenedor	fork
el vaso	glass (*water*)
¿Me podría traer... ?	Could you bring me . . . ?
¿Qué trae... ?	What does . . . come with?
Buen provecho.	Enjoy your meal.

Cognados: el menú, el plato
Repaso: pedir (i, i), traer (*irreg.*)

LECCIÓN

6B

La naturaleza y el medio ambiente[a]

OBJETIVOS

IN THIS LESSON, YOU WILL LEARN:

▶ vocabulary to talk about geography and geographical features

▶ to give instructions to someone you address as **tú,** using informal commands

▶ vocabulary related to ecology and the environment

▶ vocabulary for things to do on vacation

▶ to talk about extremes using superlative expressions

▶ about Costa Rica, a favorite destination for ecotourism and a unique country in Central America

In addition, you will watch **Episodio 6** of the film *Sol y viento.*

Costa Rica cuenta con numerosas cataratas (*waterfalls*) como esta.

[a]*La... Nature and the Environment*

The following media resources are available for this lesson of *Sol y viento:*

Episodio 6 of   **Online** *Manual*   **Online Learning**

CENTRO
Your media center for languages

Vocabulario

Talking About
the Natural World

¿Cómo es el paisaje?

Geography and
Geographical Features

Algunas de las características geográficas de Costa Rica

el bosque (*forest*)
de Monteverde

el volcán Poás

el mar Caribe

las llanuras (*plains*)
de San Carlos

el lago
Arenal

la cordillera
de Talamanca

la isla
Tortuga

el golfo
de Nicoya

la playa (*beach*)
Manuel Antonio

el océano Pacífico

el río General

Más vocabulario

las cataratas	waterfalls
la colina	hill
la costa	coast
el desierto	desert
la meseta	plateau
la montaña	mountain
el paisaje	landscape
la selva	jungle
el valle	valley

los continentes: África, Antártida, Asia, Australia, Europa, Norteamérica, Sudamérica

Vistazo cultural

Los volcanes

En México, Centroamérica y Sudamérica hay numerosos volcanes, muchos de ellos activos. Costa Rica, por ejemplo, cuenta con cinco volcanes activos. Uno de ellos es el volcán Poás, cuyo cráter, uno de los más anchos[a] del mundo, tiene más de un kilómetro de diámetro. En el norte de Chile está Ojos del Salado,[b] el volcán activo más alto del mundo. Otros de los países hispanos donde hay volcanes activos son México, Guatemala, El Salvador, Nicaragua, Colombia, Ecuador, el Perú y la Argentina. El Popocatépetl, uno de los volcanes más activos de México, se encuentra entre la Ciudad de México y Puebla, dos de las cinco ciudades más pobladas del país. La actividad de «el Popo», como le llaman los mexicanos, es vigilada[c] continuamente por un equipo de científicos. Debido a su ubicación,[d] una erupción grande afectaría[e] a más de 20 millones de habitantes.

El cráter del volcán Poás, en Costa Rica

[a]los... *the widest*   [b]*Salty*   [c]*monitored*   [d]*location*   [e]*would affect*

Actividad A   ¿Cómo se llama?

Escucha mientras tu profesor(a) menciona alguna característica geográfica del mapa de Costa Rica en la página 322. ¿Cuál es el nombre de esa característica geográfica?

    1. ...   **2.** ...   **3.** ...   **4.** ...   **5.** ...   **6.** ...   **7.** ...

Actividad B   Los paisajes

Paso 1 Tu profesor(a) va a mencionar el nombre de algunos lugares conocidos. Indica la palabra que se asocia con cada lugar.

    1. **a.** lago   **b.** mar   **c.** río

    2. **a.** bosque   **b.** desierto   **c.** volcán

    3. **a.** playa   **b.** meseta   **c.** montaña

    4. **a.** mar   **b.** océano   **c.** río

    5. **a.** colina   **b.** selva   **c.** llanura

    6. **a.** valle   **b.** volcán   **c.** océano

    7. **a.** cataratas   **b.** playa   **c.** isla

    8. **a.** valle   **b.** isla   **c.** meseta

Paso 2 Indica los paisajes que se asocian con cada actividad que menciona tu profesor(a).

MODELO: *Oyes:* viajar en crucero

           Dices: el océano / el mar

Actividad C   Una prueba de geografía

Paso 1   Hazle a otro/a estudiante preguntas sobre la geografía, según el modelo. Cuando tu compañero/a falta (*misses*) una pregunta, cambien de papeles. La persona que contesta las más preguntas seguidas (*in a row*) gana la ronda (*round*).

MODELO: E1: ¿Qué es el Colorado?

E2: Es un río.

E1: ¡Correcto! ¿Qué son las Himalayas?

E2: Son unas playas.

E1: ¡Incorrecto! Son una cordillera.

Paso 2   Jueguen dos rondas más. ¡El/La que gana por lo menos dos de tres rondas es el campeón (la campeona)!

Sol y viento Enfoque cultural

En el **Episodio 6,** Jaime le dice a Carlos: «¡A que tampoco ha hecho nada con la comunidad mapuche!» Evidentemente, Carlos había prometido[a] conseguir las tierras de los mapuches que vivían en la zona. En cambio,[b] María lucha[c] por esa comunidad indígena para preservar su cultura.

El indigenismo y los derechos de los indígenas en Latinoamérica son temas muy importantes en muchos países como el Perú, Chile, México y otros. Por seis siglos los indígenas han sufrido discriminación que los ha mantenido en las capas[d] más bajas de la sociedad. Afortunadamente, en el siglo XX empezó a demostrarse interés[e] en el indigenismo a través del arte del mexicano Diego Rivera y el novelista ecuatoriano Jorge Icaza, entre otros. En el Perú empezaron a reconocer la importancia de ofrecer a los indígenas educación en su lengua nativa, el quechua, y establecieron programas de educación bilingüe en el año 1972. Es más,[f] en 1979 la constitución peruana reconoció el español como lengua oficial del país, pero a la vez que el quechua forma parte integral de la cultura del país, los dos idiomas quedaron como lenguas oficiales, con restricciones. Aun con estos avances, la situación no está completamente resuelta.[g] Por ejemplo, en 1994 los indígenas del estado mexicano de Chiapas se sublevaron[h] contra el gobierno, reclamando más tierra y más inclusión en el sistema político. Seguramente, la situación de los grupos minoritarios indígenas seguirá siendo[i] un tema central en varios países hispanos por muchos años.

[a]*promised*   [b]*En... On the other hand*   [c]*fights*   [d]*layers*   [e]*empezó... interest began to appear*
[f]*Es... What's more*   [g]*resolved*   [h]*se... rose up*   [i]*seguirá... will continue to be*

Gramática

¡Ten paciencia!

Affirmative Informal Commands | More on Giving Instructions

Affirmative Informal Commands

- use the third-person present-tense form as the command

  tomar → toma →
  Toma café si estás cansado.   *Drink some coffee if you're tired.*

  escribir → escribe →
  Escribe un párrafo de 50 palabras.   *Write a 50-word paragraph.*

- attach object and reflexive pronouns to the end of the command

  Dámelo, por favor.   *Give it to me, please.*
  Levántate ya. Es tarde.   *Get up already. It's late.*

Irregular Informal Command Forms

VERB	COMMAND FORM	EXAMPLE	
decir	**di**	**Di** mi nombre.	*Say my name.*
hacer	**haz**	**Haz** la cama.	*Make the bed.*
ir	**ve***	**Ve** al supermercado.	*Go to the supermarket.*
poner	**pon**	**Pon** las flores allí.	*Put the flowers there.*
salir	**sal**	**¡Sal** de mi casa!	*Get out of my house!*
ser	**sé**	**Sé** bueno.	*Be good.*
tener	**ten**	**Ten** paciencia.	*Have patience. (Be patient.)*
venir	**ven**	**Ven** aquí.	*Come here.*

Comunicación útil

In addition to making informal commands using third-person singular verbs, it is also common for Spanish speakers to give instructions in the form of a question using second-person singular verb forms. Instead of saying **Pásame la sal, por favor,** a Spanish speaker might say **¿Me pasas la sal, por favor?** This less direct way of giving instructions is commonly used to soften a request.

---

*The affirmative **tú** command form of the verb **ir** is identical to the regular **tú** command form for the verb **ver.** Context will determine meaning.

Ve a la biblioteca para estudiar.   *Go to the library to study.*
Ve las estrellas.   *Look at the stars.*

To give instructions to someone whom you address as **tú** (such as a friend, family member, or pet), Spanish uses forms that resemble third-person singular verb forms in the present tense. When used in this way, these forms are called affirmative **tú** commands or simply informal commands (**los mandatos informales**). You have already noticed the use of affirmative **tú** commands in the directions to many activities in this text.

Habla con un compañero de clase.	*Speak with a classmate.*
Escribe dos o tres oraciones.	*Write two or three sentences.*

All object and reflexive pronouns are attached to the end of affirmative **tú** commands, as they are to formal commands. Note the written accents to maintain the original stress.

Bébela.	*Drink it. (it =* **la leche***)*
Háblale.	*Talk to him.*
¡Despiértate!	*Wake up!*

As with formal commands, when both a direct and an indirect object pronoun are used, the indirect object comes before the direct object.

Dímela ahora mismo.	*Tell it to me right now.* (*it =* **la verdad**)

Many commonly used affirmative **tú** commands have irregular forms, as indicated in the chart.

Actividad D ¿María o doña Isabel?

A finales del **Episodio 5,** Jaime tutea (*addresses as* **tú**) a María pero trata de Ud. a doña Isabel. Tu profesor(a) va a mencionar una serie de instrucciones que Jaime podría (*could*) dar. Indica si cada una se dirige a (*is directed to*) María (informal) o a doña Isabel (formal).

1. …   **2.** …   **3.** …   **4.** …   **5.** …   **6.** …   **7.** …   **8.** …

Jaime le trata de Ud. a doña Isabel.

Actividad E ¿Qué escuchaste?

Paso 1 Escucha el párrafo que lee tu profesor(a) a la clase. Vas a escuchar el párrafo dos veces. Trata de recordar la información, pero no tomes apuntes.

Paso 2 En grupos de tres, escriban una versión del párrafo para luego compartirla con la clase.

Actividad F Los anuncios (*advertisements*)

Paso 1 Los anuncios usan mandatos informales para comunicarse con los consumidores. Con un compañero (una compañera), inventen un anuncio para el turismo de un estado (una provincia) de este país. Deben utilizar el vocabulario nuevo también.

Vocabulario útil

escalar (*to climb*)
nadar
pescar (*to fish*)
probar (ue) (*to try, sample*)
relajarse
venir
ver
visitar

Paso 2 Presenten sus anuncios a la clase. La clase va a votar por el anuncio más creativo.

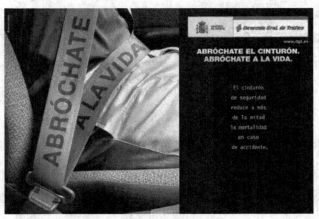

¿Qué significa «Abróchate el cinturón. Abróchate a la vida.»?

SEGUNDA PARTE

Vocabulario

Talking About the Environment

www

El medio ambiente

Environmental and Ecological Matters

los combustibles fósiles

la deforestación

la contaminación del aire

los pesticidas

la fábrica

la basura

el basurero

las cajas de cartón

la botella de vidrio

la botella de plástico

la contaminación del agua

el periódico

las latas de aluminio

Más vocabulario

construir (y)	to build	**las especies en peligro de extinción**	endangered species
descomponer (*like* **poner**)	to decompose	**la falta**	lack
desperdiciar	to waste	**el medio ambiente**	environment
echar / tirar	to throw out	**la naturaleza**	nature
proteger (j)*	to protect	**el producto biodegradable (desechable)**	biodegradable (disposable) product
salvar	to save (*from danger*)		
el cambio climático	climate change	**los recursos naturales**	natural resources
la escasez (*pl.* **las escaseces**)	shortage		

Cognados: conservar, contaminar, reciclar; el petróleo

***Proteger** uses a **j** in the **yo** form to maintain the [h] sound: **protejo.**

Actividad A Definiciones

Empareja cada palabra o término que menciona tu profesor(a) con una de las definiciones a continuación.

1. _____ describe un producto que descompone rápida y naturalmente
2. _____ químicas que se usan para eliminar insectos
3. _____ la falta de una cosa
4. _____ describe algo que se usa una o dos veces y luego se tira
5. _____ el agua, el aire, los árboles, los combustibles fósiles
6. _____ se necesita hacer esto a favor de las especies en peligro de extinción
7. _____ lo que tiramos porque ya no sirve
8. _____ lugar donde se hacen productos como autos o televisores
9. _____ cuando la temperatura global aumenta (*increases*), por ejemplo
10. _____ lo opuesto de conservar

Actividad B ¿Qué importancia tienen para ti?

A continuación hay una lista de problemas medioambientales que afectan a todo el planeta. Pon los problemas en orden de importancia para ti, del 1 (más importante) al 10 (menos importante).

_____ la falta de basureros
_____ la escasez de combustibles fósiles
_____ la deforestación
_____ las especies en peligro de extinción
_____ el uso de pesticidas en los productos alimenticios
_____ la contaminación del aire
_____ la contaminación del agua
_____ la proliferación de productos desechables
_____ el cambio climático
_____ la escasez de los recursos naturales

Actividad C ¡A proteger el planeta!

Paso 1 Con otra persona, haz una lista de cinco de las maneras en que se pueden conservar los recursos naturales y eliminar el desperdicio (*waste*).

MODELO: Podemos producir o comprar menos productos desechables.

Paso 2 Toda la clase debe compartir sus ideas. ¿Cuáles son las ideas que más se repiten? ¿Cuáles son las que muchos en la clase practican ya? ¿Qué ideas parecen ser más fáciles de practicar que otras?

Actividad D   ¿Qué opinas?

Escribe un párrafo sobre el siguiente tema y explica si estás de acuerdo o no y por qué.

Hay muchas maneras fáciles de solucionar el problema de la basura: podemos quemarla, echarla al mar, enterrarla (*bury it*) en el desierto o enviarla a otro planeta.

Vistazo cultural

La deforestación

Latinoamérica posee un tercio[a] de la biomasa forestal del planeta y alberga[b] más del 40% de las especies de la flora y la fauna del mundo. Sin embargo, se estima que la región pierde hasta seis millones de hectáreas de bosques al año por la deforestación. La razón principal de la tala[c] masiva de árboles es el desarrollo[d] de la agricultura y la ganadería,[e] así como la construcción de casas y el uso de la leña[f] como fuente de energía. Los efectos de la deforestación no se limitan a la tierra: se ven en el mar también. El Parque Marino Ballena[g] de Costa Rica abarca[h] más de cinco hectáreas de océano y alberga quince especies de corales. Junto con otros factores, los corales están muriendo porque están cubiertos[i] de sedimentos que se llevan al mar cuando llueve. La sedimentación es consecuencia de la deforestación en los cerros cercanos.[j] A pesar de esfuerzos gubernamentales que protegen el 25% de las áreas forestales del país, la tasa de deforestación en lugares como Costa Rica sigue siendo muy alta.

Deforestación en Guatemala

[a]posee... *possesses a third*   [b]*houses*   [c]*cutting*   [d]*development*   [e]*ranching*   [f]*firewood*   [g]*Whale* [h]*covers*   [i]*covered*   [j]cerros... *nearby hills*

Gramática

¡No me hables!
Negative Informal Commands | Telling Someone What *Not* to Do

ª¡No… *Don't waste*

Negative Informal Commands			
INFINITIVE	**yo** FORM	STEM	ADD THE "OPPOSITE" VOWEL AND **-s**
hablar	hablo	habl-	+ **es** = **hables**
beber	bebo	beb-	+ **as** = **bebas**
abrir	abro	abr-	+ **as** = **abras**
decir	digo	dig-	+ **as** = **digas**
estar	estoy	est-	+ **es** = **estés***
conducir	conduzco	conduzc-	+ **as** = **conduzcas**

Using Pronouns with Informal Commands			
Pronouns Are Placed after Affirmative Commands		Pronouns Are Placed before Negative Commands	
Dile la verdad.	*Tell him the truth.*	**No le digas** la verdad.	*Don't tell him the truth.*
Cómprala.	*Buy it. (it =* **la comida***)*	**No la compres.**	*Don't buy it.*
Dámelo.	*Give me it. (it =* **el libro***)*	**No me lo des.**	*Don't give it to me.*
Acuéstate.	*Go to bed.*	**No te acuestes.**	*Don't go to bed.*

*Note that the command form **estés** carries a written accent.

To tell someone whom you address as **tú** *not* to do something, Spanish uses negative informal commands. These are formed similar to the way that formal negative commands are: by taking the present-tense **yo** form, dropping the **-o** or **-oy** ending, then adding the "opposite" vowel plus **-s.**

No me **vengas** con tus quejas.	*Don't come to me with your complaints.*
No hables de esas cosas.	*Don't talk about such things.*

Ir and **ser** have irregular forms.

No vayas a casa sin mí.	*Don't go home without me.*
No seas tan perezoso.	*Don't be so lazy.*

As with negative formal commands, all object and reflexive pronouns precede negative commands. Remember that when both a direct and an indirect object are present, the indirect object precedes the direct object.

Actividad E   Consejos para Jaime

Indica si cada consejo es bueno para Jaime o es malo.

	BUEN CONSEJO	MAL CONSEJO
1. No llegues tan rápido a conclusiones falsas; Diego no es novio de María.	☐	☐
2. No te enamores de María; regresa a California muy pronto.	☐	☐
3. No le hables tanto de tu pasado a María; a ella no le interesa.	☐	☐
4. No pierdas la confianza en Carlos; él va a conseguir las firmas.	☐	☐
5. No esperes un día más; ve a la casa de Isabel y habla con ella.	☐	☐
6. No vuelvas a California sin cumplir con lo que quiere Bartel Aquapower.	☐	☐

Actividad F   Una historia

Paso 1   Con un compañero (una compañera), escriba una historia sobre lo que pasa en los siguientes dibujos. Para esta historia, incluye lo que dice el padre. A continuación hay algunas ideas para considerar.

- ¿Cómo se llama el padre? ¿Dónde trabaja?
- ¿Cómo se llaman los hijos? ¿Qué edad tienen?
- ¿Cómo se portan los niños?
- ¿Qué les dice el padre a sus hijos para controlarlos?
- ¿Cómo termina la noche?

Paso 2   Comparten su historia con el resto de la clase. ¿Quiénes inventaron la mejor historia?

Actividad G ¿Es «verde» tu compañero/a de clase?

Paso 1 Entrevista a un compañero (una compañera) de clase e indica sus respuestas.

	SÍ	NO
1. ¿Tiras a la basura los productos reciclables como el papel, el plástico y el vidrio?	☐	☐
2. ¿Te duchas por más de diez minutos?	☐	☐
3. ¿Dejas prendidas las luces cuando sales de tu casa?	☐	☐
4. ¿Tomas el transporte público?	☐	☐
5. ¿Limpias la casa con productos en forma de aerosol?	☐	☐
6. ¿Usas toallas y servilletas de papel?	☐	☐
7. ¿Compras productos hechos de materiales reciclados?	☐	☐

Paso 2 Basándote en las respuestas del **Paso 1,** indica si tu compañero/a es «muy verde», «algo verde» o «poco verde». Luego, inventa mandatos para ayudarle a conservar más.

MODELO: No tires a la basura las botellas de plástico. Recíclalas.

Actividad H ¿Qué le dirías (*would you say*)?

Completa cada situación que menciona tu profesor(a) con un mandato negativo informal, según el modelo.

MODELO: *Oyes:* A la persona que dice que necesita levantarse temprano mañana...

Escribes: «No salgas esta noche.»

Puente musical

Go to the *Sol y viento* iMix section on the Online Learning Center Website (**www.mhhe.com/ solyviento3**), where you can purchase "Háblame" by Beto Cuevas. Write down all of the negative and affirmative informal commands you hear. To whom do you think the singer addresses this song? Are he and this person close to or far away from each other?

TERCERA PARTE

Vocabulario

More on Talking About Trips

www

De vacaciones

Activities to Do While on Vacation

Actividades al aire libre[a]

[a]al... outdoor

escalar montañas

montar a caballo

pescar (qu)

bucear

acampar / hacer (irreg.) camping

remar en canoa

Más vocabulario

hacer (*irreg.*) **el salto bungee**	to bungee jump
hacer (*irreg.*) **kayak**	to go kayaking
hacer (*irreg.*) **rafting**	to go rafting
ir (*irreg.*) **a un parque de diversiones**	to go to an amusement park
ir (*irreg.*) **de excursión**	to go on a hike/tour, go hiking
irse (*irreg.*) **de vacaciones**	to go on vacation
practicar (*qu*) **el alpinismo de rocas**	to rock climb
practicar (*qu*) **el paracaidismo**	to sky dive
surfear	to surf

Actividades interiores

ver (*irreg.*) **un espectáculo**

charlar en un café

comprar recuerdos

ir (*irreg.*) **a un concierto**

cenar en un restaurante elegante

degustar vinos

Más vocabulario

ir (*irreg.*) **a un spa**	to go to a spa
jugar (ue) (gu) **en un casino**	to gamble in a casino

Actividad A   Clasificaciones

Paso 1   Tu profesor(a) va a leer una lista de actividades. Escribe si cada una de las actividades es **acuática** o **terrestre** (*land*).

1. …   2. …   3. …   4. …   5. …   6. …   7. …   8. …

Paso 2   Tu profesor(a) va a leer otra lista de actividades. En otra hoja de papel, escribe cada actividad que menciona y da el nombre de un lugar donde se puede hacer esa actividad.

MODELO: *Oyes*:   surfear

Escribes: surfear: la playa Waikiki

Actividad B   Pistas (*Clues*)

Paso 1   Escribe una pista para cinco actividades en las páginas 334–335 sin mencionar el nombre de la actividad.

MODELOS: Hay que tener 21 años para hacer esta actividad en los Estados Unidos.

Uno necesita brazos (*arms*) y piernas (*legs*) fuertes para hacer esta actividad.

Paso 2   Léele tus pistas a un compañero (una compañera) de clase. ¿Puede adivinar todas las actividades que describiste?

MODELO: E1: Uno necesita brazos y piernas fuertes para hacer esta actividad.

E2: Practicar el alpinismo de rocas.

Actividad C   ¿Eres arriesgado/a (*daring*)?

Paso 1   Entrevista a un compañero (una compañera) de clase para averiguar si ha hecho las siguientes actividades. Si contesta que «no», pregúntale si le gusta la idea de hacerlo.

acampar donde habitan osos (*bears*) o coyotes
bucear entre tiburones (*sharks*)
hacer el salto bungee
montar a un caballo indómito (*untamed*)
practicar el paracaidismo
¿ ?

MODELO: E1: ¿Has practicado el paracaidismo alguna vez?

E2: No, nunca he practicado el paracaidismo.

E1: ¿Te gusta la idea de hacer paracaidismo?

E2: No. Me da miedo viajar en avión.

Paso 2   Pensando en las actividades del **Paso 1** que tú has hecho y las que ha hecho tu compañero/a de clase, indica si las siguientes oraciones son ciertas.

☐ Soy una persona arriesgada.

☐ Mi compañero/a de clase es una persona arriesgada.

Vistazo cultural

El ecoturismo

El ecoturismo se refiere al desarrollo[a] de una industria turística con fines de lucro[b] que pone a los turistas en contacto con la naturaleza. El ecoturismo tiene dos metas:[c] una es estimular la economía de países que tienen muchas riquezas biológicas y la otra es proteger esas riquezas, incluyendo a las especies en peligro de extinción. Costa Rica es el destino ecoturístico por excelencia. Cuenta con docenas[d] de parques nacionales, reservas biológicas y zonas protectoras para gozar del[e] ecoturismo. Se puede bucear entre peces[f] tropicales, remar en canoa en un río que va por un bosque tropical, ir de excursión a una selva, montar a caballo e ir en un safari fotográfico. También hay otros países que tienen programas establecidos de ecoturismo, como México, Panamá, Venezuela, Bolivia, el Ecuador y otros más.

[a]*development*   [b]*con... for profit*   [c]*goals*   [d]*dozens*   [e]*gozar... enjoy*   [f]*fish*

Gramática

Es el más guapo de todos.

Superlatives

Expressing *the Most* and *the Least*

Superlative expressions are those used to denote the extreme state expressed by a particular adjective. For example, you may think your brother is smart and you are smarter, but that your uncle Bob is the smartest person in the family. *The smartest* is called a superlative expression. English forms most superlatives by adding *-est* to the ends of adjectives and using the definite article *the* before the adjective. Some adjectives take a different form using *most*—for example, *popular, more popular, the most popular.*

Superlatives can also be used to talk about negative qualities, often using *least: John is the least funny person I know,* or *Mary is the least popular girl in school.*

Spanish forms superlatives by joining the following words: *definite article + noun +* **más/menos** *+ adjective +* **de,** as indicated in the chart below. The noun may be left out if the person or thing being talked about has already been established.

¿Quién es **la persona más alta de** tu familia?	*Who is the tallest person in your family?*
¿Quién es **la persona menos cómica** de tu familia?	*Who is the least funny member in your family?*

Mejor (*Best*) and **peor** (*worst*) can be used in superlative constructions, but without an adjective.

La mejor clase de mi horario es la geografía.	*The best class in my schedule is geography.*
—**La peor actriz del** año fue Megan Fox.	*The worst actress of the year was Megan Fox.*
—Sí, fue **la peor.**	*Yes, she was the worst.*

Superlatives

ARTICLE +	NOUN +	más/menos +	ADJECTIVE +	de	
el	volcán	**más**	alto	**de**	México
los	ríos	**más**	grandes	**de**	Sudamérica
la	persona	**menos**	apreciada	**de**	mi familia
las	canciones	**menos**	populares	**del**	año

Superlatives with **mejor** and **peor**

el **mejor** amigo	del hombre
la **peor** idea	de la reunión

338 trescientos treinta y ocho ■ **Lección 6B** La naturaleza y el medio ambiente

Actividad D   Opiniones

Con un compañero (una compañera), decide qué escena o personaje de *Sol y viento* representa mejor hasta el momento cada situación.

1. el momento más dramático
2. el momento más romántico
3. el momento más tenso
4. el personaje menos importante
5. la escena menos interesante

Actividad E   Votación

Escoje una de las actividades de esta lección (el paracaidismo, bucear, surfear, etcétera) e inventa una oración superlativa sobre ella. Luego, presenta tu idea a la clase. ¿Están los demás de acuerdo con tu idea? ¿Puedes explicar por qué crees lo que dices?

MODELO: Creo que acampar es la actividad más aburrida que uno puede hacer para las vacaciones.

Actividad F   Los famosos

Paso 1   Completa cada oración a continuación con el nombre de una persona famosa.

1. La mujer más dinámica de este país es _____.
2. _____ es la mujer más guapa del mundo.
3. _____ es el director más creativo de Hollywood.
4. El hombre más influyente de nuestro país es _____.
5. El atleta más conocido del mundo es _____.
6. La persona famosa más fotografiada es _____.

Paso 2   Entrevista a un compañero (una compañera) de clase para ver si está de acuerdo o no con las oraciones del **Paso 1**.

MODELO: E1: ¿Crees que Hillary Clinton es la mujer más dinámica de este país?

E2: No. La mujer más dinámica de este país es Oprah Winfrey.

Actividad G   Más sobre el medio ambiente

Paso 1   Completa las oraciones a continuación según tus opiniones sobre el medio ambiente.

MODELO: La peor manera de desperdiciar (*waste*) el agua es usar el lavaplatos todos los días.

1. El problema más serio para el medio ambiente es _____.
2. La mejor manera de combatir el cambio climático es _____.
3. La peor manera de desperdiciar el papel es _____.
4. La solución menos eficaz (*effective*) para conservar energía es _____.
5. La peor manera de desperdiciar el agua es _____.

Paso 2   Compara tus respuestas con las de dos compañeros/as de clase. ¿En qué están de acuerdo y en qué no?

Actividad H   Una entrevista

Paso 1   Lee las preguntas a continuación y escribe tus respuestas en la primera columna.

En tu opinión,...	YO	E1	E2
1. ¿cuál es la mejor película del año? ¿y la peor?	_____	_____	_____
2. ¿quién es el actor más guapo? ¿y la actriz más guapa?	_____	_____	_____
3. ¿quién es la cantante más talentosa? ¿y el cantante más talentoso?	_____	_____	_____
4. ¿cuál es el programa de televisión más cómico? ¿y el más serio?	_____	_____	_____
5. ¿quién es la persona más influyente de la cultura popular?	_____	_____	_____

Paso 2   Luego, hazles las mismas preguntas a dos de tus compañeros/as de clase. Indica sus respuestas en la segunda y tercera columnas.

Paso 3   Escribe un breve resumen comparando tus opiniones con las de tus compañeros de clase.

MODELO: Mis compañeros de clase creen que los actores más guapos son Tom Cruise y Ben Affleck. En mi opinión, el más guapo es Robert Pattinson.

Resumen de gramática

Actividad A   La puesta del sol (*sunset*)

At the end of **Episodio 5,** you saw a scene in which María has to leave her date with Jaime to meet up with her student, Diego. Jaime gets up to follow María, but she stops him. Part of their conversation appears below.

MARÍA: No, no, no, _____.
Aprovecha[a] la puesta del sol.

JAIME: ¿Solo?

MARÍA: ¡Llámame!

Do you remember what María says to Jaime in the space above? Select the most logical response from the following choices, then check your answer by watching the scene again.

1. levántate

2. quédate

3. duérmete

[a]*Enjoy*

Actividad B   Tan bella (*beautiful*) como siempre

In **Episodio 6** of *Sol y viento,* you will see María talking with don Paco at the airport. Part of their exchange appears here.

MARÍA: Mamá me dijo que venías e insistí en venir a buscarte.

PACO: A ver.[a] Mis ojos no lo creen. Tan bella como siempre.

MARÍA: Ay, tío. No _____.

From the following options, choose the one that best fits the blank in the conversation.

1. exageres

2. seas cruel

3. me ofendas

[a]*A… Let me see.*

Actividad C   El vino de la casa

In **Episodio 6** of *Sol y viento*, you will see a conversation between a waiter and some patrons in don Paco's restaurant in Mexico City. Their exchange appears here.

MESERO: El vino de la casa: «Sol y viento».

CLIENTE 1: Hmmm... ¿De dónde es?

MESERO: De Chile. Es _____ de todos los vinos importados.

CLIENTE 2: Un vino chileno. ¡Qué interesante!

Which of the following expressions does the waiter use in the preceding blank?

1. el mejor

2. el peor

Actividad D   Síntesis

Paso 1 Completa cada oración utilizando las palabras a continuación y haciendo los cambios necesarios. Luego, pon las oraciones en el orden correcto para formar un párrafo sobre lo que ha pasado en *Sol y viento* hasta el momento. Escribe el orden a la izquierda de las oraciones.

a. _____ mejor/peor: Carlos decide mencionar la venta a su mama, pero a ella le parece _____ idea que haya escuchado.

b. _____ ayudarme/dejarme: Isabel sabe que algo malo está pasando y por eso le dice a Yolanda: «_____ a regresar a la casa. Tengo que hacer una llamada muy importante.»

c. _____ mejor/peor: Rassner mandó a Jaime a Chile porque Jaime era _____ candidato para finalizar el negocio, pero no le ha sido fácil hacerlo.

d. _____ pedirme/decirme: Resentido (*Resentful*) por la reacción de su mamá es probable que Carlos quiera decirle a ella algo como: «No _____ que nadie me obligó a trabajar en la viña.»

e. _____ más/menos: El problema _____ serio que enfrenta Jaime es Carlos porque Carlos quiere vender la viña, pero no le ha pedido permiso a su familia.

Paso 2 Compara tu párrafo con el de un compañero (una compañera) de clase. ¿Son iguales?

Sol y viento

Episodio 6

Antes de ver el episodio

Actividad A   *Sol y viento* en resumen

Indica si las siguientes oraciones sobre la trama (*plot*) de *Sol y viento* son ciertas o falsas.

	C	F
1. María trabaja por los derechos de la comunidad mapuche.	☐	☐
2. Los padres de Jaime también eran personas de negocios.	☐	☐
3. Doña Isabel está de acuerdo con Carlos en vender la viña porque es demasiado (*too much*) trabajo mantenerla (*to maintain it*).	☐	☐
4. Carlos cree que la familia lo obligó a encargarse de (*take over*) la viña.	☐	☐
5. María y Jaime lo pasaron muy bien en la cita.	☐	☐

Actividad B   ¡A escuchar!

Repasa brevemente el siguiente fragmento de un diálogo entre Jaime y Carlos. Luego, mientras ves el episodio, llena los espacios en blanco con las palabras correctas.

JAIME: ¡Esta cosa no va a funcionar! _____[1] prometió[a] las firmas de su madre, de su hermana y de los vecinos. ¡A que _____[2] ha hecho nada con la comunidad mapuche! Así es, ¿no? ¡La verdad es que no tiene nada! ¡Mi compañía quiere estas _____[3]!

CARLOS: Por favor, _____[4] un par de días más. Se las voy a conseguir.

JAIME: Tenemos que firmar el contrato esta semana... ¡y Ud. no tiene la influencia _____[5]!

CARLOS: Ya _____:[6] yo voy a convencer a mi madre ¡y a mi _____[7] le da lo mismo![b]

JAIME: ¡Lo dudo![c] Según lo que _____[8] y oído, ¡pienso que a su hermana *sí* le _____[9] el destino de estas tierras!

[a]*you promised* [b]*le... doesn't care* [c]¡Lo... *I doubt it!*

Actividad C   El episodio

Ahora mira el episodio. Si hay algo que no entiendes bien, puedes volver a ver la escena en cuestión.

Después de ver el episodio

Actividad A   ¿Qué recuerdas?

Contesta las siguientes preguntas según lo que recuerdas del episodio.

1. ¿A quién llama por teléfono doña Isabel?
2. ¿Cuál es la relación entre Carlos y María?
3. ¿Qué dice María que nunca aprobaría?
4. ¿Qué deja caer al suelo (*drops on the ground*) María al final del episodio?

Actividad B   ¡A verificar!

Vas a ver otra vez la escena de **¡A escuchar!** en la página anterior. Llena los espacios en blanco, según lo que oyes.

Actividad C   ¡Te toca a ti!

Paso 1   Sabes que María está muy enojada con Jaime. ¿Qué crees que quiere decirle María? Con todo lo que has aprendido sobre los mandatos, escribe dos mandatos afirmativos y dos mandatos negativos para expresar lo que tú le dirías (*would say*) a Jaime si fueras (*you were*) María. ¿Vas a usar **tú** o **Ud.**? ¿Por qué?

Paso 2   Ahora ponte en el lugar de Jaime. ¿Qué le dirías a María para que te perdonara (*to get her to forgive you*)? Escribe dos mandatos afirmativos y dos mandatos negativos. ¿Vas a usar **tú** o **Ud.**? ¿Por qué?

Detrás de la cámara

Another reason Jaime is so successful at what he does is that he doesn't wait for things to happen—he makes them happen. Jaime quickly gets the hint that Carlos has no real game plan for getting his mother and sister to sign the contract. When he finds out from Traimaqueo that Carlos's mother, doña Isabel, was in the house all along and not in Santiago as Carlos had told him, he circumvents Carlos altogether and goes straight to doña Isabel. Suspecting something is awry, doña Isabel agrees to speak to him.

EPISODIO 6 Confrontación

Panorama cultural

Costa Rica

Costa Rica es un país centroamericano que tiene una de las democracias más estables de toda Latinoamérica. A diferencia de otros países centroamericanos, desde 1948 Costa Rica no tiene ejército.[a] Invierte[b] mucho dinero en la educación y en la asistencia médica,[c] de hecho, ambos son gratis y universales. Los costarricenses, también conocidos como «ticos», gozan de alta calidad de vida.[d]

Después de la de Puerto Rico, la esperanza de vida[e] es la segunda más alta de Latinoamérica, y la tasa de mortalidad[f] es una de las más bajas del mundo. Además, Costa Rica es un paraíso[g] natural. Cuenta con más del 5% de toda la biodiversidad del planeta.

[a]*army* [b]*It invests* [c]*asistencia... health care* [d]*calidad... quality of life* [e]*esperanza... life expectancy* [f]*tasa... death rate* [g]*paradise*

[DATOS BÁSICOS]

CAPITAL
SAN JOSÉ

POBLACIÓN
4.5 MILLONES (APROX.)

IDIOMA OFICIAL
ESPAÑOL

TASA DE ALFABETIZACIÓN
95%

MONEDA
EL COLÓN

La tecnología

Además de la exportación del café y de otros productos agrícolas como plátanos, piñas[a] y cacao, en Costa Rica hay fuertes industrias de alta tecnología basadas principalmente en la producción de microprocesadores y aparatos[b] médicos.

[a]*pineapples* [b]*devices*

Esta mujer trabaja para una empresa que produce microprocesadores.

La inmigración

Debido a su estabilidad política, Costa Rica recibe a muchos refugiados[a] políticos y económicos, la mayoría de ellos provenientes de[b] Colombia y Nicaragua. Tiene también cantidades notables[c] de inmigrantes europeos, asiáticos y estadounidenses.

[a]*refugees* [b]*provenientes... coming from* [c]*considerable*

Las investigaciones

En Costa Rica hay muchos institutos y universidades que se dedican a catalogar y seguir las especies y ecosistemas y a la conservación de estos, como el Instituto Nacional de Biodiversidad (INBio) y la Universidad EARTH. La meta[a] principal de estas instituciones es efectuar[b] el uso sostenible[c] de la diversidad biológica.

[a]*goal*   [b]*to carry out*   [c]*sustainable*

En Costa Rica, muchas especies de ranas (*frogs*) están en peligro de extinción.

El Premio Nóbel

Óscar Arias Sánchez, presidente de Costa Rica de 1986 a 1990 y de 2006 a 2010, recibió el Premio Nóbel de la Paz en 1987 por sus esfuerzos para poner fin a[a] las guerras civiles de Guatemala, Honduras, El Salvador y Nicaragua durante los años 80.

[a]*poner... put an end to*

Óscar Arias Sánchez

WWW En el Internet

Busca información sobre uno o más de los siguientes temas.

1. las clases que uno puede tomar en el INBio o en la Universidad EARTH
2. la flora y la fauna que hay en uno de los parques nacionales como el Parque Nacional Corcovado, el Parque Nacional Tortuguero o el Parque Nacional Monteverde
3. la variedad geográfica de Costa Rica

Trae la información a la clase para compartir con tus compañeros/as.

Los licores

Una de las bebidas populares entre los ticos es el guaro, un licor claro y dulce destilado de la caña de azúcar.[a] Desde 1850, la producción de licores fuertes en Costa Rica está en manos de la Fábrica Nacional de Licores (FANAL), una empresa de titularidad gubernamental.[b]

[a]*caña... sugar cane*   [b]*empresa... government-owned company*

Si viajas allí

No te pierdas de visitar el Parque Nacional Tortuguero o el Parque Nacional Marino Las Baulas, dos de los varios parques donde se pueden observar las tortugas marinas (*sea turtles*). Allí es necesario obedecer todas las reglas sobre el uso de cámaras, pues las tortugas son una de las especies protegidas en Costa Rica.

Prueba

1. La población de Costa Rica cuenta con un gran número de inmigrantes...
   a. salvadoreños   b. nicaragüenses   c. hondureños

2. A los costarricenses también les llaman...
   a. guaros   b. colones   c. ticos

3. Óscar Arias Sánchez ganó el Premio Nóbel de...
   a. la Paz   b. Literatura   c. Medicina

4. Entre las industrias de alta tecnología, Costa Rica se destaca en la producción de...
   a. automóviles   b. medicinas   c. microprocesadores

5. En comparación con otros países centroamericanos, Costa Rica invierte mucho dinero en...
   a. el ejército   b. la educación   c. el transporte público

Vocabulario

La geografía

el bosque	forest
las cataratas	waterfalls
la colina	hill
la cordillera	mountain range
el lago	lake
la llanura	plain, prairie
el mar	sea
el paisaje	landscape
la playa	beach
el río	river
la selva	jungle
el valle	valley

los continentes: África, Antártida, Asia, Australia, Europa, Norteamérica, Sudamérica
Cognados: la costa, el desierto, el golfo, la isla, la meseta, la montaña, el océano, el volcán

El medio ambiente

construir (y)	to build
descomponer (*like* **poner**)	to decompose
desperdiciar	to waste
echar	to throw out
proteger (j)	to protect

salvar	to save (*from danger*)
tirar	to throw out
el basurero	landfill
la botella (de plástico/ vidrio)	(plastic/glass) bottle
la caja de cartón	cardboard box
el cambio climático	climate change
los combustibles fósiles	fossil fuels
la contaminación (del agua/aire)	(water/air) pollution
la escasez (*pl.* **las escaseces**)	shortage
las especies en peligro de extinción	endangered species
la fábrica	factory
la falta	lack
la lata de aluminio	aluminum can
la naturaleza	nature
el producto desechable	disposable product
los recursos naturales	natural resources

Cognados: conservar, contaminar, reciclar; la deforestación, los pesticidas, el petróleo, el producto biodegradable
Repaso: la basura, el periódico

Actividades turísticas

acampar	to camp, go camping
bucear	to snorkel
cenar en un restaurante elegante	to eat in a fancy restaurant
charlar en un café	to chat in a café
comprar recuerdos	to buy souvenirs
degustar vinos	to go wine tasting
escalar montañas	to mountain climb
hacer (*irreg.*) **el salto bungee**	to bungee jump
ir (*irreg.*) **a un concierto**	to go to a concert
ir (*irreg.*) **a un parque de diversiones**	to go to an amusement park
ir (*irreg.*) **de excursión**	to go on a hike/tour, go hiking
irse (*irreg.*) **de vacaciones**	to go on vacation
jugar (ue) (gu) en un casino	to gamble in a casino
montar a caballo	to ride a horse, go horseback riding
pescar (qu)	to fish
practicar (qu) el alpinismo de rocas	to rock climb
practicar (qu) el paracaidismo	to sky dive
remar en canoa	to go canoeing
ver (*irreg.*) **un espectáculo**	to see a show

Cognados: hacer (*irreg.*) **camping, hacer** (*irreg.*) **kayak, hacer** (*irreg.*) **rafting, ir** (*irreg.*) **a un spa, surfear**

Otras palabras y expresiones

al aire libre	outdoor(s)
interior (*adj.*)	indoor

Repaso: mejor, peor

Bajo el sol

Bajo el sol

Escena 1

JAIME: Ud. me recuerda a^a mi mamá. Ella siempre me hablaba de la tierra. Era campesina.

ISABEL: ¿Entonces no aprendió nada de su mamá? ¿Por qué está trabajando con esa gente que quiere cambiar nuestras vidas?

^ame... *remind me of*

Escena 2

PACO: He averiguado que su compañía quiere construir una represa^a en esta zona. ¿Comprende Ud. el daño^b que eso causaría^c por estas tierras?

^a*dam* ^b*harm* ^c*would cause*

Escena 3

ISABEL: ...María, en asuntos^a del corazón, no confía en^b nadie. Y si Ud., don Jaime, siente lo que dice, va a tener que trabajar muy duro^c para conseguir el perdón de María Teresa.

^a*matters* ^bconfía... *confide in* ^c*hard*

¿Qué crees tú?

Escena 1

1. ¿Por qué crees que doña Isabel le recuerda a Jaime a su mamá? ¿Qué tienen en común las dos mujeres?
2. ¿Cómo crees que Jaime responde a la pregunta de Isabel?

Escena 2

1. Paco habla del «daño» de una represa. ¿Qué crees que quiere decir con eso?
2. ¿Qué crees que va a hacer Jaime de aquí en adelante (*from here on out*)?

Escena 3

1. Isabel dice: « ...si Ud. siente lo que dice...». ¿Qué siente Jaime con respecto a María?
2. Basándote en lo que dice Isabel, ¿es María cabezona o comprensiva (*understanding*)? ¿humilde u orgullosa? ¿confiada o desconfiada?

7A

¿Cómo te sientes?

OBJETIVOS

IN THIS LESSON, YOU WILL LEARN:

▶ to talk about feelings and mental conditions

▶ to use certain verbs to describe changes in emotion or mood

▶ vocabulary for describing parts of the body and health-related issues

▶ more about using the imperfect to talk about conditions in the past

▶ vocabulary for talking about a visit to the doctor's office

▶ to use the verb **hacer** to express *ago* in a variety of contexts

▶ about Argentina and Uruguay, two countries in South America

In addition, you will prepare to watch **Episodio 7** of the film *Sol y viento.*

Los uruguayos gozan de un alto nivel (*level*) de bienestar (*well-being*).

The following media resources are available for this lesson of *Sol y viento*:

Episodio 7 of
Sol y viento

CENTRO
Your media center for languages

Online *Manual de actividades*

www

Online Learning Center Website

PRIMERA PARTE

Vocabulario

Talking About
Feelings and Mental
Conditions

Estoy tenso.

Describing Emotions

Emociones y condiciones

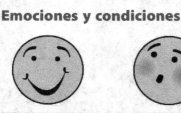

alegre, contento/a	avergonzado/a	cansado/a	enamorado/a (de)

enojado/a	preocupado/a	relajado/a	triste

¡Exprésate!

Verbs such as **preocupar**
and **molestar,** among
others in this section's
vocabulary list, require an
indirect object pronoun.

Eso **me preocupa.**

¿**Te molestan** las
personas tensas?

Más vocabulario

alegrar	to make happy
cansar	to tire
confundir	to confuse
enojar	to anger
estar (*irreg.*) **celoso/a**	to be jealous
llorar	to cry
molestar	to bother
preocupar	to worry
reírse (i, i) (me río)	to laugh
tener(le) (*irreg.*) **miedo* (a alguien)**	to be afraid of someone
tener (*irreg.*) **sueño***	to be sleepy
tomar algo muy a pecho	to take something to heart; to feel something intensely
confundido/a	confused

Cognados: frustrar, irritar, ofender; frustrado/a, furioso/a, irritado/a, nervioso/a, tenso/a

---

*The words used in these **tener** expressions are not adjectives but nouns. The literal meaning of the phrases is *to have fear* and *to have sleepiness,* respectively. To qualify these expressions, use **mucho/a/os/as** or **un poco de** and not **muy** or **poco: Tengo mucho sueño.**

Vistazo cultural

El bienestar emocional y la calidad de vida[a]

El bienestar emocional de una persona depende en parte de la calidad de vida que lleva. Las personas que llevan una vida muy estresante tienden a sentirse preocupadas, frustradas, irritadas y enojadas. En cambio, las que llevan una vida más tranquila suelen estar contentas y menos tensas. Según la encuesta[b] realizada anualmente por la empresa Mercer, la ciudad de Montevideo, Uruguay, tiene la calidad de vida más alta de Sudamérica y, después de San Juan, Puerto Rico, el índice[c] más alto de toda Latinoamérica. Los uruguayos gozan de un alto nivel de bienestar debido a su estabilidad política y económica y a condiciones de salud y clima favorables, entre muchos otros factores.

[a]calidad... *quality of life*   [b]*survey*   [c]*index*

Actividad A   Oraciones lógicas

Paso 1   Escucha lo que dice el profesor (la profesora). Luego indica la frase que completa cada oración lógicamente.

1. **a.** ...tiene un auto nuevo.
   b. ...estudia mucho, pero no entiende la lección.

2. **a.** ...no durmió bien anoche.
   b. ...sacó una A en su examen.

3. **a.** ...necesitan pagar el alquiler y no tienen suficiente dinero.
   b. ...mañana van a comenzar las vacaciones de verano.

4. **a.** ...lo que le dijo el profesor es diferente de lo que dice el libro.
   b. ...necesita planear una fiesta de sorpresa y tiene mucho que hacer.

5. **a.** ...trabaja demasiado y no tiene suficiente tiempo libre.
   b. ...lo van a expulsar de la universidad.

Paso 2   Ahora indica si cada oración es lógica o no.

	SÍ	NO
1. Si uno está enojado, normalmente se ríe de la situación.	☐	☐
2. Si uno está muy triste, típicamente llora.	☐	☐
3. Si uno está enamorado de alguien, piensa mucho en esa persona.	☐	☐
4. Si uno está confundido, está seguro de sus acciones.	☐	☐
5. Si uno está relajado, se come las uñas (*fingernails*).	☐	☐

Actividad B   ¿Cómo se sienten?

Paso 1   El episodio 6 de *Sol y viento* tuvo un desenlace (*outcome*) emocionante. ¿Cómo crees que se siente Jaime en este momento? ¿Y cómo se siente María? Elige a cuatro personajes de *Sol y viento* y con los adjetivos de la página 350, describe cómo se siente cada uno y por qué se siente así.

MODELO: Andy está preocupado porque Jaime todavía no tiene un contrato firmado.

Paso 2   Lee tus oraciones a otro estudiante sin mencionar el nombre del personaje. ¿Puede adivinar a quién describes?

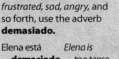

¡Exprésate!

To say that someone is *too frustrated, sad, angry,* and so forth, use the adverb **demasiado.**

Elena está **demasiado tensa** estos días.
Elena is too tense these days.

Actividad C   ¿Cómo te sientes?

Paso 1   Completa cada oración con algo verdadero para ti.

1. Una de las cosas que más me molesta o me irrita es cuando...
2. Me frustra(n)...
3. Me ofende cuando alguien...
4. A veces estoy nervioso/a cuando...
5. Me preocupa(n)...
6. Me enoja cuando...

Paso 2   Basándote en las oraciones del **Paso 1,** entrevista a otra persona.

MODELO: ¿Cuál es una de las cosas que más te molesta o irrita?

Paso 3   Escribe un párrafo de unas 100 palabras en el que comparas tus respuestas con las de la persona que entrevistaste.

MODELO: Una de las cosas que más me irrita es cuando las personas no llegan a tiempo a una cita. En cambio, a Robert le molesta más cuando su compañero de cuarto le cambia el canal cuando está viendo la televisión...

Actividad D   ¿Qué opinas?

Escribe un párrafo sobre el siguiente tema y explica si estás de acuerdo o no y por qué.

No es bueno tomar las cosas muy a pecho; esto debe evitarse (*be avoided*) en toda circunstancia.

María tomó muy a pecho la discusión (*argument*) entre Jaime y Carlos. ¿Con quién crees que estaba más enojada: con Jaime o con Carlos?

Gramática

¿Cómo se siente?   Pseudo-Reflexive Verbs

Talking About
Reactions and
Changes of Emotion

There is a class of verbs in Spanish called pseudo-reflexives that are used to express a change in emotion. The equivalent in English is *to get* or *to become* + a state or condition. The English equivalent does not normally contain *-self/-selves*, which would be a true reflexive. Compare the following.

Juan **se vio.**	*John saw himself.* (true reflexive)
Juan **se enojó.**	*John got angry.* (pseudo-reflexive)
Me hablo constantemente.	*I talk to myself constantly.* (true reflexive)
Me ofendo fácilmente.	*I get offended easily.* (pseudo-reflexive)

Regular reflexive pronouns (**me, te, se, nos,** and **os**) are still required. Many of the verbs you learned earlier in this lesson, as well as others, can be used in pseudo-reflexive constructions.

aburrirse	to get bored
alegrarse	to become happy
cansarse	to get tired
confundirse	to become confused
deprimirse	to get depressed
frustrarse	to get frustrated
irritarse	to get irritated
ofenderse	to get offended
preocuparse	to become worried
sentirse (ie, i)	to feel

Forms of Pseudo-Reflexive Verbs
enojarse (*to get angry*)
sentirse (ie, i) (*to feel*)

me enojo	**nos** enojamos
me siento	**nos** sentimos
te enojas	**os** enojáis
te sientes	**os** sentís
se enoja	**se** enojan
se siente	**se** sienten
se enoja	**se** enojan
se siente	**se** sienten

354 trescientos cincuenta y cuatro ▪ **Lección 7A** ¿Cómo te sientes?

Puente musical

Go to the *Sol y viento* iMix section on the Online Learning Center Website (**www.mhhe.com/ solyviento3**), where you can purchase "Me siento bien" by the band Hombres G. Listen for uses of the pseudo-reflexive verb **sentirse.** Are the lyrics about a day that has ended or one that is just beginning? To what does the singer compare his positive feelings?

Actividad E ¿Quién es?

Indica el nombre del personaje de *Sol y viento* que contesta cada pregunta a continuación. **¡OJO!** Hay más de una respuesta posible en algunos casos.

¿Qué personaje...

1. se enojó con Jaime?
2. se siente mal por lo que piensa María?
3. se cansa de las excusas de Carlos?
4. se confunde por la discusión (*argument*) entre María y Jaime?
5. se preocupa por Carlos?

Actividad F ¿Eres equilibrado/a (*well-balanced*) o no?

Paso 1 Indica si las siguientes afirmaciones se te aplican o no.

	SÍ	NO
1. Cuando me enojo, suelo explotar (*explode*).	☐	☐
2. Cuando me ofendo, siempre se lo digo a la persona ofensiva.	☐	☐
3. Cuando me aburro, veo la televisión.	☐	☐
4. Cuando me frustro, suelo dejar (*stop*) lo que hago para concentrarme en otra cosa.	☐	☐
5. Si me confundo, siempre pido aclaración (*clarification*), especialmente en clase.	☐	☐
6. Si me irrito, busco algo para cambiar de humor (*mood*).	☐	☐

Paso 2 Ahora escucha las instrucciones y comentarios del profesor (de la profesora).

¡Exprésate!

To express a change in emotion, the Spanish verb **ponerse** can be used with a number of adjectives as an alternative to using pseudo-reflexive verbs.

Marta se enoja fácilmente. | *Martha gets mad easily.*
Marta **se pone** enojada fácilmente.

Actividad G ¿Cómo te sientes? ¿Cómo te pones?

Paso 1 Utilizando adjetivos como **aburrido/a, nervioso/a,** etcétera, o las palabras **bien** o **mal,** indica cómo te sientes o cómo te pones en cada circunstancia.

MODELO: cuando sales bien en un examen →
Me siento bien. / Me pongo alegre.

1. antes de la primera cita con alguien que te gusta mucho
2. cuando tienes que hablar en público o enfrente de la clase
3. después de hacer ejercicio
4. cuando un profesor (una profesora) no contesta bien tu pregunta
5. cuando caminas a solas por la noche en tu barrio
6. cuando caminas a solas por la universidad por la noche

Paso 2 Ahora entrevista a un compañero (una compañera) de clase para ver cómo reacciona ante las situaciones del **Paso 1,** según el modelo. ¿Se sienten Uds. iguales o hay mucha diferencia entre sus reacciones a las situaciones?

MODELO: ¿Cómo te sientes cuando sales bien en un examen?

Actividad H   ¿Reacciones apropiadas?

Paso 1 En grupos de tres, contesten cada pregunta a continuación.

¿Cuándo es apropiado...

1. ofenderse y confrontar a la persona ofensiva?
2. ofenderse y no decirle nada a la persona ofensiva?
3. preocuparse por el comportamiento (*behavior*) de un amigo (una amiga)?
4. no preocuparse por el comportamiento de un amigo (una amiga)?
5. sentirse mal por algo que uno dice?
6. no sentirse mal por algo que uno dice?

Paso 2 Los grupos deben reportar sus ideas a la clase. Luego voten para determinar cuáles de las ideas representan reacciones más apropiadas y cuáles no, según el caso.

Sol y viento Enfoque cultural

En el **Episodio 7** don Paco va a mencionar el Internet. La imagen que muchas personas tienen de los países hispanos es una de países pobres, del «tercer mundo» y con poca modernización. En general, los países hispanos no gozan de los excesos tecnológicos de una cultura como la de este país, pero no son tan atrasados[a] como algunos creen. España es tan moderna como cualquier otro país de Europa y las ciudades de Santiago, Buenos Aires, Caracas, México, D.F. y San Juan, entre otras, ofrecen casi todo lo que se podría[b] encontrar en las grandes ciudades norteamericanas. Por ejemplo, hay «cibercafés» adonde va la gente para tomar un café y leer su correo electrónico. También, los negocios y bancos están tan bien equipados de tecnología como cualquier negocio en este país. Además, la viña donde se filmó *Sol y viento* poseía de[c] todo lo moderno como cualquier viña en Napa o Sonoma, California, por ejemplo. Finalmente, varios Premios Nóbel de Ciencia se han otorgado[d] a científicos de países hispanos. Claro, en las zonas rurales es un poco diferente, pero ¿no es así en casi cualquier país del mundo?

[a]*backward*   [b]*se... one could*   [c]*poseía... possessed*   [d]*se... have been awarded*

SEGUNDA PARTE

Vocabulario

Talking About Health

Estoy un poco enfermo.

Parts of the Body and Physical Health

Algunas partes del cuerpo^a

^a*body*

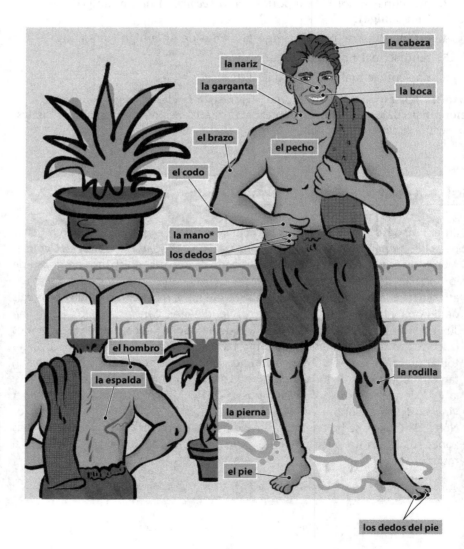

---

*Note that **mano** is actually a feminine noun, despite the fact that it ends in -o: **la mano derecha.**

Más vocabulario

la cara	face
el hueso	bone
cortar(se)	to cut (oneself)
enfermarse	to get sick
estar (*irreg.*) enfermo/a	to be sick
hacer (*irreg.*) gárgaras	to gargle
lastimar(se)	to hurt (oneself)
romper(se)	to break
tener (*irreg.*) fiebre (*f.*)	to have a fever
tener (*irreg.*) (*la*) gripe	to have the flu
tener (*irreg.*) la nariz tapada	to have a stuffed-up nose
tener (*irreg.*) tos	to have a cough
tener (*irreg.*) un resfriado	to have a cold

Cognados: la aspirina, la medicina

Comunicación útil

When talking about parts of the body, native speakers of Spanish typically use the definite article where an English speaker would use a possessive adjective. Compare the following examples.

Tengo **la** nariz tapada.	*My nose is stuffed up.*
Rebeca se lastimó **la** pierna.	*Rebeca hurt her leg.*
¿Cuándo te rompiste **el** brazo?	*When did you break your arm?*

Vistazo cultural

Los hospitales y las clínicas

La imagen que algunas personas tienen de Latinoamérica es de países en vías de desarrollo[a] con problemas de salud y recursos médicos limitados y sin agua potable.[b] Pero la realidad es otra en los centros urbanos de Latinoamérica. En las ciudades grandes como Buenos Aires, Santiago, México D. F., y muchas otras más, hay hospitales y clínicas modernos y bien equipados, adonde uno puede recurrir[c] en caso de que necesite atención médica. En la Argentina, Costa Rica y México, entre otros países, hay buenas escuelas de medicina en donde se preparan médicos excelentes. Los médicos argentinos, por ejemplo, han hecho varios adelantos[d] importantes en cardiología. Desarrollaron el primer corazón artificial y realizaron[e] el primer puente coronario en cirugía.[f]

[a]en... *developing* [b]*drinkable* [c]*go* [d]*advances* [e]*carried out* [f]puente... *coronary bypass surgery*

Actividad A   El cuerpo y el estado físico

Indica si cada oración es cierta o falsa.

	CIERTO	FALSO
1. No es común tener fiebre cuando uno tiene gripe.	☐	☐
2. Es necesario caminar con muletas (*crutches*) cuando uno se rompe un brazo.	☐	☐
3. Uno hace gárgaras para aliviar el dolor de garganta (*sore throat*).	☐	☐
4. Si uno no desea enfermarse, debe lavarse las manos con frecuencia.	☐	☐
5. Si uno tiene tos, debe tomar aspirinas.	☐	☐

¡Exprésate!

The verb **romper** can be used in two ways when talking about the breaking of a bone. It can be used reflexively to imply that someone caused or was involved in the breaking of his or her own bone.

Roberto **se rompió** una pierna.   *Roberto broke his leg.*

You can also use a construction with **se** and an indirect object to imply that the break happened to the person without any cause or involvement (that is, that it was completely accidental and he or she can't be blamed for it).

A Roberto **se le rompió** una pierna.   *Roberto broke his leg.* (lit.: *Roberto's leg was broken to him.*)

The same is also true for the verb **cortar,** among others.

Me corté un dedo.
Se me cortó un dedo. } *I cut my finger.*

Actividad B   ¿Es inconveniente o no?

Con un compañero (una compañera) de clase, indica en qué categoría pondrían (*you would place*) cada una de las siguientes situaciones: **muy inconveniente, inconveniente** o **un poco inconveniente.** Luego, presenten sus ideas a la clase. ¿Están todos de acuerdo? ¿Pueden explicar sus razones?

MODELO: Si a uno se le rompe el dedo pequeño del pie, es un poco inconveniente. Uno puede caminar todavía y no necesita equipo especial.

Vocabulario útil

la muleta	crutch
la vendaje	bandage
el yeso	cast

1. si a uno se le rompe la nariz

2. si a uno se le rompe un brazo

3. si a uno se le rompe una mano

4. si a uno se le rompe una pierna

5. si a uno se le rompe un pie

6. si a uno se le corta un dedo

Actividad C   ¿Qué producto o medicina?

Paso 1   Indica qué producto usas o qué medicina tomas en cada situación.

1. Tienes resfriado. También tienes la nariz tapada.
2. Tienes dolor de cabeza (*headache*).
3. Tienes dolor de garganta.
4. Estás mareado/a (*nauseated*). No te sientes bien del estómago (*stomach*).
5. Tienes fiebre.
6. Te cortas un dedo.
7. Se te lastima la espalda.
8. Tienes tos.

Paso 2   Compara tus respuestas con las de un compañero (una compañera) de clase. ¿Usan los mismos productos y medicinas?

Paso 3   Con tu pareja, vuelve a las situaciones del **Paso 1.** ¿Hay remedios caseros (*home remedies*) o naturales que conocen para cada una? ¿Cuáles son? También indiquen si hacen algo más para aliviar la situación y sentirse mejor.

MODELO: Dicen que si tienes dolor de garganta, debes hacer gárgaras de agua tibia (*warm*) con un poco de sal.

Actividad D   ¡Pobrecita!

Paso 1   Mira los dibujos a continuación. ¿Puedes describir la semana horrible que tuvo esta chica el año pasado? Con otra persona, hagan turnos para describir lo que le pasó en cada dibujo.

Paso 2   Basándote en las ideas del **Paso 1,** escribe una breve historia sobre la chica. No te olvides de ponerle nombre a la chica.

Gramática

More on Talking About States of Being in the Past

Estaban contentos, ¿no?

Review of the Imperfect

As you know, the imperfect is used to talk about repeated actions in the past. It is also used to express any action, state of being, or condition that was in progress at a particular point in the past. Examine the following.

No me presenté al examen porque **estaba** enferma. **Tenía** un poco de fiebre y **tenía** la nariz tapada.

I didn't show up for the test because I was sick. I had a bit of a fever and my nose was stuffed up.

In the previous example, the reference point is the test—or rather the time that the person should have shown up for the test. At that point in time, there were three existent states described: being sick, having a fever, and having nasal congestion.

States and conditions in Spanish are typically described with **ser** and **estar.** However, many other verbs that you already know also represent states of being, such as those in the following list.

conocer	to know, be familiar with (*someone or something*)
hacer buen/mal tiempo	to be good/bad weather
parecer	to seem, resemble
poder	to be able to, can
quedar	to stay, remain
saber	to know (*facts, information*)
tener	to have
verse	to appear to be, look

Al llegar al consultorio, me **parecía** que los síntomas disminuían.
When I arrived at the doctor's office, it seemed like the symptoms were going away.

Vi a Miguel ayer. No **se veía** muy bien.
I saw Miguel yesterday. He didn't look very well.

No hablé con el médico porque no lo **conocía.**
I didn't speak with the doctor because I didn't know him.

As is the case with many other verbs, the use of the preterite with states of being implies one of two things: (1) the state is viewed as completed at a particular point in time; or (2) the state is viewed as just beginning at that point in time.

No me **pareció** tan grave.
It didn't seem that serious to me.
(Now that it's all over, it didn't seem that serious.)

Estuve enferma por una semana entera.
I was sick for a whole week.
(The preterite is used because the state is confined to a particular time frame, for one week.)

Por fin **conocí** al médico.
I finally met the doctor.
(The state of knowing the doctor began at a particular moment.)

George Washington **fue** el primer presidente de los Estados Unidos.
George Washington was the first president of the United States.
(He was president for a specific period of time, then it ended.)

Tuvo un hijo.
She had a boy.
(The use of the preterite indicates that she gave birth to the boy.)

For the most part, you will continue to use the imperfect to describe states of being and conditions in the past. Used in this way, the imperfect describes background information, not the events that cause a narrative to move forward (which are described by the preterite). In the following chart, you can see how time almost stands still as the imperfect is used to describe a number of states and conditions that were all happening at the same time.

Using the Imperfect to Describe States and Conditions

Eran las dos de la tarde y no **me sentía** muy bien. **Tenía** un poco de fiebre y **tenía** la garganta seca.[a] Tampoco **podía** ver muy bien. **Me parecía** que todo el mundo **se oscurecía.**[b] **Necesitaba** tomar medicina rápidamente antes de que me pusiera peor aún.[c]

[a]*dry* [b]se... *was getting dark* [c]antes... *before I got any worse*

Actividad E   ¿Qué pasaba?

Completa cada oración para describir la escena enfrente de la casa al final del **Episodio 6** de *Sol y viento*.

1. Cuando María se enojó con Jaime y le devolvió (*returned*) la figurita, estaban presentes _____.

2. Al recoger la figurita, seguramente Jaime se sentía _____.

3. Don Paco y Carlos estaban confundidos porque no sabían nada de _____.

Actividad F   ¿Qué escuchaste?

Paso 1   Escucha el párrafo que lee tu profesor(a) a la clase. Vas a escuchar el párrafo dos veces. Trata de recordar la información, pero no tomes apuntes.

Paso 2   En grupos de tres, escriban una versión del párrafo para luego compartir con la clase.

¿Cómo se sentía María cuando vio a Jaime
discutiendo (*arguing*) con Carlos?

Actividad G   ¡Sean creativos!

Lee las siguientes historias breves y escribe la forma correcta de los verbos alistados en los espacios en blanco. Luego, escoge una de las historias y, en una hoja de papel aparte, agrega una oración más para continuar la historia y pásasela a otra persona. Esa persona debe agregar una oración más y pasársela a otra persona. Esto se debe repetir con dos personas más. La última persona debe devolverte la historia. ¿Cómo es la historia? ¿Es tal como la imaginabas? Por último, lee la versión final a la clase.

Vocabulario útil

creer, estar, hacer, sentir

Versión A

Para Manuel, el día era perfecto. _____[1] buen tiempo. Brillaba[a] el sol de manera que la Madre Naturaleza parecía estar contenta con todo. Manuel se _____[2] bien. Ya no _____[3] nervioso ante la situación que le esperaba.[b] De hecho,[c] _____[4] que estaba listo para enfrentar[d] cualquier problema. Entonces sonó[e] el teléfono. Era Miguel —y quería darle una noticia.[f]

[a]*Was shining* [b]*le... awaited him* [c]*De... In fact* [d]*face* [e]*rang* [f]*piece of news*

Versión B

Para Susana, el día era una catástrofe desde el comienzo. _____[1] mal tiempo. Llovía sin parar[a] y el cielo[b] estaba poblado de nubes[c] oscuras, dando la sensación de que la Madre Naturaleza estaba irritada. Susana no se _____[2] bien. _____[3] nerviosa ante la situación que le esperaba.[d] _____[4] que su futuro estaba en manos de otras personas, lo cual no le gustaba para nada. Pero su suerte estaba por cambiar.[e] Sonó[f] el teléfono. Era Miguel —y quería darle una noticia.[g]

[a]*sin... without stopping* [b]*sky* [c]*clouds* [d]*le... awaited her* [e]*su... her luck was about to change* [f]*Rang* [g]*piece of news*

Actividad H   La última vez

Paso 1   Describe la última vez que no fuiste a clases o al trabajo porque estabas enfermo/a o porque te lastimaste en alguna parte del cuerpo. Usa las siguientes preguntas como guía.

1. ¿Cuántos años tenías? ¿Estudiabas en la escuela secundaria o en la universidad?

2. ¿Qué síntomas tenías o qué te pasó? ¿Cómo te sentías?

3. ¿Cuánto tiempo duró la enfermedad (*sickness*) o la herida (*injury*)? ¿Cuándo pudiste regresar a las clases o al trabajo?

Paso 2   Algunos voluntarios deben leer sus descripciones en voz alta (*aloud*). ¿Quién estaba más enfermo o tenía la herida más grave?

TERCERA PARTE

Vocabulario

Telling the Doctor
How You Feel

Me duele la garganta.

In the Doctor's Office

Algunos órganos internos importantes

el cerebro	brain
el corazón	heart
el estómago	stomach
el hígado	liver
el pulmón	lung

En el consultorio del médico

padecer (zc) de	to suffer from
poner(le) (*irreg.*) **una inyección (a alguien)**	to give (someone) a shot
respirar	to breathe
sacar (qu) la lengua	to stick out one's tongue
sacar(le) (qu) sangre (a alguien)	to draw (someone's) blood
tomar(le) la temperatura (a alguien)	to take a (someone's) temperature
el/la enfermero/a	nurse
el examen médico	checkup; medical examination
el/la farmacéutico/a	pharmacist
el/la médico/a	doctor
la pastilla	pill
la presión arterial	blood pressure
los rayos X	X-rays
la receta	prescription

Cognados: examinar; la alergia, la farmacia, el/la paciente

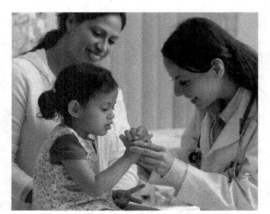

A muchos niños no les gustan **los exámenes médicos**. ¡Tienen miedo de **las inyecciones**!

Comunicación útil

When using verbs such as **examinar, poner,** and so forth to talk about medical examinations, an indirect object pronoun is often used. Note that the definite article is also used instead of a possessive adjective. Compare the following.

Me examinaron los ojos.	*They examined my eyes.*
¿**Te pusieron** una inyección?	*Did they give you a shot?*
Le sacaron sangre.	*They drew blood from him.*

Vistazo cultural

Las recetas

En los Estados Unidos las medicinas y drogas son reguladas por la Administración Federal de Drogas y es necesario tener una receta firmada por un médico para obtener muchas de ellas. En cambio, en varios países hispanos no es necesario tener la receta de un médico para comprar muchas de las medicinas. Uno puede entrar a la farmacia y decirle a un farmacéutico lo que necesita (o los síntomas que tiene). El farmacéutico, que tiene entrenamiento especial, le recomienda una medicina a la persona. De hecho, a veces ni siquiera es[a] necesario consultar con un médico de antemano[b] —la farmacia puede servir tanto de consultorio como de distribuidor de medicinas.

[a]ni... *it's not even*   [b]de... *beforehand*

Actividad A   Definiciones

Escucha las definiciones que da tu profesor(a) y escribe su número al lado de la palabra o frase que describe.

a. _____ los rayos X

b. _____ el corazón

c. _____ el cerebro

d. _____ los pulmones

e. _____ el estómago

f. _____ la pastilla

g. _____ la receta

h. _____ el enfermero / la enfermera

Actividad B   ¿Paciente o médico/a?

Indica si cada oración que menciona tu profesor(a) es algo que diría (*would say*) un(a) paciente o un médico (una médica) en el consultorio.

> **Vocabulario útil**
>
> el nivel   level

1. ...   **2.** ...   **3.** ...   **4.** ...   **5.** ...   **6.** ...   **7.** ...   **8.** ...

Actividad C   Tu historia médica

Paso 1   Contesta cada pregunta a continuación sobre tu historia médica.

1. ¿Padeces de la alta presión arterial?
2. ¿Tienes alto el nivel de colesterol en la sangre?
3. ¿Con qué frecuencia te da un resfriado? ¿Y la gripe?
4. ¿Con qué frecuencia te dan dolores de cabeza?
5. ¿Te duele alguna parte del cuerpo con frecuencia?
6. ¿Tienes alergia a alguna medicina o comida?
7. ¿Te han tomado rayos X? ¿Cuándo y por qué?
8. ¿Tomas pastillas, vitaminas, suplementos o medicinas diariamente?

Paso 2   Hazle a un compañero (una compañera) de clase las preguntas del **Paso 1** y anota sus respuestas.

Paso 3   Escribe un breve párrafo en el cual comparas tu historia médica con la de tu compañero/a de clase. ¿Tienen experiencias parecidas?

Actividad D   Un juego de charadas (*charades*)

La clase debe dividirse en dos grupos, el grupo A y el grupo B. El profesor (La profesora) repartirá (*will hand out*) palabras o expresiones de la lista de vocabulario de la página 364. Cada persona tiene que describir su palabra o expresión (¡sin hablar!) con gestos (*gestures*) para que los demás de su grupo puedan (*can*) adivinar esa palabra o expresión. ¿Quiénes son los mejores actores de la clase?

¡Exprésate!

Spanish uses the verb **dar** to express the notion of *getting* or *catching* as it pertains to pains and illnesses.

> **Me dio** la gripe.   *I got/caught the flu.*
>
> ¿Te **dio** dolor de cabeza?   *Did you get a headache?*

In these expressions, **dar** functions like **gustar** because it requires indirect object pronouns, the subject comes after the verb, and **a** must be used in combination with the indirect object pronoun when a noun is present.

> **A** Miguel **le** dan dolores de cabeza todos los días.   *Miguel gets headaches every day.*

¡Exprésate!

The verb **doler** (**ue**) means *to hurt* or *ache* as in *My head hurts.* Note that it has a stem change and generally occurs with indirect objects.

Me duele la garganta.
My throat hurts.

¿Le/Te duele el estómago?
Does your stomach hurt?

Gramática

Hace dos años que se me rompió el brazo.

Hacer in Expressions of Time

Talking About When Something Happened

hacer in Expressions of Time		
PRESENT	PRETERITE	IMPERFECT
Hace mucho tiempo **que vivo** en Chicago. *I've lived in Chicago for a long time.* **Hace** más de un año **que no veo** al médico. *It's been over a year since I've seen the doctor.*	**Me enfermé hace** unos días. / **Hace** unos días **que me enfermé.** *I got sick a few days ago.*	**Hacía** varios meses **que trabajaba** en la novela. *I'd been working on the novel for several months.* **Hacía** unos meses **que no veía** a Ramón. *It had been several months since I saw Ramón.*

You may recall from **Lección 4A** that **hacer** can be used with the preterite to express the concept of *ago*. However, **hacer** can also be used with other tenses and verb forms to express various temporal relationships. Note the following based on the examples in the chart.

1. With the present and the imperfect, **hace** and **hacía** are used to express *for* if the sentence is affirmative and *since* if the sentence is negative. When used with the preterite, only **hace** is used, and the meaning expressed is *ago*.

2. When used with the present and the imperfect, **que** is typically used. **Que** can be optional with the preterite. If it is used, the **hace** phrase appears before the verb. If it is omitted, the **hace** phrase comes after the verb.*

3. When used with the present and the imperfect, both verbs are in the same tense. That is, **hace** is used with the present tense to express *since* in a present time context, and **hacía** is used with the imperfect to express *since* in a past time context.

4. With the present and imperfect constructions, the English equivalent requires a helping verb (e.g., *have, has, had*). No helping verb is needed in Spanish in these constructions.

---

*__Que__ is also sometimes omitted in the present and imperfect, but more rarely than with the preterite. Rules of placement of **hacer** apply as with the preterite.

Comunicación útil

To ask *for how long* or *since when,* use a version of **¿Cuánto tiempo hace/hacía que... ?**

¿Cuánto tiempo hace que estudias español?

¿Cuánto tiempo hace que no hablas con Julio?

¿Cuánto tiempo hacía que no se veían Julio y su hermano?

Actividad E   ¿Qué sabes? ¿Qué crees?

Completa las siguientes oraciones según lo que sabes o crees sobre *Sol y viento* hasta el momento.

1. Hace _____ que Jaime llegó a Chile.

   a. unos días   **b.** unas semanas   **c.** un mes

2. Hace _____ que doña Isabel y su esposo se establecieron en Chile.

   a. diez años   **b.** veinte años   **c.** más de treinta años

3. Hace _____ que Carlos intenta (*has been trying*) vender la viña.

   a. unas horas   **b.** varios meses   **c.** varios días

4. Hacía _____ que la familia Sánchez planeaba la recepción para la nueva cosecha.

   a. unos meses   **b.** unos años   **c.** unos días

¿Cuánto tiempo hace que Jaime llegó a Chile? ¿Unos días? ¿una semana? ¿más?

Actividad F   ¿Cuánto tiempo hace que... ?

Paso 1   Completa cada oración con información verdadera para ti.

1. Hace _____ que vivo en _____.
2. Hace _____ que estoy interesado/a en _____.
3. Hace _____ que visité al dentista.
4. Hace _____ que no _____.

Paso 2   Convierte las oraciones del **Paso 1** en preguntas y busca personas que contesten igual que tú. Luego presenta la información a la clase.

MODELO: E1: ¿Cuánto tiempo hace que vives en Ann Arbor?

E2: Hace dos años.

E1: (más tarde) Hace sólo un año que vivo en Ann Arbor, pero hace dos años que Tracy vive aquí.

Actividad G   ¿Cuánto tiempo hacía que... ?

¿Cuánto sabes de eventos históricos? Contesta cada pregunta con información verdadera.

1. ¿Cuánto tiempo hacía que George W. Bush era presidente cuando ocurrieron los atentados terroristas del 11 de septiembre?
2. ¿Cuánto tiempo hacía que Abraham Lincoln era presidente cuando lo asesinaron?
3. ¿Cuánto tiempo hacía que los Estados Unidos no participaban en una guerra cuando entraron en la Primera Guerra Mundial en 1917?
4. ¿Cuánto tiempo hacía que la Primera Guerra Mundial consumía al continente europeo cuando por fin entraron los Estados Unidos en el conflicto?
5. ¿Cuánto tiempo hacía que Julio César era «dictador vitalicio (*for life*)» cuando lo asesinaron?

Actividad H   Los exámenes médicos

Paso 1   Contesta las siguientes preguntas.

1. ¿Cuánto tiempo hace que tuviste un examen médico?
2. Cuando fuiste, ¿cuánto tiempo hacía que no tenías un examen médico?
3. ¿Te tomaron la presión arterial? Si no, ¿cuánto tiempo hace que no te examinan la presión?
4. ¿Te hicieron un examen completo? Si no, ¿cuánto tiempo hace que tuviste un examen completo?
5. ¿Te examinaron el nivel de colesterol en la sangre? Si no, ¿cuánto tiempo hace que te examinaron el colesterol?

Paso 2   Algunos voluntarios deben leer sus respuestas a la clase. ¿Son las respuestas de otras personas más o menos iguales? Como clase, determinen a qué edad es importante tener un examen médico completo regular (por ejemplo, cada año).

Resumen de gramática

Actividad A   Mario, calla y maneja (*shut up and drive*)

In **Episodio 7,** you will see a scene in which Mario asks an upset Jaime about María. Part of their exchange is presented here.

MARIO: Don Jaime, no entiendo. Esa señorita que _____ con Ud., María, es la misma que yo vi con Ud. el otro día, ¿no es cierto?

JAIME: Sí, es cierto...

MARIO: ¿Y? ¿Por qué _____ con Ud.? ¿Lo vio con otra mujer?

JAIME: Mario, calla y maneja.

Based on what you remember from the previous episode, which of the following makes the most sense to fill in both blanks?

a. se enojó   **b.** se volvió   **c.** se ofendió

Actividad B   Uds. se veían muy contentos

Here is the complete exchange between Mario and Jaime as Mario inquires about María's being upset. Note the use of the imperfect in their dialogue.

MARIO: Don Jaime, no entiendo. Esa señorita que se enojó con Ud., María, es la misma que yo vi con Ud. el otro día, ¿no es cierto?

JAIME: Sí, es cierto.

MARIO: Y Uds. **se veían** muy contentos.

JAIME: Así **creía** yo.

MARIO: ¿Y? ¿Por qué se enojó con Ud.? ¿Lo vio con otra mujer?

JAIME: Mario, calla y maneja.

In the dialogue, Mario remarks that **"Y Uds. se veían muy contentos."** What must he have noticed beforehand to make this comment? Complete the following sentence with forms of **sonreír** (*to smile*) and **llevarse.**

Antes, Mario notó que María y Jaime _____¹ y _____² muy bien.

Actividad C Una represa (*dam*)

In **Episodio 7,** you will see don Paco and doña Isabel confront Jaime about his company's plans to build a dam. Read the following exchange and insert either **hace** or **hacía** in the blank. Do you understand what don Paco is saying?

PACO: He averiguado que su compañía quiere construir una represa en esta zona. ¿Comprende Ud. el daño que eso causaría por estas tierras?

ISABEL: Mi amigo Paco ha estado haciendo averiguaciones.ª Hemos sabido cosas muy interesantes con respecto a su compañía.

PACO: La magia del Internet y unas llamadas por teléfono. Pero obviamente a su compañía no le importa mucho el daño a la ecología... ni a la comunidad humana que habita estas tierras. ¡Lo que hicieron en Bolivia _____ dos años no tiene perdón!

ª*inquiries*

Actividad D Síntesis

Paso 1 Completa los párrafos a continuación con los verbos de la lista, haciendo los cambios necesarios.

confundirse   enojarse   hacer   pasarlo   sentirse   sonreír

_____ unos días María conoció a Jaime. Pasaron una tarde en el Cerro San Cristóbal. Cuando los vio Mario, los dos _____ y _____ muy bien.

Al día siguiente, Maria vio a Jaime y a su hermano Carlos juntos. Estaban discutiendo (*arguing*) sobre algo, y _____. Cuando se enteró de (*she found out about*) lo que estaban discutiendo, _____ tanto con Jaime como con Carlos porque _____ traicionada (*betrayed*) por los dos.

Paso 2 Compara tu párrafo con el de un compañero (una compañera) de clase. ¿Son iguales?

Panorama cultural

La Argentina y el Uruguay

La cultura europea ha tenido mayor influencia en la Argentina y el Uruguay que en muchos otros países latinoamericanos. Entre los años 1890 y 1940, millones de inmigrantes europeos se establecieron[a] en Buenos Aires y en Montevideo, la mayoría de ellos provenientes de[b] Italia y España, aunque también llegaron de muchos otros países como Polonia, Rusia, Francia, Alemania y Portugal. La influencia europea se nota en la arquitectura de Buenos Aires y Montevideo, en el tango — la música y el baile nacionales de los dos países— y en la cocina[c] nacional de cada uno de ellos, influenciada por las cocinas italiana, española y francesa.

[a]se... settled   [b]provenientes... coming from   [c]cuisine

[DATOS BÁSICOS]		
	LA ARGENTINA	**EL URUGUAY**
CAPITAL	BUENOS AIRES	MONTEVIDEO
POBLACIÓN	41 MILLONES (APROX.)	3.5 MILLONES (APROX.)
LENGUA OFICIAL	ESPAÑOL	ESPAÑOL
TASA DE ALFABETIZACIÓN	97.2%	98%
MONEDA	EL PESO	EL PESO URUGUAYO

Los derechos

En cuanto a los derechos civiles, el Uruguay y la Argentina son países progresivos. El Uruguay es el primer país latinoamericano en legalizar a nivel nacional la unión civil entre personas del mismo sexo (2007). Además, es uno de los primeros países del mundo en otorgarles[a] a las mujeres el derecho al divorcio (1907) y a votar en las elecciones nacionales (1938). En 2007 la Argentina eligió por primera vez a una mujer como presidenta del país, Cristina Fernández de Kirchner.

[a]granting

El cine argentino

El cine argentino tiene una larga y exitosa[a] historia. De hecho, en 1917, en la Argentina se produjeron[b] las primeras películas de dibujos animados.[c] En las últimas décadas, el cine argentino ha ganado fama internacional con películas como *La historia oficial*, que ganó el premio Óscar de 1986 a la mejor película extranjera.

[a]*successful*   [b]*se... were produced*   [c]*dibujos... cartoons*

Una escena de *La historia oficial*

Música

La Argentina tiene una de las tradiciones más fuertes y reconocidas del rock en español. La música de Babasónicos, así como la de Charly García y Fito Páez, es muy popular. También es popular, tanto en la Argentina como en el Uruguay, el tango nuevo. El tango nuevo, llamado también «neotango» o «electrotango», mezcla el tango tradicional con la música electrónica. Entre los grupos conocidos del género están Bajofondo y Tanghetto.

El grupo Tanghetto

La Pampa

La Pampa es una vasta extensión de llanuras que recorre[a] grandes partes de la Argentina, el Uruguay y el sur del Brasil. En el siglo XIX, grandes estancias[b] dedicadas a la ganadería[c] poblaban la Pampa. Los hombres que vivían y trabajaban en la Pampa se llamaban «gauchos». Su modo de vida, que se asociaba con la libertad, influye mucho en el pensamiento nacional de la Argentina y del Uruguay.

[a]*covers*   [b]*cattle ranches*   [c]*cattle ranching*

La Estancia San Pedro de Timote, en Cerro Colorado, Uruguay

WWW En el Internet

Busca información sobre uno o más de los siguientes temas:

1. un video de una canción de rock argentino o de neotango
2. las comidas y bebidas tradicionales de la Argentina y del Uruguay
3. el nombre de una película argentina y una breve descripción de su trama

Trae la información a la clase para compartir con tus compañeros/as.

Prueba

1. El neotango mezcla el tango tradicional con _____.

2. _____ eran las personas que habitaban la Pampa.

3. Los primeros dibujos animados se produjeron en _____.

4. En 2007, la Argentina eligió a Cristina Fernández de Kirchner como _____.

5. Los dos grupos de inmigrantes más influyentes en la Argentina son _____ y _____.

Si viajas allí

Si visitas la Argentina o el Uruguay, debes pasar unos días en una de las viejas estancias de la Pampa. Muchas de ellas se han convertido en hoteles de campo (*countryside*) que ofrecen equitación (*horseback riding*), caminatas (*hikes*), deportes al aire libre y piscina.

Vocabulario

Las emociones y condiciones

aburrir(se)	to bore (get bored)
alegrar(se)	to make happy (become happy)
cansar(se)	to tire (get tired)
confundir(se)	to confuse (become confused)
deprimirse	to get depressed
enojar(se)	to anger (get angry)
estar (*irreg.*) **celoso/a**	to be jealous
llorar	to cry
preocupar(se)	to worry (become worried)
reírse (i, i) (me río)	to laugh
tener(le) (*irreg.*) **miedo (a alguien)**	to be afraid (of someone)
tener (*irreg.*) **sueño**	to be sleepy
tomar algo muy a pecho	to take something to heart; to feel something intensely
avergonzado/a	embarrassed
cansado/a	tired
confundido/a	confused
enamorado/a (de)	in love (with)
preocupado/a	worried
relajado/a	relaxed

Cognados: frustrar(se), irritar(se), ofender(se), reaccionar; frustrado/a, furioso/a, irritado/a, tenso/a

Repaso: molestar, sentirse (ie, i); alegre, contento/a, enojado/a, nervioso/a, triste

Las partes del cuerpo

la boca	mouth
el brazo	arm
la cabeza	head
la cara	face
el cerebro	brain
el codo	elbow
el corazón	heart
los dedos (del pie)	fingers (toes)
la espalda	back
el estómago	stomach
la garganta	throat
el hígado	liver
el hombro	shoulder
el hueso	bone
la mano	hand

el órgano interno	internal organ
el pecho	chest
el pie	foot
la pierna	leg
el pulmón	lung
la rodilla	knee

Repaso: la nariz

La salud y el estado físico

cortar(se)	to cut (oneself)
doler (ue)	to hurt, ache
enfermarse	to get sick
estar (*irreg.*) **enfermo/a**	to be sick
hacer (*irreg.*) **gárgaras**	to gargle
lastimar(se)	to hurt (oneself)
padecer (zc) de	to suffer from
poner(le) (*irreg.*) **una inyección (a alguien)**	to give (someone) a shot
respirar	to breathe
romper(se)	to break
sacar (qu) la lengua	to stick out one's tongue
sacar(le) (qu) sangre (a alguien)	to draw (someone's) blood
tener (*irreg.*) **fiebre**	to have a fever
tener (*irreg.*) **(la) gripe**	to have the flu
tener (*irreg.*) **la nariz tapada**	to have a stuffed-up nose
tener (*irreg.*) **tos**	to have a cough
tener (*irreg.*) **un resfriado**	to have a cold
tomar(le) la temperatura (a alguien)	to take a (someone's) temperature
el consultorio (del médico)	doctor's office
el/la enfermero/a	nurse
el/la farmacéutico/a	pharmacist
el/la médico/a	doctor
la pastilla	pill
la presión arterial	blood pressure
la receta	prescription

Cognados: examinar; la alergia, la aspirina, el examen médico, la medicina, el/la paciente, los rayos X

Repaso: la farmacia

Otras palabras y expresiones

hace + *time*	*time* ago

LECCIÓN

7B

Los demás y yo

OBJETIVOS

IN THIS LESSON, YOU WILL LEARN:

▶ vocabulary to express your feelings toward others

▶ to talk about what people do to and for each other using **nos** and **se**

▶ vocabulary to talk about how people act in relationships

▶ to talk about your wishes and desires using the subjunctive mood

▶ vocabulary related to positive and negative aspects of relationships

▶ to talk about contingencies and conditions using the subjunctive with conjunctions

▶ about Ecuador, a country in the Andean region of South America.

In addition, you will watch **Episodio 7** of the film *Sol y viento*.

En Latinoamérica, novios y familias pasean (*stroll*) en plazas como esta en Quito, Ecuador.

The following media resources are available for this lesson of *Sol y viento*:

PRIMERA PARTE

Vocabulario

Talking About How You Feel About Someone

www

Te tengo mucho cariño.

Feelings

Los sentimientos^a positivos

^aLos... *Feelings*

adorar	to adore
amar	to love
caerle (*irreg.*) bien a alguien	to make a good impression on someone
estimar	to think highly of
extrañar	to miss (*someone*)
gustar	to be pleasing to
querer (*irreg.*)	to love
respetar	to respect
tenerle (*irreg.*) cariño a alguien	to be fond of someone

Los sentimientos negativos

caerle (*irreg.*) mal a alguien	to make a bad impression on someone
despreciar	to despise
detestar	to detest
no aguantar	not to be able to stand, put up with
odiar	to hate
tenerle (*irreg.*) envidia a alguien	to be envious of someone

Más vocabulario

abrazar (c)	to hug
besar	to kiss
darle (*irreg.*) **un beso a alguien**	to give someone a kiss

As you know, the verb **gustar** and the phrase **caerle bien** can be used in Spanish to talk about liking someone. However, these expressions do not mean the same thing. **Gustar** means *to like* in the general sense that someone is agreeable to you, but it can also express romantic or physical attraction. Spanish speakers will often use their tone of voice for emphasis when saying **gustar** with the meaning of physical attraction.

Miguel, ¿**te gusta** Cecilia o
   te gusta Cecilia?

Miguel, *do you like Cecilia*
   or do you <u>like</u> Cecilia?

Caerle bien means *to like* in the sense of making a good impression on someone. Its opposite, **caerle mal,** means *to make a bad impression on someone.*

Nos caen bien los padres de Eduardo.	*We like Eduardo's parents.* (*They make a good impression on us.*)
Me cae mal Jorge.	*I don't like Jorge.* (*I have a bad impression of him.*)

Spanish also uses two verbs to talk about loving someone: **querer** and **amar.** Use **querer** to express love for anyone you care a lot about, including friends, pets, family members, boyfriends, and so forth. **Amar** is much stronger and is used to express a deep, intense love between people, usually in a romantic relationship.

Quieren mucho a sus abuelos.	*They love their grandparents a lot.*
Amas mucho a Ricardo, ¿no?	*You love Ricardo a lot, don't you?*

Comunicación útil

As you know, **tener** is used with **cariño,** a noun meaning *affection*. **Tener** can also be used with other nouns like **respeto** (*respect*), **envidia** (*envy*), and **celos** (*jealousy*). Some of these expressions are used with indirect object pronouns.

Le tengo respeto a Paul.	*I respect Paul.*
Les tiene envidia a sus primos.	*She envies her cousins.*
Los Trujillo **tienen celos** de nosotros.	*The Trujillos are jealous of us.*

Actividad A ¿Cómo se sienten?

Paso 1 Escucha las oraciones que lee tu profesor(a) sobre los personajes de *Sol y viento* e indica si son ciertas o falsas.

　1. ...　　2. ...　　3. ...　　4. ...　　5. ...　　6. ...

Paso 2 Forma tres oraciones más sobre los personajes de *Sol y viento* usando el vocabulario de la página 376.

MODELO: A Mario le cae bien Jaime.

Paso 3 Comparte las oraciones del **Paso 2** con un compañero (una compañera) de clase. ¿Estás de acuerdo con las afirmaciones de tu compañero/a?

Actividad B Mi familia

Paso 1 Llena los espacios en blanco a continuación con información verdadera sobre los miembros de tu familia (o de la familia de un amigo).

　1. Le tengo mucho cariño a _____.

　2. Quiero mucho a _____.

　3. Le tengo mucho respeto a _____.

　4. Le tengo envidia a _____.

　5. No me cae bien _____.

　6. Estimo a _____.

　7. Adoro a _____.

　8. No aguanto a _____.

Paso 2   Entrevista a un compañero (una compañera) de clase, usando las frases del **Paso 1.**

MODELO: ¿A quién de tu familia le tienes mucho cariño?

Paso 3   Presenta a la clase uno o dos datos (*pieces of information*) interesantes de tu entrevista.

MODELO: Jennifer le tiene mucho cariño a su abuelo.

Actividad C   ¿Qué opinas?

Escribe un párrafo sobre el siguiente tema y explica si estás de acuerdo o no y por qué.

María le tiene mucho cariño a Jaime, pero nada más que eso.

Vistazo cultural

Las palabras de cariño[a]

Entre los novios y esposos hispanohablantes es común decirse palabras de cariño como **mi amor, mi vida, mi cielo**[b] o **mi tesoro.**[c] Estas palabras, así como **corazón, cariño, querido** o **querida,** equivalen a *honey*, *sweetheart*, *darling* y *dear*. Además, no es raro que los hombres les digan **reina**[d] y **princesa** a sus parejas y que estas les correspondan con **rey**[e] y **príncipe.** Entre la gente mayor, es común decirse **viejo** o **vieja.** Y claro, en cada país o región existen términos propios[f] del lugar. En Colombia es común que una mujer le diga a su pareja **gordo** o **gordito**[g] (¡sin tratar de ofender!) y que en el Caribe los negros le digan a su pareja **negro** o **negra** (sin ninguna connotación racista).

«Viejo, aquí las cosas van mal». ¿Con quién habla Isabel?

[a]Las... *Terms of Endearment*   [b]*heaven (lit.)*   [c]*treasure (lit.)*   [d]*queen*   [e]*king*   [f]*specific*   [g]*chubby*

Gramática

Se conocen bien.

Reciprocal Reflexives

Talking About What
People Do to and for
Each Other

Estas personas **se miran** con mucho cariño.

In **Lección 5A** you learned that the pronouns **nos** and **se** are used with reflexive verbs to express *ourselves* and *themselves,* respectively. **Nos** and **se** are also used to describe what people do or have done to or for each other, actions known as *reciprocal reflexives* (**los reflexivos recíprocos**).

You will notice that a sentence like **Ed y yo nos cantamos mientras traba-jamos** can be interpreted as *Ed and I sing to ourselves while we work* as well as *Ed and I sing to each other while we work.* Context will usually determine if the **se** means *themselves* or *each other* or if **nos** means *ourselves* or *each other.*

To emphasize a reciprocal action, Spanish can add the phrase **el uno al otro / los unos a los otros** (or **la una a la otra / las unas a las otras** if all of the people are female), phrases that literally mean *the one to the other.*

Nos cantamos **el uno al otro.***	*We sing to each other* (*the one to the other*).
Se admiran **la una a la otra.**	*They admire each other* (*the one to the other*).

---

*This construction is used for a group of males or a mixed group of males and females.

Reflexive and Reciprocal Expressions

REFLEXIVE **se** = *THEMSELVES*	RECIPROCAL **se** = *EACH OTHER*
Mis amigos **se miran** mucho en el espejo. *My friends look at themselves a lot in the mirror.*	Mis amigos **se hablan** mucho por teléfono. *My friends talk to each other a lot on the phone.*
Los profesores **se escriben** notas. *The professors write notes to themselves.*	Juan y Laura **se escriben** cada semana. *Juan and Laura write each other every week.*

REFLEXIVE **nos** = *OURSELVES*	RECIPROCAL **nos** = *EACH OTHER*
Ed y yo **nos cantamos** mientras trabajamos. *Ed and I sing to ourselves while we work.*	Mis hermanos y yo **nos abrazamos.** *My siblings and I hug each other.*
No **nos tomamos** demasiado en serio. *We don't take ourselves too seriously.*	**Nos vemos** todos los días. *We see each other every day.*

Actividad D   ¿Qué se hacen?

Indica si cada una de las siguientes oraciones describe o no la relación entre Jaime y María, según lo que crees.

Jaime y María... sí NO

1. se hablan por teléfono. ☐ ☐
2. se saludan con un beso. ☐ ☐
3. se gritan (*shout at each other*). ☐ ☐
4. se quieren. ☐ ☐
5. se odian. ☐ ☐

Actividad E   ¿Se respetan?

Paso 1   Escribe lo que dice tu profesor(a). Después, añade los nombres de personas famosas que correspondan a cada acción.

MODELO   *Oyes:*   Se ayudan mucho en sus carreras (*careers*).

Escribes: Se ayudan mucho en sus carreras.
Bill y Hillary Clinton

1. ...   2. ...   3. ...   4. ...   5. ...   6. ...   7. ...   8. ...

Paso 2   Compara tus respuestas con las de un compañero (una compañera) de clase. ¿Tienen una lista de las mismas personas famosas?

Actividad F   Una historia

Paso 1   Con un compañero (una compañera), escribe una historia de cuatro a seis oraciones que describa lo que ocurre en los siguientes dibujos. A continuación hay algunas ideas para considerar.

- ¿Cómo se llama el muchacho? ¿Qué edad tiene? ¿De dónde viene?
- ¿Quién es la mujer que lo espera?
- ¿Cómo se llevan el muchacho y la mujer?
- ¿Cómo se sienten los dos cuando llega el muchacho? ¿Y cuándo se va?
- ¿Cuándo se van a ver otra vez?

Paso 2   Compartan su historia con el resto de la clase. ¿Quiénes inventaron la mejor historia?

Actividad G   Una entrevista

Paso 1   Llena los espacios en blanco con el nombre de una persona (o una mascota), según el caso. Usa información verdadera para ti.

MODELO: Mi jefe (*boss*) Roberto y yo nos hablamos todos los días.

1. _____ y yo nos vemos todos los días.
2. _____ y yo nos damos la mano cuando nos saludamos.
3. _____ y yo nos enojamos mucho.
4. _____ y yo nos odiamos.
5. _____ y yo nos queremos mucho.
6. _____ y yo nos extrañamos cuando no estamos juntos.

Paso 2   Usa las oraciones del **Paso 1** para entrevistar a un compañero (una compañera) de clase y averiguar si sus experiencias son como las tuyas.

MODELO: E1: ¿Se ven todos los días tú y tu jefe?

   E2: No. Mi jefe y yo no nos vemos los fines de semana.

Paso 3   Escribe un breve párrafo en el cual mencionas uno o dos datos interesantes de tu entrevista.

SEGUNDA PARTE

Vocabulario

More on Describing People's Traits

Eres muy romántico.

Describing People

Afrodita

- **cariñosa** (*affectionate*)
- **celosa**
- **infiel** (*unfaithful*)
- **resuelta** (*determined*)
- **vana** (*vain*)
- **vengativa** (*vengeful*)

don Juan Tenorio

- **coqueto** (*flirtatious*)
- **descarado** (*shameless*)
- **encantador** (*charming*)
- **engañador** (*deceitful*)
- **orgulloso** (*proud*)
- **porfiado** (*persistent*)

Más vocabulario

atento/a	considerate
comprensivo/a	understanding
detallista	detail-oriented
entrometido/a	nosy; meddlesome
fiel	faithful
mandón (mandona)	bossy
sensible	sensitive

Cognados: apasionado/a, espontáneo/a, generoso/a, posesivo/a
Repaso: cabezón (cabezona), divertido/a

Vistazo cultural

Don Juan

El mito de don Juan tiene su origen en el siglo XVII en España. La leyenda[a] relata la historia de un hombre mujeriego,[b] libertino[c] y descarado llamado don Juan, quien seduce a las mujeres. En una ocasión don Juan seduce a la hija de un comandante militar. En un acto mórbido, don Juan mata[d] al comandante y luego invita a la estatua del comandante muerto a cenar con él. Durante la cena, la estatua se anima[e] y se lleva al infierno[f] a don Juan quien paga allí por sus pecados.[g]

Don Juan apareció por primera vez en el drama español *El Burlador de Sevilla* (1630) por Tirso de Molina y más tarde en obras por Molière, Lord Byron y George Bernard Shaw, entre otros. Una de las interpretaciones recientes es la del actor Johnny Depp en la película *Don Juan de Marco* (1995). Como puedes ver, el personaje de don Juan es uno de los mitos importantes de la literatura universal, mito que sigue evolucionando hasta hoy en día.

[a]*legend* [b]*womanizer* [c]*libertine (morally or sexually unrestrained)* [d]*kills* [e]*se... comes to life* [f]*hell* [g]*sins*

Actividad A   Acciones

Tu profesor(a) va a mencionar algunas acciones. Indica el adjetivo que se asocia con cada acción.

1. **a.** engañador   **b.** fiel
2. **a.** posesivo   **b.** descarado
3. **a.** atento   **b.** cariñoso
4. **a.** resuelto   **b.** cabezón
5. **a.** detallista   **b.** entrometido
6. **a.** espontáneo   **b.** mandón
7. **a.** vano   **b.** porfiado
8. **a.** coqueto   **b.** vengativo

Actividad B   ¿Cómo es?

Paso 1   Indica cuáles de los siguientes adjetivos se le aplican a cada personaje de *Sol y viento*. A veces hay más de una respuesta posible.

1. Jaime: **a.** posesivo   **b.** vano   **c.** encantador
2. María: **a.** cabezona   **b.** porfiada   **c.** espontánea
3. Carlos: **a.** divertido   **b.** engañador   **c.** fiel
4. Mario: **a.** atento   **b.** descarado   **c.** vengativo
5. doña Isabel: **a.** orgullosa   **b.** celosa   **c.** resuelta
6. don Paco: **a.** mandón   **b.** generoso   **c.** comprensivo

(Continúa.)

Paso 2 Ahora indica dos adjetivos más para describir a los personajes del **Paso 1.**

MODELO: Carlos también es _____ y _____.

Paso 3 Comparte tus oraciones del **Paso 2** con un compañero (una compañera) de clase. ¿Tienen las mismas impresiones de los personajes de *Sol y viento*?

¿Qué tipo de persona engaña a su familia?

Actividad C ¿Estás de acuerdo?

Paso 1 Indica si estás de acuerdo o no con las siguientes afirmaciones y explica por qué.

	SÍ	NO
1. Para conquistar (*win the heart of*) a alguien es suficiente ser porfiado.	☐	☐
2. Es más romántico ser espontáneo que detallista.	☐	☐
3. La persona que no es celosa no está enamorada.	☐	☐
4. En una relación, no es problemático ser coqueto, mientras (*as long as*) uno no le sea infiel a su pareja.	☐	☐
5. Una persona vana es incapaz de amar.	☐	☐

Paso 2 Compara tus ideas con las de un compañero (una compañera).

Actividad D ¿Con quién haces una buena pareja?

Paso 1 Piensa en una persona famosa con la cual haces una buena pareja. Describe en un párrafo de cinco o seis oraciones por qué crees que eres el novio (la novia) ideal para esa persona y viceversa. (O si quieres, menciona a una persona famosa con la cual *no* haces una buena pareja y explica por qué.) Puedes comenzar tu párrafo de la siguiente manera:

_____ y yo (no) hacemos una buena pareja por varias razones.

Puedes usar las siguientes palabras para pasar de una idea a otra.

primero   **luego** (*next*)   **por último / por fin** (*finally*)

Paso 2 Presenta tu párrafo a la clase. Tus compañeros van a indicar si están de acuerdo o no con tu análisis.

Gramática

Espero que sea divertido.

Introduction to the Subjunctive

Talking About Your Wishes and Desires

So far you have been working with verb forms that are part of what is called the *indicative mood*, whose function is to report events, ask questions, and so forth. The present, preterite, and imperfect that you've already learned are all part of the indicative. Spanish also uses the *subjunctive mood*, which expresses things such as wants, desires, doubt, uncertainty, and other events that cannot be confirmed or verified. The subjunctive almost always appears in what is called a *dependent clause*. In the sentence *I hope that Mark can come*, *I hope* is the main or independent clause (because it can stand alone as a complete thought) and *that Mark can come* is the dependent clause (because it cannot stand alone as a complete thought).

In this lesson, you will learn to use the subjunctive mood in the present tense to talk about hopes and desires. The "trigger" for the subjunctive will be expressed in the main clause. The dependent clause in Spanish will begin with the Spanish conjunction **que** (*that*) and employ a subjunctive verb form. Note that the Spanish word **ojalá** is an invariable verb form meaning *I hope, wish.**

Espero que **vengas** a la fiesta.	*I hope (that) you come to the party.*
Ojalá que **saque** una A en el examen.	*I hope (that) I get an A on the test.*
Ojalá que **podamos** ir a Las Vegas.	*I hope (that) we can go to Las Vegas.*

The forms of the subjunctive are derived in the same manner as those used for formal commands, which you already know.

- Some irregular verbs in the subjunctive include the following.

  haber: haya, hayas, haya, hayamos, hayáis, hayan

  ir: vaya, vayas, vaya, vayamos, vayáis, vayan

  saber: sepa, sepas, sepa, sepamos, sepáis, sepan

  ser: sea, seas, sea, seamos, seáis, sean

- Some forms of the verbs **dar** and **estar** have accent marks.

  dar: dé, des, dé, demos, deis, den

  estar: esté, estés, esté, estemos, estéis, estén

- Stem-changing **-ir** verbs like **dormir (ue, u)**, **servir (i, i)**, and **preferir (ie, i)** have an altered stem in the **nosotros** and **vosotros** forms.

  dormir: duerma, duermas, duerma, durmamos, durmáis, duerman

  servir: sirva, sirvas, sirva, sirvamos, sirváis, sirvan

  preferir: prefiera, prefieras, prefiera, prefiramos, prefiráis, prefieran

---

*Spanish also allows **ojalá** without **que,** but **que** will be used with **ojalá** throughout this textbook, except in some cases when characters in the film don't use it.

Formation of the Present Subjunctive

INFINITIVE	**yo** FORM	STEM	ADD THE "OPPOSITE" VOWEL	ADD THE APPROPRIATE ENDINGS	
hablar	hablo	habl-	+ e = **hable**	hable*	hable**mos**
				hable**s**	habl**éis**
				hable*	habl**en**
				hable*	habl**en**
beber	bebo	beb-	+ a = **beba**	beba	beba**mos**
				beba**s**	beb**áis**
				beba	beb**an**
				beba	beb**an**
abrir	abro	abr-	+ a = **abra**	abra	abra**mos**
				abra**s**	abr**áis**
				abra	abr**an**
				abra	abr**an**
decir	digo	dig-	+ a = **diga**	diga	diga**mos**
				diga**s**	dig**áis**
				diga	dig**an**
				diga	dig**an**
conducir	conduzco	conduzc-	+ a = **conduzca**	conduzca	conduzca**mos**
				conduzca**s**	conduzc**áis**
				conduzca	conduzc**an**
				conduzca	conduzc**an**

Actividad E   Ojalá que...

Indica el nombre del personaje de *Sol y viento* de la lista que probablemente piensa lo siguiente. En algunos casos, es posible indicar más de un nombre.

Andy   Carlos   doña Isabel   Jaime   María   don Paco   Rassner

1. Ojalá que María me perdone pronto.
2. Espero que Carlos no haya hecho nada grave (*serious*).
3. Espero que María no sepa nada del contrato con Bartel Aquapower.
4. Ojalá que Jaime no me vuelva a hablar (*doesn't speak to me again*).
5. Espero que Jaime finalice el negocio pronto.

---

*Note that the **yo** and **Ud.**, **él/ella** forms are the same in the subjunctive.

Actividad F   Mi universidad

Paso 1   Completa las siguientes oraciones con uno de los verbos a continuación. Luego, indica si estás de acuerdo con lo que expresa cada oración.

cambiar   construir   eliminar   ofrecer   permitir

Espero que los dirigentes (*administrators*) de mi universidad...	ESTOY DE ACUERDO	NO ESTOY DE ACUERDO
1. _____ la fecha límite para dejar las clases.	☐	☐
2. _____ algunos de los cursos que son requisitos (*required*).	☐	☐
3. no _____ fumar en los lugares públicos.	☐	☐
4. _____ más edificios.	☐	☐
5. _____ más clases por la noche.	☐	☐

Paso 2   Usando **ojalá que** con el subjuntivo, escribe tres oraciones más sobre tu universidad.

MODELO: Ojalá que el equipo de basquetbol gane su próximo partido.

Actividad G   Mi trabajo

Paso 1   Completa la siguiente oración con una de las frases a continuación.

contribuir en algo   estar cerca de   pagarme mucho
a la sociedad   mi familia   dinero

Espero que mi trabajo futuro...

Paso 2   Comparte tu oración con varias personas. En general, ¿qué factor influye más en lo que desean de su profesión tus compañeros/as? ¿El dinero? ¿La familia? ¿La sociedad?

Paso 3   ¿Cómo crees que María y Jaime, de *Sol y viento*, completarían (*would complete*) la oración del **Paso 1**? ¿Puedes apoyar tu opinión con evidencia de la película?

Actividad H   Las personas famosas

Paso 1   Piensa en alguna persona famosa sin mencionar su nombre. Escribe cinco oraciones sobre esa persona usando **ojalá que** y **espero que.**

MODELOS: Espero que no haga otra película como *All About Steve*.

Ojalá que encuentre amor duradero (*long-lasting*).

Paso 2   Ahora léele tus oraciones a un compañero (una compañera). ¿Puede adivinar a quién describes? Si tu compañero/a no sabe, dale unas opciones: ¿Es Sandra Oh o Sandra Bullock?

Comunicación útil

With **esperar** (and other verbs), if there is no change of subject between the main and dependent clauses, the subjunctive is not used. Instead, **esperar** is followed by an infinitive.

Espero ver a Claudia mañana.   *I hope to see Claudia tomorrow.*

TERCERA PARTE

Vocabulario

Talking About Good and Bad Relationships

¡Me engañó!

Cuando las relaciones van bien

comprometerse (con)	to get engaged (to)
confiar (confío) (en)	to trust (in)
hacer (*irreg.*) **las paces con**	to make up with
perdonar	to forgive
salir (*irreg.*) **con**	to go out with

Cuando las relaciones van mal

discutir	to argue
engañar	to deceive; to cheat on
guardar(le) rencor (a alguien)	to hold a grudge (against someone)
ocultar(le) secretos (a alguien)	to hide secrets (from someone)
romper con	to break up with
terminar	to end (*a relationship*)
traicionar	to betray

More on Relationships

Más vocabulario

arrepentirse (ie, i) (de)	to be sorry (about); to regret
castigar (gu)	to punish
conquistar	to succeed in seducing someone; to win someone over
seducir (zc)	to seduce
la amistad	friendship
el noviazgo	engagement

Repaso: casarse (con), divorciarse de, enamorarse de, estar enamorado/a de, lastimar, llevarse bien/mal con, mentir (ie, i), merecer (zc), pelearse; la boda, el divorcio

Vistazo cultural

El Día del Amor y la Amistad

Así como en este país y en otros países del mundo, en el Ecuador los amigos y los enamorados[a] celebran el día dedicado a sus relaciones el 14 de febrero, es decir, el Día de San Valentín. Esta costumbre existe en los demás países hispanos también, pero con algunas diferencias. En México, Colombia y otros países se conoce como **Día del Amor y la Amistad.** En algunos países de Centroamérica es común llamarle **Día del Cariño,** y en Chile y otros países se le llama **Día de los Enamorados.** En Colombia la fiesta se celebra los días viernes y sábado de la tercera semana de septiembre. En Valencia, España, se celebra el 9 de octubre y en Cataluña el 23 de abril. Al igual que en este país, las flores y los chocolates son algunos de los regalos más comunes y, en algunos lugares, es popular «el amigo secreto», una tradición en la cual las personas intercambian regalos anónimos.

[a]*lovers*

Actividad A ¿A quién se refiere?

¿A qué personaje de *Sol y viento* se refiere cada oración a continuación?

1. Confía en Paco cuando sabe de los problemas en la viña.
2. Le guarda rencor a María porque ella no se quedó a trabajar en la viña.
3. Discuten sobre el contrato fuera de la casa.
4. Termina su relación con Jaime al devolverle la figurita.
5. Le oculta un secreto a su familia.
6. Necesita hacer las paces con María.

Actividad B ¿Perdonas o guardas rencor?

Paso 1 Escribe tus respuestas a las siguientes preguntas. ¿Cuánto tiempo tardas en (*do you take to*) perdonar a alguien que...

MODELO: se olvida de (*forgets*) darte un mensaje importante? →
    Tardo un mes en perdonarlo.

1. se pelea contigo cuando está estresado (*stressed out*)?
2. te oculta un secreto importante?
3. discute contigo en un lugar público?
4. no se arrepiente después de portarse mal contigo (*doing you wrong*)?
5. te miente?
6. te engaña?
7. rompe contigo?
8. se olvida de (*forgets*) llamarte el día de tu cumpleaños?

Paso 2 Entrevista a un compañero (una compañera) de clase para saber cómo respondió a las preguntas del **Paso 1.**

Paso 3 Prepara un breve resumen explicando si tú y tu compañero/a de clase perdonan fácilmente o guardan rencor.

Actividad C Consejos

En parejas, lean las situaciones a continuación y escriban dos o tres oraciones como respuesta a lo que debe hacer cada persona para resolver su problema.

MODELO: A mi novio le gusta discutir sobre pequeñeces (*little things*). Me castiga verbalmente, me guarda rencor y no me habla por varios días. ¿Qué debo hacer? →

¡No mereces sufrir tanto! Debes decirle que no te gusta pelear. Si no se arrepiente de sus acciones y no quiere hacer las paces, debes romper con él.

1. Mi novio es demasiado posesivo. Siempre quiere saber dónde y con quién estoy. Si salgo con mis amigas, me busca y se pelea conmigo en público. ¿Qué debo hacer?

2. Mi novia es muy desconfiada. Cree que le oculto secretos y que le miento. La verdad es que la quiero mucho y no tengo ninguna intención de lastimarla. ¿Qué debo hacer?

3. Mi novio de hace cinco años me dice que quiere casarse conmigo y tener hijos. No puedo imaginar mi vida sin él, pero tampoco quiero casarme ahora. ¿Qué debo hacer?

Actividad D ¿Cómo termina la relación?

Paso 1 En parejas, hagan una lista de por lo menos seis de las razones por las cuales dos personas terminan una relación amorosa.

MODELO: Una de las personas se enamora de otra persona.

Paso 2 Indiquen cuál de las siguientes formas de terminar es más apropiada para cada situación del **Paso 1.**

1. romper con él/ella inmediatamente
2. no contestar las llamadas de la otra persona hasta que deje de (*until he/she stops*) llamar
3. mandarle un correo electrónico explicándole por qué ya no quieres salir con él/ella
4. hablarle francamente de tus razones para terminar, aunque la otra persona se lastime
5. pedirle a un amigo (una amiga) que termine la relación por ti
6. ¿ ?

MODELO: Si una de las personas se enamora de otra persona, es mejor romper con él/ella inmediatamente.

Gramática

A menos que no quieras...   Obligatory Subjunctive

In addition to being used with expressions of wishing and hoping, the subjunctive is also used with conjunctions of contingency* such as, **para que** (*so that*), **con tal (de) que** (*provided that*), and **sin que** (*without*), among others. See the chart for a list of expressions of contingency in Spanish and examples of their use with the subjunctive.

If there is no change in subject in the dependent clause, **antes de que** and **para que** shorten to **antes de** and **para** and are followed by an infinitive instead of the subjunctive. Compare the sentences below.

Voy a preparar café **antes de que vengan** los invitados.	*I'm going to make coffee before the guests come.*
Voy a preparar café **antes de estudiar.**	*I'm going to make coffee before studying.*
Lo escribo **para que entiendas** mejor.	*I'll write it down so (that) you understand better.*
Lo escribo **para recordarlo** más tarde.	*I'll write it down to remember it later.*

The Subjunctive with Conjunctions of Contingency

a menos que	unless	Vamos a la fiesta **a menos que** Marta no **quiera.** *We're going to the party unless Marta doesn't want to.*
antes (de) que	before	Tengo que llamar al banco **antes de que cierre.** *I have to call the bank before it closes.*
con tal (de) que	provided (that)	Voy a salir esta noche **con tal de que** me **paguen.** *I'm going out tonight provided that they pay me.*
en caso de que	in case	*Llévate una chaqueta* **en caso de que haga** *frío.* *Take a jacket in case it's cold.*
para que	so (that)	Te llevo en auto **para que** no **tengas** que caminar. *I'll drive you so you don't have to walk.*
sin que	without	No compro la casa **sin que** me **ofrezcan** el trabajo. *I won't buy the house without their offering me the job.*

*A *contingency* is an action or event that is dependent on something else.

Puente musical

Go to the *Sol y viento* iMix section on the Online Learning Center Website (**www.mhhe.com/ solyviento3**), where you can purchase "Ojalá que llueva café" by Juan Luis Guerra. Listen for the use of the subjunctive after **ojalá** and after **para que.** In addition to hoping that it rains coffee, what else does the singer wish for? Why does he want it to rain coffee?

Actividad E ¿Cierto o falso?

Indica si las siguientes oraciones sobre los personajes de *Sol y viento* son ciertas o falsas.

	CIERTO	FALSO
1. Carlos puede vender la viña con tal de que doña Isabel y María firmen el contrato.	☐	☐
2. María conoce a Jaime antes de que Jaime conozca a Carlos.	☐	☐
3. Jaime puede abandonar el negocio con Carlos sin que Rassner se enoje.	☐	☐
4. Jaime no tiene que hacer mucho para que María lo perdone.	☐	☐
5. Doña Isabel no puede resolver su problema con Carlos a menos que don Paco la ayude.	☐	☐

María no va a perdonar a Jaime a menos que él merezca su perdón.

Actividad F ¿Es lógico?

Tu profesor(a) va a leer la primera parte de una oración. En una hoja de papel aparte, completa cada oración con una frase lógica de la lista a continuación, según el modelo.

MODELO: *Oyes:* Los padres trabajan para que sus hijos...

Escribes: Los padres trabajan para que sus hijos tengan comida y ropa.

a. enojarse conmigo

b. no entrar las moscas (*flies*)

c. haber comida en el refrigerador

d. dormirse

e. no aceptar tarjetas de crédito

f. estar demasiado tarde

g. pagar los estudios

Actividad G   Este fin de semana

Paso 1   Usa las expresiones de la página 391 para inventar cinco oraciones sobre lo que intentas (*you plan on*) hacer este fin de semana.

MODELOS: Voy a limpiar mi apartamento antes de que vengan mis padres.

Voy a ver una película a menos que mi amiga haga una fiesta.

Paso 2   Comparte tus oraciones con un compañero (una compañera) de clase. ¿Quién tiene más probabilidad de realizar sus planes?

Actividad H   En la universidad

Paso 1   Lee las oraciones a continuación y llena los espacios en blanco con información verdadera para ti.

MODELO: Le presto (*I loan*) _____ a un amigo para que _____. →

Le presto mi libro de química a un amigo para que pueda hacer la tarea.

1. Le presto _____ a un amigo para que pueda _____.
2. Trato de tomar _____ créditos cada semestre (trimestre) con tal de que _____.
3. Hago ejercicio _____ veces a la semana a menos que _____.
4. Limpio mi apartamento cada _____ días (semanas) para que _____.
5. Todas las noches, antes de acostarme yo _____.
6. Llevo dinero extra cuando voy a _____ en caso de que _____.

Paso 2   Entrevista a un compañero (una compañera) de clase con las oraciones que escribiste en el **Paso 1** para saber si hace lo mismo que tú.

MODELO: ¿Tratas de tomar doce créditos cada semestre con tal de que la universidad ofrezca los cursos que necesitas?

Paso 3   Prepara un resumen sobre los resultados de tu entrevista.

MODELO: Yo trato de tomar doce créditos cada semestre con tal de que la universidad ofrezca los cursos que necesito. En cambio, Jonah trata de tomar quince créditos con tal de que no tenga que trabajar.

Actividad I   ¿Conocen bien a su profesor(a)?

En parejas, inventen cinco oraciones sobre su profesor(a) usando las expresiones de la página 391. Luego, su profesor(a) va a elegir a cinco parejas para que presenten sus listas. La pareja que tiene más respuestas correctas gana.

MODELO: El profesor Jiménez llega a la universidad a las ocho, a menos que haya mucho tráfico.

Resumen de gramática

Actividad A ¿Estamos lejos?

In **Episodio 7** of *Sol y viento,* you will see a scene in which Jaime asks Mario how far it is to the winery. Part of their conversation appears here.

JAIME: ¿Estamos lejos?

MARIO: En automóvil, a siete minutos. A pie, cuarenta y cinco minutos, más o menos. Menos si se toma un atajoª por ahí.

JAIME: ¿Un atajo, eh?

MARIO: Si uno atraviesaᵇ por el campo,ᶜ se llega en media hora.

JAIME: Me voy a pie. _____ en la viña.

What do you think best fits in the preceding blank?

    1. Nos extrañamos   **2.** Nos ayudamos   **3.** Nos vemos

ªshortcut ᵇgoes through ᶜcountryside

Actividad B Un grave error

In **Episodio 7** of *Sol y viento,* doña Isabel and don Paco inform Jaime about the harm his company could do to the Maipo Valley. Part of their exchange appears here.

PACO: Pero obviamente a su compañía no le importa mucho el daño a la ecología... ni a la comunidad humana que habita estas tierras...

JAIME: He cometido un grave error. Ojalá no _____ tarde para ayudarles a Uds....

What verb best fits in the preceding space?

    1. haya   **2.** esté   **3.** sea

Actividad C   ¡Es durísima (*very tough*)!

In **Episodio 7,** you will see a scene in which Jaime offers to help the Sánchez family. Part of this conversation follows.

JAIME: He cometido un grave error. Ojalá no sea tarde para ayudarles a Uds. y para que su hija me _____.[1]

ISABEL: ¿María Teresa perdonar? ¡Huy! ¡Es durísima! Va a ser muy difícil... A menos que Ud., don Jaime, _____[2] su perdón.

Selecting from the following options, which verb do you think best fits in each space above?

1. a. mienta   **b.** lastime   **c.** perdone

2. a. compre   **b.** merezca   **c.** necesite

Actividad D   Síntesis

Paso 1   Completa cada oración utilizando las palabras a continuación y haciendo los cambios necesarios. Luego, pon las oraciones en el orden correcto para formar un párrafo sobre lo que ha pasado en *Sol y viento* hasta el momento. Escribe el orden a la izquierda de las oraciones.

a. _____ perdonarlo/confiar: Una cosa sí es obvia: Jaime tendrá que (*will have to*) trabajar muy duro para que María _____ y _____ en él de nuevo.

b. _____ conocer: Es por eso que María no sabía que Carlos y Jaime _____ y que los dos negociaban la venta de la viña.

c. _____ hacer: ¿Qué piensas tú? ¿Jaime va a regresar a los Estados Unidos sin que _____ las paces él y María?

d. _____ ver/hablar: Como María es profesora en Santiago, María y Carlos no _____ con frecuencia (*often*) y no _____ de los asuntos de la viña.

e. _____ pedir/dejar: En cuanto a su relación con Jaime, no se sabe lo que María espera de él en este momento. ¿Espera que le _____ perdón o que la _____ en paz?

Paso 2   Compara tu párrafo con el de un compañero (una compañera) de clase. ¿Son iguales?

Sol y viento

Episodio 7

Antes de ver el episodio

Actividad A *Sol y viento* en resumen

Indica si las siguientes oraciones son ciertas o falsas, según lo que sabes de la trama (*plot*) de *Sol y viento*.

	CIERTO	FALSO
1. Don Paco es dueño de un restaurante en Chile.	☐	☐
2. El esposo de doña Isabel ya ha muerto.	☐	☐
3. Doña Isabel se preocupa por la viña.	☐	☐
4. Jaime sabe que Carlos y María son hermanos.	☐	☐
5. María sigue respetando a Jaime.	☐	☐

Actividad B ¡A escuchar!

Repasa el siguiente fragmento de la conversación entre doña Isabel, Jaime y don Paco. En unos momentos vas a escuchar la conversación y llenar los espacios en blanco con las palabras correctas. ¡No vuelvas a leer otros fragmentos de este episodio!

ISABEL: ¡María Teresa _____? ¡Huy! ¡Es durísima! Va a ser muy difícil... _____[1] Ud., don Jaime, merezca su perdón.

JAIME: Entiendo que será[a] difícil y quizás[b] no me _____[2] su perdón, pero...

[a]*it will be* [b]*perhaps*

Actividad C El episodio

Ahora mira el episodio. Si hay algo que no entiendes bien, puedes volver a ver la escena en cuestión.

Después de ver el episodio

Actividad A   ¿Qué recuerdas?

Contesta las siguientes preguntas según lo que recuerdas del episodio.

1. Según Mario, se tardan unos _____ minutos en llegar a la viña caminando si no se toma el atajo.

2. De camino a la viña, Jaime sufre una insolación (*heatstroke*) porque _____.

3. Según Isabel, Jaime puede conseguir el perdón de María con hechos (*deeds*) y no con _____.

4. Jaime dice que ellos pueden parar (*stop*) la venta de la viña si esperan unos _____ días más.

Actividad B   ¡A verificar!

Vas a ver otra vez la escena de **¡A escuchar!** en la página anterior. Llena los espacios en blanco, según lo que oyes.

Actividad C   ¡Te toca a ti!

Paso 1   Escribe cinco oraciones sobre lo que esperas que pase en los últimos episodios de *Sol y viento*, usando **ojalá que** y **espero que.**

MODELO: Espero que la familia Sánchez no venda la viña.

Paso 2   Comparte tus oraciones con un compañero (una compañera) de clase. Hagan una lista de las cosas con las que están de acuerdo para presentársela a la clase.

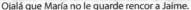
Ojalá que María no le guarde rencor a Jaime.

Detrás de la cámara

You have seen doña Isabel in a few scenes, and you probably have some idea about the type of person she is. Doña Isabel is compassionate but also strong-willed and cares deeply about her family, the community, and, of course, the winery. After she immigrated with her husband from Spain to Chile, they built a prosperous winery from the ground up. Now an aging widow, doña Isabel is not in very good health. Despite her frailty, she is not afraid to speak her mind nor is she easily persuaded to do anything against her wishes. In a sense, she is typical of the "strong women" often portrayed by Katherine Hepburn, Bette Davis, and others in the glamour era of the silver screen. Can you think of any other movie characters who are like her?

EPISODIO 7 Bajo el sol

Panorama cultural

El Ecuador

El Ecuador es uno de los países más bellos y diversos de Sudamérica, al mismo tiempo que ocupa el segundo lugar como el país más pequeño del continente. Los Andes atraviesan[a] el país de norte a sur, y una región al este del país está cubierta[b] por la selva amazónica. La costa del Pacífico cuenta con playas hermosas y a unos mil kilómetros de distancia están las islas Galápagos. Quito, la capital, y la ciudad de Cuenca figuran entre[c] las ciudades coloniales mejor preservadas de Latinoamérica y allí se encuentran museos, teatros, iglesias y mercados de artesanía[d] indígena.

El Ecuador ofrece de todo: desde el ciclismo de montaña y el surf hasta actividades relajadas como pasear por las ciudades antiguas y comprar artesanías.

[a]*run across* [b]*covered* [c]*figuran... are among* [d]*arts and crafts*

[**DATOS BÁSICOS:**]

CAPITAL
QUITO

POBLACIÓN
14.5 MILLONES (APROX.)

IDIOMA OFICIAL
ESPAÑOL

TASA DE ALFABETIZACIÓN
91%

MONEDA
EL DÓLAR ESTADOUNIDENSE
(DESDE 2000)

Presencia indígena

Durante la época prehispánica, el Ecuador formaba parte del imperio Inca. El 25% de la población actual[a] es indígena y se hablan unas veinte lenguas aborígenes, entre ellas el quechua, que es la que más se habla.

[a]*current*

Biodiversidad

El Ecuador alberga[a] gran parte de la biodiversidad del planeta, incluyendo el 15% de las especies de pájaros[b] del mundo. Las islas Galápagos albergan varias especies autóctonas[c] de iguanas, tortugas[d] y pájaros. Más interesante aún es el hecho de que el Ecuador es el primer país del mundo en incluir en su Constitución en 2008 un artículo que reconoce los derechos de la naturaleza.[e]

[a]*is home to* [b]*birds* [c]*indigenous* [d]*turtles* [e]*nature*

Una iguana en las islas Galápagos

Música

Aunque el pasillo se considera la música nacional del Ecuador, el reggae y el rock pesado[a] son bastante populares. Sudakaya es un grupo de reggae ecuatoriano que canta sobre temas sociales. También hay un festival anual de música, QuitoFest, que reúne a los mejores grupos locales e internacionales.

[a]rock... *hard rock*

Los deberes[a] cívicos

En el Ecuador, el votar no es un derecho sino[b] una obligación. Además, los varones[c] ecuatorianos tienen que prestar[d] un año de servicio militar obligatorio al cumplir los 20 años.

[a]*duties* [b]*but rather* [c]*males* [d]*do*

QuitoFest

La religión

La Fiesta de la Mamá Negra en el Ecuador refleja el sincretismo[a] de elementos del catolicismo con tradiciones indígenas y africanas. Aunque la fiesta se hace en honor a la Virgen de la Merced,[b] tiene elementos paganos.

[a]*blending* [b]Virgen... *Lady of Mercy*

La Fiesta de la Mamá Negra en el Ecuador

WWW En el Internet

Busca información sobre uno o más de los siguientes temas.

1. los sitios turísticos que uno puede visitar en Quito, Cuenca o Guayaquil
2. un vídeo del grupo Sudakaya
3. las artesanías típicas del Ecuador.

Trae la información a la clase para compartir con tus compañeros/as.

Si viajas allí

Si visitas el Ecuador, no te pierdas de ir en tren por La Nariz del Diablo (*The Devil's Nose*), una vía férrea (*train route*) que pasa por todas las zonas climáticas del país, desde los Andes y los bosques lluviosos (*rain*) hasta las selvas tropicales de la costa. El recorrido (*trip*) dura unas cinco horas, y los pasajeros pueden andar en el techo (*roof*) del tren para tener una vista panorámica de todo.

Prueba

	CIERTO	FALSO
1. QuitoFest es un festival anual de artesanía indígena.	☐	☐
2. La Fiesta de la Mamá Negra honra a la Virgen de Guadalupe.	☐	☐
3. La Constitución del Ecuador reconoce los derechos de la naturaleza.	☐	☐
4. En el Ecuador no se habla quechua.	☐	☐
5. La moneda nacional del Ecuador es el peso ecuatoriano.	☐	☐

Vocabulario

Para expresar los sentimientos

abrazar (c)	to hug
amar	to love
besar	to kiss
darle (*irreg.*) **un beso a alguien**	to give someone a kiss
despreciar	to despise
estimar	to think highly of
extrañar	to miss (*someone*)
no aguantar	not to be able to stand, put up with
querer (*irreg.*)	to love
tenerle (*irreg.*) **cariño a alguien**	to be fond of someone
tenerle (*irreg.*) **envidia a alguien**	to be envious of someone

Cognados: adorar, detestar, respetar

Repaso: caerle (*irreg.*) **bien/mal a alguien, gustar, odiar**

Para describir la personalidad

atento/a	considerate
cariñoso/a	affectionate
comprensivo/a	understanding
coqueto/a	flirtatious
descarado/a	shameless
detallista	detail-oriented
encantador(a)	charming
engañador(a)	deceitful
entrometido/a	nosy; meddlesome
fiel	faithful
infiel	unfaithful
mandón (mandona)	bossy
porfiado/a	persistent
resuelto/a	determined
sensible	sensitive
vano/a	vain
vengativo/a	vengeful

Cognados: espontáneo/a, generoso/a, posesivo/a, romántico/a

Repaso: apasionado/a, cabezón (cabezona), celoso/a, divertido/a, orgulloso/a

Las relaciones personales

arrepentirse (ie, i) (de)	to be sorry (about); to regret
castigar (gu)	to punish
comprometerse (con)	to get engaged (to)
confiar (confío) (en)	to trust (in)
conquistar	to succeed in seducing someone; to win someone over
discutir	to argue
engañar	to deceive; to cheat on
guardar(le) rencor (a alguien)	to hold a grudge (against someone)
hacer (*irreg.*) **las paces con**	to make up with
ocultar(le) secretos (a alguien)	to hide secrets (from someone)
perdonar	to forgive
romper con	to break up with
salir (*irreg.*) **con**	to go out with
seducir (zc)	to seduce
terminar	to end (*a relationship*)
traicionar	to betray
la amistad	friendship
el noviazgo	engagement

Repaso: casarse (con), divorciarse de, enamorarse de, estar enamorado/a de, gritar, lastimar, llevarse bien/mal con, mentir (ie, i), merecer (zc), pelearse; la boda, el divorcio

Otras palabras y expresiones

darse (*irreg.*) **la mano**	to shake hands
esperar	to hope
saludar	to greet
ojalá que	I hope, wish that
los celos	jealousy
la pareja	couple
el respeto	respect
a menos que	unless
antes (de) que	before
con tal (de) que	provided (that)
en caso de que	in case
para que	so (that)
sin que	without

Nombre _____ Fecha _____ Clase _____

Cuando no trabajo...

OBJETIVOS

IN THIS LESSON, YOU WILL CONTINUE TO PRACTICE:

▶ talking about pastimes and leisure activities

▶ talking about sports and fitness activities

▶ talking about special occasions and holidays

▶ talking about activities in the past using the preterite tense

Vocabulario

El tiempo libre

Leisure Activities

Actividad A   Descripciones

Escucha los verbos y empareja cada uno con la descripción correspondiente. Vas a oír cada verbo dos veces.

1. _____ Es el acto de hacer figuras e imágenes con un lápiz y una hoja de papel.

2. _____ Es una actividad de concentración y descanso (*rest*) mental.

3. _____ Es participar en un juego de estrategia.

4. _____ Es una actividad que consiste en pasar la vista por (*to look over*) lo escrito en un libro, un periódico u otro texto.

5. _____ Se hace esto cuando sólo se tiene un poco de hambre.

6. _____ Necesitas ritmo y coordinación para hacer esto bien.

7. _____ Esta actividad consiste en preparar comida.

8. _____ Esto se hace en Blockbuster o con Netflix.

Actividad B   Asociaciones

Empareja cada verbo con el objeto correspondiente.

1. _____ pintar   a. en bicicleta
                           b. fiestas
2. _____ leer   c. el piano
                           d. un retrato (*portrait*)
3. _____ cocinar   e. la cena
                           f. al ajedrez
4. _____ andar   g. un libro
5. _____ tocar

6. _____ jugar

7. _____ dar

Nombre _____ Fecha _____ Clase _____

Actividad C   ¿Cierto o falso?

Indica si cada una de las siguientes oraciones es cierta o falsa.

		CIERTO	FALSO
1.	Meditar no es una actividad social, por lo general.	☐	☐
2.	Andar en bicicleta no es una actividad física.	☐	☐
3.	No es posible sacar un DVD en la biblioteca.	☐	☐
4.	El ajedrez es un juego estratégico.	☐	☐
5.	Tocar el piano no es una actividad artística.	☐	☐
6.	Dar un paseo es una actividad sedentaria.	☐	☐
7.	Picar la comida es comer mucho.	☐	☐
8.	Bailar bien requiere mucha coordinación.	☐	☐

Go to page 125 to complete **¡Acción! 1.**

Gramática

Lo pasé muy bien.   Preterite Tense of Regular **-ar** Verbs

Actividad D   ¿Él o yo?

Listen to each sentence, then indicate if the verb used is in the **yo** or **él** form of the present or preterite tense. You will hear each sentence twice.

	YO: PRESENTE	ÉL: PRESENTE	YO: PRETÉRITO	ÉL: PRETÉRITO
1.	☐	☐	☐	☐
2.	☐	☐	☐	☐
3.	☐	☐	☐	☐
4.	☐	☐	☐	☐
5.	☐	☐	☐	☐
6.	☐	☐	☐	☐
7.	☐	☐	☐	☐
8.	☐	☐	☐	☐

Actividad E ¿Quién?

Listen to each sentence. First, circle the subject of the sentence. Then indicate whether the written statement is a logical conclusion of what you heard (**lógico**) or not (**ilógico**). You will hear each sentence twice.

			LÓGICO	ILÓGICO
1.	**a.** yo **b.** tú **c.** un amigo	A la persona le gusta comer.	☐	☐
2.	**a.** yo **b.** tú **c.** un amigo	La persona es introvertida.	☐	☐
3.	**a.** nosotros **b.** otras personas	A las personas les gusta el arte.	☐	☐
4.	**a.** nosotros **b.** otras personas	A las personas no les gustan las actividades acuáticas.	☐	☐
5.	**a.** yo **b.** tú **c.** un amigo	La persona no está contenta con lo que hizo (*did*).	☐	☐
6.	**a.** yo **b.** tú **c.** un amigo	La persona desea ser artista.	☐	☐
7.	**a.** yo **b.** tú **c.** un amigo	Ahora la casa es de otro color.	☐	☐
8.	**a.** yo **b.** tú **c.** un amigo	La persona es introvertida.	☐	☐

Actividad F ¿Yo u otra persona?

For each activity below, indicate whether the subject is **yo** or **otra persona**. For each statement that is about someone else, write the name of the famous person described.

		YO	OTRA PERSONA
1.	Pintó la *Mona Lisa*.	☐	☐ _____
2.	Estudié esta semana.	☐	☐ _____
3.	Navegó desde España hasta América.	☐	☐ _____
4.	Hablé con un buen amigo.	☐	☐ _____
5.	Caminó en la luna.	☐	☐ _____
6.	Ayudó a Orville Wright.	☐	☐ _____

Go to page 125 to complete ¡Acción! 2.

SEGUNDA PARTE

Vocabulario

El ejercicio y el gimnasio

Sports and Fitness

Actividad A   Las actividades

Escucha las actividades y empareja cada una con la descripción correspondiente.

1. _____ Es como correr o trotar (*jogging*), pero no tan rápido.

2. _____ En este deporte no se permite usar las manos. Requiere mucha agilidad.

3. _____ Es lo que hacen las personas que quieren fortalecer (*strengthen*) sus músculos.

4. _____ Esta actividad se hace en la nieve o sobre el agua.

5. _____ Para hacer esta actividad se necesita una bicicleta.

6. _____ Esta actividad se hace en el agua. Se necesita un traje de baño.

7. _____ Es un ejercicio aeróbico y es una buena manera de quemar calorías.

8. _____ Es lo que hace Tiger Woods como profesión.

Actividad B   Los deportes

Indica la respuesta correcta.

1. Muchas personas juegan este deporte en un club privado.

   a. fútbol   **b.** golf   **c.** correr

2. Esta actividad se puede hacer en una piscina o en un lago (*lake*).

   a. caminar   **b.** tenis   **c.** nadar

3. Para esta actividad se necesitan una pelota (*ball*) y una red (*net*).

   a. vóleibol   **b.** nadar   **c.** levantar pesas

4. Para llegar a ser (*To become*) «Mr. Universe», tienes que hacer esto.

   a. caminar   **b.** levantar pesas   **c.** esquiar

5. Puede ser estacionario o no.

   a. hacer ciclismo   **b.** nadar   **c.** levantar pesas

6. En un juego entre dos personas, cuando una gana, ¿qué hace la otra?

   a. Suda.   **b.** Pierde.   **c.** Compite.

7. Puede ser aeróbico o no.

   a. ganar   **b.** hacer ejercicio   **c.** perder

Actividad C   ¿Cierto o falso?

Indica si cada una de las siguientes oraciones es cierta o falsa.

		CIERTO	FALSO
1.	Tienes que ser muy joven para jugar al golf.	☐	☐
2.	Correr es una actividad aeróbica.	☐	☐
3.	En un partido, puedes ganar o puedes perder.	☐	☐
4.	Se puede nadar en la nieve.	☐	☐
5.	Si haces ejercicio aeróbico, vas a sudar.	☐	☐
6.	El vóleibol es un deporte popular en la playa (*beach*).	☐	☐
7.	Esquiar puede ser una actividad acuática.	☐	☐
8.	Caminar no es una actividad acuática.	☐	☐

Go to page 125 to complete ¡**Acción!** 3.

Gramática

Volví tarde.

Preterite of Regular **-er** and **-ir** Verbs

Actividad D   ¿Presente o pretérito?

Read each statement and indicate whether the verb is in the present or preterite tense.

		PRESENTE	PRETÉRITO
1.	Volvimos a tiempo.	☐	☐
2.	Conocimos al profesor.	☐	☐
3.	Hacemos ciclismo.	☐	☐
4.	Perdimos el partido.	☐	☐
5.	Leemos mucho.	☐	☐
6.	Comimos tarde.	☐	☐
7.	Bebimos vino.	☐	☐
8.	No creemos eso.	☐	☐

Nombre _____ *Fecha* _____ *Clase* _____

Actividad E ¿A quién se refiere?

Listen to each statement and indicate to whom it refers. Pay attention to the verb endings. You will hear each statement twice.

1. _____
2. _____
3. _____
4. _____
5. _____
6. _____

    a. yo (*the speaker*)
    b. tú (*the listener*)
    c. tu compañero de clase
    d. mi familia y yo
    e. tú y tus compañeros (*in Spain*)
    f. tus hermanos

Actividad F ¿Quién?

Listen to each sentence. First, circle the subject of the sentence. Then indicate whether the written statement is a logical conclusion of what you heard (**lógico**) or not (**ilógico**). You will hear each sentence twice.

			LÓGICO	ILÓGICO
1.	**a.** yo **b.** tú **c.** un amigo	La persona sudó.	☐	☐
2.	**a.** yo **b.** tú **c.** un amigo	La persona quemó muchas calorías.	☐	☐
3.	**a.** yo **b.** tú **c.** un amigo	La persona salió por la noche.	☐	☐
4.	**a.** yo **b.** tú **c.** un amigo	La persona no sabe leer.	☐	☐
5.	**a.** nosotros **b.** otras personas	No les gustan las bebidas alcohólicas.	☐	☐
6.	**a.** nosotros **b.** otras personas	Otra persona enseñó algo.	☐	☐
7.	**a.** yo **b.** tú **c.** un amigo	Ahora no puede pagar sus cuentas.	☐	☐
8.	**a.** nosotros **b.** otras personas	El otro equipo ganó más puntos.	☐	☐

Go to page 126 to complete **¡Acción! 4.**

Vocabulario

¿Cuándo celebras tu cumpleaños?

Special Occasions
and Holidays

Actividad A   Los días festivos

Escucha los nombres de los días festivos y empareja cada uno con la descripción correspondiente. Vas a oír cada día festivo dos veces.

1. _____ Es la última noche del año.

2. _____ Es una fiesta religiosa para los judíos. A veces coincide con la Navidad. Otro nombre para esta celebración es el Jánuka.

3. _____ Es un día para los románticos. También se llama el Día de los Enamorados.

4. _____ Es una fiesta religiosa para los cristianos que normalmente se celebra en abril.

5. _____ Es un día importante para los irlandeses (*Irish*). Se celebra en marzo y muchas personas llevan ropa verde.

6. _____ Es un día en el que se reúne la familia en los Estados Unidos. Todos comen mucho pavo y miran partidos de fútbol americano.

7. _____ A muchas personas les gusta ir a Nueva Orleáns o a Río de Janeiro para celebrar esta fiesta. Hay celebraciones tremendas.

8. _____ Es la noche antes de la Navidad.

Actividad B   ¿Norte o sur?

Indica si las siguientes oraciones se refieren al hemisferio norte (N) o al hemisferio sur (S).

	N	S
1. Celebran la Navidad en verano.	☐	☐
2. Celebran la Pascua en la primavera.	☐	☐
3. Celebran el Martes de Carnaval en otoño.	☐	☐
4. Celebran la Nochebuena en invierno.	☐	☐
5. Celebran el Día de San Valentín en verano.	☐	☐
6. Celebran la Noche Vieja en verano.	☐	☐
7. Celebran el Día de Acción de Gracias en otoño.	☐	☐

Nombre _____ Fecha _____ Clase _____

Actividad C   Asociaciones

Indica el concepto que *no* se asocia con el día festivo.

1. la Navidad
   - **a.** los regalos
   - **b.** el color azul
   - **c.** canciones (*songs*) especiales

2. la Pascua
   - **a.** la primavera
   - **b.** los huevos
   - **c.** el color rojo

3. el Día de San Patricio
   - **a.** los irlandeses
   - **b.** el color verde
   - **c.** la ropa nueva

4. el Día de Acción de Gracias
   - **a.** el pavo y el jamón
   - **b.** los regalos
   - **c.** la familia

5. la Fiesta de las Luces
   - **a.** la primavera
   - **b.** canciones especiales
   - **c.** los regalos

6. la Noche Vieja
   - **a.** el champán
   - **b.** el brindis
   - **c.** el verano

Go to page 126 to complete **¡Acción! 5.**

Gramática

¿Qué hiciste?   Irregular Preterite Forms

Actividad D   ¿Él o yo?

Listen to each sentence, then indicate if the verb used is in the **yo** or **él** form of the present or preterite tense. You will hear each sentence twice.

	YO: PRESENTE	ÉL: PRESENTE	YO: PRETÉRITO	ÉL: PRETÉRITO
1.	☐	☐	☐	☐
2.	☐	☐	☐	☐
3.	☐	☐	☐	☐
4.	☐	☐	☐	☐
5.	☐	☐	☐	☐
6.	☐	☐	☐	☐
7.	☐	☐	☐	☐
8.	☐	☐	☐	☐

Actividad E   En el tiempo libre

Match the correct verb to complete each sentence about the things different people did in their free time yesterday.

1. Yo _____ en bicicleta por dos horas.
2. Carlos _____ ejercicio aeróbico.
3. Nina y Javier _____ al teatro.
4. Anita y yo _____ un paseo.
5. Uds. _____ cinco DVDs de películas españolas a casa.
6, 7. Pedro _____ que tú no _____ nada.
8. Bárbara _____ en el gimnasio todo el día.

a. dimos
b. hizo
c. fueron
d. anduve
e. hiciste
f. estuvo
g. trajeron
h. dijo

Actividad F   ¿Quién?

Listen to each sentence. First, circle the subject of the sentence. Then indicate whether the written statement is a logical conclusion of what you heard (**lógico**) or not (**ilógico**). You will hear each sentence twice.

			LÓGICO	ILÓGICO
1.	a. yo b. tú c. un amigo	Los amigos fueron también.	☐	☐
2.	a. yo b. tú c. un amigo	Ahora la persona lo siente (*regrets it*).	☐	☐
3.	a. yo b. tú c. un amigo	La persona es pragmática.	☐	☐
4.	a. nosotros b. otras personas	Todos los demás saben guardar (*to keep*) un secreto.	☐	☐
5.	a. yo b. tú c. un amigo	Al final la persona dijo algo.	☐	☐
6.	a. yo b. tú c. otra persona	La persona es padre.	☐	☐

Go to page 126 to complete ¡Acción! 6.

Nombre _____ *Fecha* _____ *Clase* _____

▲ ¡A escuchar!

Actividad A ¿Pasión?

Paso 1 Escucha un segmento de la conversación entre Jaime y Traimaqueo cuando pasean (*they stroll*) por la bodega (*wine cellar*). Llena los espacios en blanco con las palabras o frases que oyes.

JAIME: _____¹ _____,² señor. Es _____³ su pasión por la viña.

TRAIMAQUEO: ¿Pasión? _____⁴ _____.⁵ Pero nacíᵃ en estos terrenosᵇ y me

enterraránᶜ en estos terrenos, señor. ¿No es así como debe _____⁶?

ᵃ*I was born* ᵇ*lands* ᶜ*they will bury*

Paso 2 Indica si las siguientes oraciones son ciertas o falsas.

	CIERTO	FALSO
1. Jaime cree que Traimaqueo tiene mucha pasión por la viña.	☐	☐
2. Traimaqueo no nació (*wasn't born*) en los terrenos donde trabaja.	☐	☐

Actividad B ¿Qué hace aquí?

Paso 1 Escucha el segmento en que Jaime se encuentra con (*runs into*) María en el mercado de artesanías (*crafts*). Luego, contesta las siguientes preguntas.

1. ¿Cómo describe Jaime el encuentro con María?

   a. una feliz casualidad (*happy coincidence*)   **b.** un mal encuentro

2. ¿Cómo se siente María cuando ve a Jaime?

   a. feliz   **b.** confundida (*confused*)

Paso 2 Escucha el segmento de nuevo. Basándote en el contexto, contesta las siguientes preguntas.

1. Cuando María le dice a Jaime: «¿Qué hace aquí? ¿Me anda siguiendo (*Are you following me*)?»,

   ¿está bromeando (*joking*) o está hablando en serio? _____

2. ¿Qué frase de tres palabras significa *at least*? _____

Nombre _____ Fecha _____ Clase _____

🎬 ¡Acción!

¡Acción! 1   En los ratos libres

Escribe cinco oraciones sobre lo que te gusta hacer en tus ratos libres.

1. _____
2. _____
3. _____
4. _____
5. _____

¡Acción! 2   ¿Qué hiciste?

Contesta las siguientes preguntas sobre la última fiesta a la que asististe. Escribe oraciones completas.

1. ¿Lo pasaste muy bien?

   _____

2. ¿Te rozaste con la gente?

   _____

3. ¿Quiénes bailaron?

   _____

4. ¿Sólo picaste la comida o comiste bien?

   _____

5. ¿Tocaron música muy buena?

   _____

¡Acción! 3   Los deportes

Escribe un párrafo de veinticinco a cincuenta palabras sobre los deportes que te gusta jugar, los deportes que te gusta observar y los deportes que no te gustan para nada (*at all*).

_____

_____

_____

_____

_____

_____

_____

¡Acción! 4   Anoche

Usa los verbos de la lista para escribir oraciones que describen lo que las personas indicadas hicieron o no hicieron anoche.

aprender	comer	leer	ver
beber	correr	salir	volver

YO

1. _____

2. _____

EL PROFESOR (LA PROFESORA)

3. _____

4. _____

MIS COMPAÑEROS DE CLASE

5. _____

6. _____

¡Acción! 5   Los días festivos

Escribe cinco oraciones sobre cinco días festivos diferentes.

1. _____

2. _____

3. _____

4. _____

5. _____

¡Acción! 6   La semana pasada

Contesta las preguntas sobre la semana pasada. Escribe oraciones completas.

1. ¿Fuiste a algún lugar en especial? ¿Con quién fuiste?

_____

2. ¿Cuántas páginas del libro de español tuvieron Uds. que estudiar y/o preparar?

_____

3. ¿Hiciste preguntas en alguna clase?

_____

4. ¿Alguien dijo algo cómico en alguna clase?

_____

5. ¿Pudiste terminar todas las tareas antes de ir a clases?

_____

Nombre _____ Fecha _____ Clase _____

En casa

OBJETIVOS

IN THIS LESSON, YOU WILL CONTINUE TO PRACTICE:

► talking about dwellings and buildings

► talking about activities in the past tense with stem-changing **-ir** verbs in the preterite

► talking about rooms, furniture, and other items found in a house

► using reflexive pronouns to talk about what people do to and for themselves

► describing typical household chores

► identifying distinctions between **por** and **para**

PRIMERA PARTE ■■■■■■■■■■■■■■■■■■

Vocabulario

¿Dónde vives?

Dwellings and Buildings

Actividad A Descripciones

Escucha las palabras y frases y empareja cada una con la descripción correspondiente. Vas a oír cada palabra o frase dos veces.

1. _____ Es una persona que alquila un apartamento.

2. _____ Es un apartamento que se compra.

3. _____ Todos tus vecinos y tú viven allí.

4. _____ Si vives en un apartamento, puedes hacer una barbacoa allí.

5. _____ El edificio es de esta persona.

6. _____ Es el cuarto o el edificio donde trabaja una persona.

7. _____ Si vives aquí, probablemente eres estudiante.

8. _____ Si no compras tu casa, tienes que pagar esto cada mes.

Actividad B ¿Cierto o falso?

Indica si cada una de las siguientes oraciones es cierta o falsa.

	CIERTO	FALSO
1. El portero es la persona que comparte un cuarto contigo (*with you*).	☐	☐
2. Las personas que viven en la misma zona son vecinos.	☐	☐
3. Las viviendas con una vista buena son generalmente más caras.	☐	☐
4. En España «el piso» es un apartamento.	☐	☐
5. La dirección incluye el código postal (*zip code*).	☐	☐
6. El hogar es un apartamento que alquilas, no es una casa.	☐	☐

Go to page 139 to complete ¡Acción! 1.

Nombre _____ *Fecha* _____ *Clase* _____

Gramática

No durmió bien.

e → i, o → u Preterite Stem Changes

Actividad C Presidentes de los Estados Unidos

Complete each description by matching it to the corresponding president(s).

1. _____ murió a los 46 años de edad, en 1963.

2. _____ fue electo a la presidencia por dos períodos consecutivos, de 1993 a 2001.

3. _____ y _____ murieron el mismo día (4 de julio de 1826).

4. _____ primero fue gobernador de Texas.

5. _____ murió asesinado en un teatro.

a. Lincoln
b. Adams
c. Bush
d. Jefferson
e. Clinton
f. Kennedy

Actividad D Los cuentos de hadas (*Fairy tales*)

Read the statements and match each one with the character it describes.

1. _____ Durmió durante cien años.

2. _____ Prefirió tener pies (*feet*) y no tener voz (*voice*).

3. _____ Murió al comer una manzana.

4. _____ El lobo (*wolf*) sintió hambre (*hungry*) cuando los vio.

5. _____ Le pidió al hada madrina (*fairy godmother*) un deseo.

6. _____ Divirtió a los ratones (*mice*) con su música.

7. _____ El lobo le sugirió un camino (*path*) largo.

a. la Cenicienta (*Cinderella*)
b. el flautista de Hamelín
c. Caperucita Roja (*Little Red Riding Hood*)
d. la Sirenita (*The Little Mermaid*)
e. la Bella Durmiente (*Sleeping Beauty*)
f. los tres cochinitos (*The Three Little Pigs*)
g. Blanca Nieves (*Snow White*)

Actividad E   ¿Quién fue?

Listen to each statement, then indicate if the speaker is talking about what he and his roommate did or about what his friends did.

	MI COMPAÑERO Y YO	MIS AMIGOS
1.	☐	☐
2.	☐	☐
3.	☐	☐
4.	☐	☐
5.	☐	☐
6.	☐	☐
7.	☐	☐
8.	☐	☐

Go to page 139 to complete ¡Acción! 2.

SEGUNDA PARTE

Vocabulario

Es mi sillón favorito.   Furniture and Rooms

Actividad A   ¿Qué es?

Escucha las palabras y empareja cada una con la descripción correspondiente.

1. _____ Es el lugar donde ves la televisión con tu familia y amigos.

2. _____ Es el lugar donde pones la ropa cuando no la llevas.

3. _____ Es el lugar donde encuentras el lavabo y el inodoro.

4. _____ Es el lugar donde preparas la comida.

5. _____ Es el lugar donde encuentras el auto y las bicicletas de la familia.

6. _____ Es el lugar donde pones libros.

Nombre _____ Fecha _____ Clase _____

7. _____ Es el lugar donde duermes.

8. _____ Es el lugar donde sirves la comida.

Actividad B   ¿Cierto o falso?

Indica si cada una de las siguientes oraciones es cierta o falsa.

	CIERTO	FALSO
1. Es típico tener una bañera en la cocina.	☐	☐
2. La ducha se encuentra en el jardín.	☐	☐
3. Es bueno poner la lámpara donde uno lee más.	☐	☐
4. En el patio típicamente se encuentran plantas.	☐	☐
5. Un dormitorio amueblado no tiene ni armario ni cama.	☐	☐
6. La sala es donde uno prepara la comida.	☐	☐
7. Los cuadros van generalmente sobre la alfombra.	☐	☐
8. Las mesitas se usan mucho en la sala.	☐	☐

Go to page 140 to complete **¡Acción! 3.**

Gramática

Me conozco bien.   True Reflexive Constructions

Actividad C   ¿Independiente o no?

Listen to each sentence and indicate whether it refers to something adults do to babies (**los bebés**) or to themselves (**los adultos**).

	LOS BEBÉS	LOS ADULTOS
1.	☐	☐
2.	☐	☐
3.	☐	☐
4.	☐	☐
5.	☐	☐
6.	☐	☐
7.	☐	☐
8.	☐	☐

Actividad D   Problemas y soluciones

Match each problem with the most appropriate solution.

EL PROBLEMA

1. _____ Tienes que recordarte de una cita importante.

2. _____ Carlos se despierta tarde y tiene un examen en quince minutos.

3. _____ La hermanita de Roberto se distrae (*becomes distracted*) fácilmente.

4. _____ Paula ve a sus amigos en la cafetería.

5. _____ El hijo de Patty es pequeño y no sabe ponerse bien los zapatos.

6. _____ Tienes que recordarle a tu compañero de casa de pagar una cuenta.

LA SOLUCIÓN

a. Lo viste para la escuela.
b. Le escribes un mensaje.
c. Se viste para clase sin ducharse.
d. Se sienta con ellos.
e. La sienta en el comedor, donde no hay televisor, para hacer su tarea.
f. Te escribes una nota.

Go to page 140 to complete **¡Acción! 4.**

TERCERA PARTE

Vocabulario

¿Te gusta lavar la ropa?   Domestic Chores and Routines

Actividad A   Asociaciones

Empareja los verbos con los objetos correspondientes.

1. _____ lavar
2. _____ quitar
3. _____ pasar
4. _____ planchar
5. _____ barrer
6. _____ sacar
7. _____ hacer

a. el piso
b. la cama
c. los platos y la ropa
d. el polvo
e. la basura
f. la ropa
g. la aspiradora

Nombre _____ Fecha _____ Clase _____

Actividad B   Los quehaceres domésticos

Escucha los quehaceres domésticos y empareja cada uno con la descripción correspondiente.

1. _____ Es pasar una escoba (*broom*).

2. _____ Es algo que hacemos para quitarle a la ropa las arrugas (*wrinkles*).

3. _____ Muchas personas hacen esto después de levantarse para arreglar un poco la habitación.

4. _____ Para hacer esto, es preferible usar un buen detergente.

5. _____ Muchos hacen esto con jabón y una esponja (*sponge*) después de cada comida.

6. _____ Es limpiar la alfombra.

7. _____ Es pasar el plumero (*feather duster*).

Actividad C   ¿Qué se usa?

Indica la(s) palabra(s) correcta(s) para completar cada oración.

1. Para lavar los platos necesitas…
   a. ropa.
   b. jabón.
   c. aspiradora.

2. Para limpiar la alfombra utilizas…
   a. la aspiradora.
   b. la estufa.
   c. una plancha.

3. Quitas el polvo de…
   a. la secadora.
   b. la aspiradora.
   c. los muebles.

4. Al barrer, limpias…
   a. la cama.
   b. el piso.
   c. la ropa.

5. Después de lavar la ropa la pones en…
   a. el microondas.
   b. la secadora.
   c. el horno.

6. Pones el helado en…
   a. la nevera.
   b. la estufa.
   c. la plancha.

7. Lavas los platos en…
   a. el comedor.
   b. la sala.
   c. la cocina.

Go to page 141 to complete ¡**Acción! 5.**

Gramática

¿Para mí?

Introduction to **por** Versus **para**

 Actividad D   ¿Por qué?

Listen to each sentence or question, then indicate the correct preposition to complete the response. You will hear each sentence or question twice.

1. ¿_____ mí?

   ☐ Por

   ☐ Para

2. ¿_____ cuándo?

   ☐ Por

   ☐ Para

3. _____ la mañana.

   ☐ Por

   ☐ Para

4. Vas a pasar _____ Madison, ¿no?

   ☐ por

   ☐ para

5. Sí, y sustituyo la carne _____ el tofu.

   ☐ por

   ☐ para

6. Así que (*so*), lo hiciste _____ ella, ¿verdad?

   ☐ por

   ☐ para

Nombre _____ *Fecha* _____ *Clase* _____

Actividad E   ¿Por o para?

Indicate the correct preposition to complete each sentence.

1. Mi hermano me fastidia (*annoys*) _____ placer (*pleasure*).

    ☐ por

    ☐ para

2. Voy _____ Miami mañana. Tengo familia allí.

    ☐ por

    ☐ para

3. Este contrato es _____ ti.

    ☐ por

    ☐ para

4. No hay vuelos (*flights*) directos. Tienes que pasar _____ Atlanta.

    ☐ por

    ☐ para

5. No tengo energía _____ la tarde.

    ☐ por

    ☐ para

6. Tengo que escribir la composición _____ el lunes.

    ☐ por

    ☐ para

7. Presté (*I gave*) servicio militar _____ mi país.

    ☐ por

    ☐ para

8. Esta tienda vende ropa _____ niños.

    ☐ por

    ☐ para

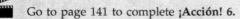 Go to page 141 to complete ¡**Acción!** 6.

▲ ¡A escuchar!

Actividad A   Doña Isabel

Paso 1   Escucha la conversación del **Episodio 5** entre Carlos y su madre, doña Isabel. Llena los espacios en blanco con las palabras o frases que oyes.

ISABEL: Cuando _____[1] tu papá, te encargaste de los _____.[a2] Yo ya estaba[b]

vieja y tu hermana tenía[c] otros _____.[3]

CARLOS: Sí. Ella _____[4] ha tenido[d] otros intereses.

ISABEL: ¡Carlos! ¡Estás grande _____[5] _____[6] resentido!

[a]te... *you took over the business*   [b]*was*   [c]*had*   [d]*ha... has had*

Paso 2   Indica si las siguientes oraciones son ciertas o falsas.

	CIERTO	FALSO
1. El padre de Carlos está vivo.	☐	☐
2. La hermana de Carlos se encargó de «Sol y viento».	☐	☐

Paso 3   Escucha el segmento una vez más. Basándote en el contexto, contesta las siguientes preguntas.

1. ¿Cuál es el tono de voz (*tone of voice*) de Carlos cuando habla de su hermana y sus intereses?

   a. algo (*a little*) negativo
   b. muy positivo

2. Según el contexto, ¿qué significa *resentido*? _____

Actividad B   No es una profesora típica

Paso 1   Escucha el segmento del **Episodio 5** en que Jaime le dice a María que no es una profesora típica. Luego, contesta las siguientes preguntas.

	SÍ	NO
1. Jaime cree que María es una profesora típica.	☐	☐
2. María se viste de manera formal.	☐	☐

Paso 2   Escucha la conversación de nuevo. Basándote en el contexto, contesta las siguientes preguntas.

1. ¿Qué frase de dos palabras significa *really* or *seriously*? _____

2. ¿Qué significa el verbo **limitarse** en el siguiente contexto: «...Ud. no se limita a su sala de

   clases, a sus libros»? _____

✎ **Para escribir**

Antes de escribir

Paso 1 Para esta actividad, vas a escribir una breve composición sobre los eventos más importantes en *Sol y viento* hasta el momento. Para comenzar, indica (✔) los eventos más importantes para narrar la historia. (Los espacios en blanco son para el **Paso 2**.)

_____ ☐ Jaime llegó a Santiago.

_____ ☐ Jaime conoció a María en el Parque Forestal.

_____ ☐ Mario se ofreció como chofer.

_____ ☐ Jaime llamó a Carlos.

_____ ☐ Jaime conoció a Carlos.

_____ ☐ Jaime conoció a Yolanda, la esposa de Traimaqueo.

_____ ☐ Jaime supo que Carlos le había mentido (*had lied to him*).

_____ ☐ Jaime salió a correr.

_____ ☐ Carlos le sirvió a Jaime una copa de un vino especial.

_____ ☐ Jaime dio con (*ran into*) María otra vez.

_____ ☐ Traimaqueo le dio a Jaime un tour de la bodega y la viña.

_____ ☐ Jaime invitó a María a tomar algo y ella aceptó.

Paso 2 Pon los eventos que marcaste en orden cronológico. Escribe los números en los espacios en blanco del **Paso 1**.

A escribir

Paso 1 Usa los eventos del **Paso 1** para escribir un borrador en una hoja de papel aparte. Las palabras y frases a continuación te pueden ser útiles.

al día siguiente	the next day
después	afterwards
después de + (*noun/infinitive*)	after + (*noun/gerund*)
entonces	then
luego	then
más tarde	later
pero	but
y	and

Paso 2 Repasa bien lo que has escrito (*you have written*). ¿Quieres agregar (*to add*) oraciones para hacer la narración más interesante? Por ejemplo, en vez de decir: «Jaime fue al Parque Forestal para correr. Allí conoció a María», escribe algo como «Jaime fue a correr en el Parque Forestal donde conoció a María, una mujer joven, atractiva e inteligente».

Paso 3 Intercambia tu composición con la de un compañero (una compañera) de clase. Mientras lees su composición, revisa los siguientes puntos.

☐ el significado y el sentido en general

☐ la concordancia entre sustantivo y adjetivo

☐ la concordancia entre sujeto y verbo

☐ la ortografía

Al entregar la composición

Usa los comentarios de tu compañero/a de clase para escribir una versión final de tu composición. Repasa los siguientes puntos sobre el lenguaje y luego entrégale la composición a tu profesor(a).

☐ la concordancia entre sustantivos y adjetivos

☐ la forma correcta de verbos en el pretérito

Nombre _____ Fecha _____ Clase _____

🎬 ¡Acción!

¡Acción! 1   En la universidad

Imagina que un amigo viene a estudiar en tu universidad. Escríbele una carta de veinticinco a cincuenta palabras para describir la vivienda aquí. ¿Qué opciones hay? ¿Es caro vivir aquí?

¡Hola, _____ !:

_____

_____

_____

_____

_____

_____

Un saludo,

_____ (tu nombre)

¡Acción! 2   ¿Buen compañero de cuarto?

Las siguientes oraciones describen lo que un compañero de cuarto hizo ayer. Primero, completa cada una con la forma correcta del verbo entre paréntesis. Luego, indica si te molesta lo que hizo o no. Cuando termines, indica si crees que Uds. podrían (could) ser buenos compañeros de cuarto o no.

	ME MOLESTA.	NO ME MOLESTA.
1. _____ (Dormir) hasta mediodía.	☐	☐
2. Le _____ (pedir) prestados (he borrowed) unos CDs a su compañero de cuarto.	☐	☐
3. Se _____ (servir) una porción de pizza que alguien dejó en el refrigerador.	☐	☐
4. Se _____ (divertir) hasta tarde con sus amigos.	☐	☐
5. Se _____ (sentir) ofendido cuando le dijeron que el apartamento no estaba limpio.	☐	☐
6. _____ (Conseguir) un gato como mascota.	☐	☐

Seríamos (We would be) buenos compañeros de cuarto.

☐ ¡Por cierto!

☐ Quizás. (Perhaps.)

☐ ¡Ni modo! (No way!)

¡Acción! 3   Mi casa

Contesta las siguientes preguntas sobre tu hogar. Escribe oraciones completas.

1.   ¿Cuántos cuartos tiene?

_____

2.   Describe el exterior. ¿Tiene garaje? ¿patio? ¿jardín? ¿balcón?

_____

3.   ¿Cómo es tu habitación?

_____

4.   ¿Cómo es la cocina?

_____

5.   ¿Qué muebles y decoraciones hay?

_____

¡Acción! 4   ¿Quién te conoce?

Paso 1   ¿Te conoces bien? Contesta las siguientes preguntas sobre tu comportamiento (*behavior*). Escribe oraciones completas.

1.   ¿A qué actividades te dedicas?

_____

2.   ¿En qué situaciones te pones límites?

_____

3.   ¿En qué situaciones o con quién te expresas bien?

_____

4.   ¿En qué momentos te hablas a ti mismo/a?

_____

5.   ¿Cuándo y cómo te diviertes?

_____

6.   ¿Qué tipo de persona te imaginas que eres?

_____

Paso 2   ¿Los demás te conocen bien? ¿Hay otra persona que podría (*could*) contestar las preguntas del **Paso 1** para ti? Contesta la pregunta a continuación.

MODELO: ¿Quiénes te conocen bien? →
          Nadie me conoce realmente. (Mis padres me conocen muy bien.)

¿Quiénes te conocen bien?

_____

Nombre _____ *Fecha* _____ *Clase* _____

¡Acción! 5　¿Tienes la casa limpia?

Contesta las siguientes preguntas sobre tu rutina de quehaceres domésticos. Escribe oraciones completas.

1. ¿Con qué frecuencia lavas los platos?

   _____

2. ¿Con qué frecuencia limpias el baño?

   _____

3. ¿Qué usas para quitar el polvo?

   _____

4. ¿Qué usas para lavar la ropa?

   _____

5. ¿Con qué frecuencia barres el piso?

   _____

¡Acción! 6　Personas famosas

Dé el nombre de una persona que hizo cada una de las siguientes cosas, y describe lo que pasó en una o dos oraciones. Trata de pensar en figuras históricas y políticas.

MODELO: alguien que hizo muchas cosas por el bienestar (*well-being*) de la sociedad →
　　　　　Benjamin Franklin hizo muchas cosas por el bienestar de la sociedad.
　　　　　Descubrió la electricidad, inventó los anteojos (*eyeglasses*) y fue uno de los
　　　　　fundadores (*founders*) de los Estados Unidos.

1. alguien que murió por su patria (*country*)

   _____

   _____

2. alguien que hizo algo bueno para mejorar la sociedad

   _____

   _____

3. alguien que viajó por un lugar (continente, país) muy poco conocido

   _____

   _____

4. alguien que fue elegido (*selected*) para una misión importante

   _____

   _____

LECCIÓN

5A

La tecnología y yo

OBJETIVOS

IN THIS LESSON, YOU WILL CONTINUE TO PRACTICE:

▶ words and expressions associated with computers and the Internet

▶ using verbs like **gustar** to talk about what interests you, bothers you, and so forth

▶ talking about useful electronic devices

▶ avoiding redundancy by using direct and indirect object pronouns together

▶ talking about your pastimes and activities now and when you were younger

▶ using imperfect verb forms to talk about what you used to do

PRIMERA PARTE ■■■■■■■■■■■■■■■■

Vocabulario

Mi computadora

Computers and Computer Use

 Actividad A   ¿La computadora o la red?

Indica si la palabra que oyes se asocia con la computadora o la red.

	LA COMPUTADORA	LA RED
1.	☐	☐
2.	☐	☐
3.	☐	☐
4.	☐	☐
5.	☐	☐
6.	☐	☐
7.	☐	☐
8.	☐	☐

Actividad B   Usando la computadora

Pon en orden (del 1 al 7) las oraciones que describen algunas de las actividades típicas en la computadora. La primera está marcada.

_____ Se leen los mensajes nuevos.

_____ Se abre el programa del correo electrónico.

_____ Se hace clic en el botón «responder».

_____ Se escribe la contraseña para usar la computadora.

_____ Se apaga el programa del correo electrónico y la computadora.

___1__ Se enciende la computadora.

_____ Se escribe un mensaje y se le manda a la persona original.

Nombre _____ *Fecha* _____ *Clase* _____

Actividad C ¿Ventaja o desventaja? (*Advantage or disadvantage?*)

Las computadoras nos ofrecen muchas ventajas, pero presentan problemas también. Lee las oraciones e indica la respuesta más lógica. ¡OJO! En algunos casos, hay más de una respuesta posible.

		VENTAJA	DESVENTAJA
1.	Puedes estar en contacto con personas de todas partes del mundo.	☐	☐
2.	Hay que guardar los documentos con frecuencia.	☐	☐
3.	Las páginas Web contienen todo tipo de información.	☐	☐
4.	Los estudiantes pueden hacer una búsqueda en la red en vez de tener que ir a la biblioteca.	☐	☐
5.	Se puede descargar música.	☐	☐
6.	A veces las computadoras se congelan.	☐	☐
7.	El disco duro guarda muchísima información.	☐	☐

Go to page 13 to complete **¡Acción! 1.**

Gramática

¡Me fascina!   Verbs Like **gustar**

Actividad D Reacciones típicas

For each situation, select the response that makes the most sense.

1. Dos personas reciben una tarjeta electrónica el día de su aniversario.

   a. Les agrada.   **b.** No les importa.

2. Unos profesores descubren que sus estudiantes comparten por correo electrónico las respuestas para un examen.

   a. Les parece bien.   **b.** Les molesta mucho.

3. Los empleados de una compañía no pueden descargar documentos necesarios por correo electrónico.

   a. Les encanta.   **b.** No les gusta.

4. Dos secretarias reciben documentos electrónicos con virus destructivos.

   a. Les cae bastante bien.   **b.** Les cae muy mal.

5. Unos estudiantes intentan hacer una tarea en el Internet, pero el enlace no funciona.

   a. No les molesta.   **b.** Les molesta.

6. Los ejecutivos ocupados (*busy*) reciben el mismo mensaje de sus empleados diez veces.

   a. No les agrada.   **b.** Les encanta.

Actividad E   ¿Afición o fobia?

Paso 1   Listen to each statement and indicate if the speaker is a computer fan (**Es aficionado/a**) or someone who is afraid of computers (**Tiene fobia**).

	ES AFICIONADO/A.	TIENE FOBIA.
1.	☐	☐
2.	☐	☐
3.	☐	☐
4.	☐	☐
5.	☐	☐
6.	☐	☐
7.	☐	☐
8.	☐	☐

Paso 2   Now listen to the statements from **Paso 1** again and indicate if you agree with the speaker (**A mí sí/también**) or not (**A mí no/tampoco**). Are you a fan of computers?

1. ☐ A mí también.

    ☐ A mí no.

2. ☐ A mí también.

    ☐ A mí no.

3. ☐ A mí sí.

    ☐ A mí tampoco.

4. ☐ A mí también.

    ☐ A mí no.

5. ☐ A mí también.

    ☐ A mí no.

6. ☐ A mí sí.

    ☐ A mí tampoco.

7. ☐ A mí también.

    ☐ A mí no.

8. ☐ A mí sí.

    ☐ A mí tampoco.

Go to page 14 to complete ¡Acción! 2.

Nombre _____ *Fecha* _____ *Clase* _____

SEGUNDA PARTE

Vocabulario

Mi celular   Electronic Devices

Actividad A   Los aparatos electrónicos

Paso 1   Indica si cada aparato electrónico que oyes es normalmente fijo o portátil.

	FIJO/A	PORTÁTIL
1.	☐	☐
2.	☐	☐
3.	☐	☐
4.	☐	☐
5.	☐	☐
6.	☐	☐

Paso 2   Ahora escucha la lista de aparatos del **Paso 1** otra vez y empareja cada uno con la palabra o frase correspondiente de la lista.

1. _____
2. _____
3. _____
4. _____
5. _____
6. _____

a. los números
b. las películas
c. los documentos urgentes
d. la música
e. las fotos
f. los mensajes de texto (*text messages*)

Actividad B   Un mundo electrónico

Empareja las actividades y los accesorios con el aparato correspondiente. ¡OJO! Algunos se asocian con más de un aparato.

	EL TELEVISOR	EL TELÉFONO
1. el celular	☐	☐
2. el juego electrónico	☐	☐
3. la máquina fax	☐	☐
4. el mando a distancia	☐	☐
5. el buzón de voz	☐	☐

Actividad C   ¿Funciona o no?

Indica si el aparato descrito funciona o no.

	FUNCIONA.	NO FUNCIONA.
1. Enciendes la computadora y la pantalla te pide la contraseña.	☐	☐
2. En el estéreo se saltan (skip) algunas partes de las canciones.	☐	☐
3. La máquina fax no está conectada al teléfono.	☐	☐
4. Estás trabajando en la computadora y el programa se congela.	☐	☐
5. No puedes cambiar de canal con el mando a distancia.	☐	☐
6. Marcas un número en el celular, pero ese número está comunicado (busy).	☐	☐
7. La calculadora te dice que dos más dos son cinco.	☐	☐

Go to pages 14–15 to complete ¡Acción! 3.

Nombre _____ Fecha _____ Clase _____

Gramática

Ya te lo dije.   Double-Object Pronouns

Actividad D   ¿Me lo haces?

Listen to the questions and match each one to the correct response. You will hear each question twice.

1. _____
2. _____
3. _____
4. _____
5. _____
6. _____
7. _____
8. _____

a. Ya te las di.
b. Sí, sí. Se lo digo.
c. Ya te los devolví (returned).
d. Te la dejé en tu cuarto.
e. Creo que ya te lo di, ¿no?
f. No, ¿me la puedes explicar?
g. Sí, claro. ¿Me las puedes poner en el comedor?
h. Sí, ¿me lo puedes traer?

Actividad E   ¿Eres independiente o no?

Paso 1   Read each question, then circle the responses to each that are *not* grammatically possible.

1. ¿Te limpia la cocina otra persona?

   a. No, me la limpio yo.
   b. No, no me lo limpia.
   c. Sí, me la limpia.
   d. Sí, te la limpia.

2. ¿Te dicen tus padres: «Llámanos más»?

   a. No, no me lo dicen.
   b. No, no se lo dicen.
   c. Sí, me la dicen.
   d. Sí, me lo dicen.

3. ¿Te lava los platos otra persona?

   a. No, no me las lava.
   b. No, me los lavo yo.
   c. Sí, me los lava.
   d. Sí, se los lavo yo.

4. ¿Te da dinero otra persona?

   a. No, no me lo da.
   b. No, no se lo doy.
   c. Sí, me lo da.
   d. Sí, me la da.

(continued)

Lección 5A   **7**

5. ¿Te paga las cuentas otra persona?

    a. No, no se las pago.
    b. No, me las pago yo.
    c. Sí, me las paga.
    d. Sí, me los paga.

Paso 2 Of the remaining answers for each item in **Paso 1,** write the letter of the one that describes your personal situation.

    1. ____   **2.** ____   **3.** ____   **4.** ____   **5.** ____

Paso 3 Use the following key to determine how independent you are.

    a or **b** = 1 point   **c** or **d** = 0 points

    (1.) ____ + (2.) ____ + (3.) ____ + (4.) ____ + (5.) ____ = _____

    5 = muy independiente   0 = muy consentido/a (*pampered*)

Actividad F ¿Se te aplica?

Indicate the most logical response for each situation.

1. Mis amigos me piden dinero, pero no lo tengo.

    a No se lo doy.   **b.** No me lo dan.   **c.** Se lo doy.

2. Mi amigo tiene un problema, pero no quiere mis consejos.

    a. Me los pide igualmente.   **b.** No se los doy.   **c.** No me los da.

3. Tengo unos libros de texto que mi amigo necesita por un día y yo no los necesito.

    a. Me los da.   **b.** Se los doy.   **c.** Se lo doy.

4. Mi amiga olvidó (*forgot*) traer dinero en efectivo para su refresco y no aceptan tarjetas de crédito.

    a. Se lo pago.   **b.** Me la paga.   **c.** Me lo paga.

5. Una compañera me pide una goma de borrar (*eraser*) durante un examen.

    a. Me la pasa.   **b.** Se la doy.   **c.** Se lo doy.

6. Mi profesor hace una pregunta en clase y yo sé la respuesta.

    a. Me la contesta.   **b.** Se lo dice.   **c.** Se la contesto.

7. Encontré las monedas que perdió mi hermano.

    a. Me las da.   **b.** Se las doy.   **c.** Se lo doy.

Go to page 15 to complete ¡Acción! 4.

Nombre _____ *Fecha* _____ *Clase* _____

T E R C E R A   P A R T E

Vocabulario

Mi niñez y juventud

Typical Childhood
and Adolescent Activities

 Actividad A   ¿Cómo se portan?

Escucha las descripciones e indica si los niños se portan bien o mal.

	SE PORTAN BIEN.	SE PORTAN MAL.
1.	☐	☐
2.	☐	☐
3.	☐	☐
4.	☐	☐
5.	☐	☐
6.	☐	☐
7.	☐	☐
8.	☐	☐

Actividad B   ¿Niños sedentarios (*inactive*)?

Indica si la actividad es sedentaria o activa.

		SEDENTARIA	ACTIVA
1.	jugar a los videojuegos	☐	☐
2.	pelearse con los hermanos	☐	☐
3.	correr	☐	☐
4.	dibujar	☐	☐
5.	leer las tiras cómicas	☐	☐
6.	jugar al escondite	☐	☐

Actividad C   ¿Cómo es?

Indica el adjetivo que mejor describa a cada tipo de persona.

1. Una niña a quien le gusta meterse en líos es...

   a. imaginativa.   **b.** traviesa.   **c.** adaptable.

2. Un chico prudente que toma muchas precauciones es...

   a. precavido.   **b.** impaciente.   **c.** torpe.

3. Los niños que no dicen la verdad son...

   a. obedientes.   **b.** mentirosos.   **c.** cabezones.

4. Un hijo que siempre hace lo que le dicen sus padres es...

   a. torpe.   **b.** travieso.   **c.** obediente.

5. Los niños que quieren todo inmediatamente son...

   a. impacientes.   **b.** obedientes.   **c.** imaginativos.

6. Una niña que no escucha a nadie es...

   a. cabezona.   **b.** traviesa.   **c.** precavida.

Go to page 16 to complete ¡Acción! 5.

Gramática

¿En qué trabajabas?

Introduction to the
Imperfect Tense

Actividad D   ¿Qué hacía?

An eighty-year-old man describes his childhood. Indicate if what he says is a lie (**mentira**) or if it's possibly true (**posible**).

		MENTIRA	POSIBLE
1.	Me burlaba de (*I made fun of*) las niñas para hacerlas llorar (*cry*).	☐	☐
2.	Escribía la tarea en la computadora.	☐	☐
3.	Me encantaba jugar al escondite.	☐	☐
4.	Coloreaba encima de los cuadros de Picasso.	☐	☐
5.	Salía con Shakira.	☐	☐
6.	Iba al cine con amigos.	☐	☐

Nombre _____ *Fecha* _____ *Clase* _____

Actividad E   ¡Es mucho más fácil!

Match each electronic device with the problem or situation that it solves or changes.

Antes de comprarme…

1. _____ la barra de memoria…
2. _____ la cámara digital…
3. _____ el buzón de voz…
4. _____ los videojuegos…
5. _____ el mando a distancia…
6. _____ la máquina fax…
7. _____ la computadora…
8. _____ el teléfono celular…

a. me levantaba con frecuencia.
b. no recibía mensajes.
c. no podía transportar información.
d. escribía a máquina (*on a typewriter*).
e. jugaba a las cartas.
f. usaba los teléfonos públicos.
g. gastaba mucho dinero en revelar los carretes (*developing film*).
h. mandaba los documentos por correo.

Actividad F   ¿Cómo era y cómo es hoy?

Listen to a woman describe what she was like and what she used to do as a child compared to now. Then indicate whether the statements below are true or false, based on what she says.

	CIERTO	FALSO
1. Era torpe.	☐	☐
2. Es físicamente activa.	☐	☐
3. Es sedentaria.	☐	☐
4. Era obediente.	☐	☐
5. Es imaginativa.	☐	☐
6. Usa muchos aparatos.	☐	☐
7. Es rebelde (*rebellious*).	☐	☐
8. Era traviesa.	☐	☐

Go to page 16 to complete ¡Acción! 6.

▲ ¡A escuchar!

Actividad A   Un regalo de los dioses (*gods*)

Paso 1   Escucha la conversación entre Jaime y Traimaqueo. Llena los espacios en blanco con las palabras que oyes.

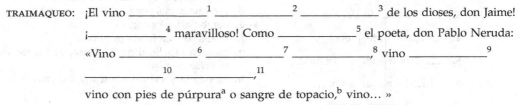

TRAIMAQUEO: ¡El vino _____¹ _____² _____³ de los dioses, don Jaime! ¡_____⁴ maravilloso! Como _____⁵ el poeta, don Pablo Neruda: «Vino _____⁶ _____⁷ _____,⁸ vino _____⁹ _____¹⁰ _____,¹¹

vino con pies de púrpuraᵃ o sangre de topacio,ᵇ vino… »

JAIME: Ya _____¹² _____¹³ _____,¹⁴ señor. Su pasión es _____.¹⁵

ᵃpies… *purple feet*   ᵇsangre… *topaz-colored blood*

Paso 2   Escucha el segmento de nuevo. Luego, indica si las siguientes oraciones son ciertas o falsas.

		CIERTO	FALSO
1.	Traimaqueo ve el vino como algo malo.	☐	☐
2.	Jaime cree que la pasión por el vino que tiene Traimaqueo es evidente.	☐	☐

Actividad B   Hijo de campesinos (*farmworkers*)

Paso 1   Escucha la conversación entre Jaime y María. Luego, indica si las siguientes oraciones son ciertas o falsas.

		CIERTO	FALSO
1.	Jaime sabe mucho de vino porque sus padres eran campesinos y ha estado rodeado (*he has been surrounded*) de uvas (*grapes*) toda su vida.	☐	☐
2.	Jaime vivía con sus padres en el Valle Central de California.	☐	☐

Paso 2   Escucha el segmento de nuevo. Basándote en el contexto, contesta las siguientes preguntas.

1. ¿Qué palabra significa *a little*? _____

2. ¿Qué palabra se usa para pedir una aclaración (*clarification*) cuando uno no comprende bien lo que alguien le dice? _____

Nombre _____ *Fecha* _____ *Clase* _____

▦ ¡Acción!*

¡Acción! 1   ¿Te ayuda? (*Does it help you?*)

Explica en una o dos oraciones si las siguientes actividades relacionadas con las computadoras te ayudan a aprender el español o no.

MODELO: leer el periódico de un país hispanohablante →
        Leer el periódico me ayuda a aprender más vocabulario y a saber más de otro país.

1. descargar la música en español

_____

_____

2. comunicarme con los compañeros de la clase de español por correo electrónico

_____

_____

3. intercambiar mensajes en el Internet con alguien de un país de habla española

_____

_____

4. escribir mis tareas en un programa que tiene diccionario de español

_____

_____

5. buscar enlaces interesantes a las páginas Web en español

_____

_____

6. participar en una sala de chat en español

_____

_____

_____

---

*As with Volume 1 of the *Manual de actividades,* the **¡Acción!** activities are designed to be completed as you finish the corresponding sections in the lesson. There are no answers in the Answer Key for these activities. When you have completed all of the **¡Acción!** activities, you should tear them out of the *Manual* and turn them in to your instructor.

¡Acción! 2   ¿Qué te interesa en la red?

Usa las siguientes expresiones en dos oraciones completas para describir y explicar los tipos de página Web que te interesan o no.

encantar	gustar	interesar
fascinar	importar	molestar

MODELOS: las noticias →

Me importa saber lo que pasa en el mundo. Me gusta leer las noticias (*news*) en la red. (No me interesan las noticias. Me molesta leer cosas negativas.)

1. los deportes

    _____

2. los pasatiempos (*hobbies*)

    _____

3. los rompecabezas (*puzzles*) y otros juegos

    _____

4. las compras

    _____

5. las tiras cómicas y los chistes

    _____

6. otro

    _____

¡Acción! 3   ¿Ayuda o molesta?

Escribe una oración que describe cómo cada uno de los siguientes aparatos electrónicos pueden ser útiles o una molestia (*nuisance*).

MODELO: el estéreo →

Uno puede relajarse (*relax*) con la música del estéreo, pero el estéreo puede molestar cuando el volumen está demasiado alto.

1. el celular

    _____

    _____

2. la cámara digital

    _____

    _____

3. el mando a distancia

    _____

    _____

Nombre _____ *Fecha* _____ *Clase* _____

4. la computadora portátil

_____

_____

5. el televisor

_____

_____

6. la videocámara

_____

_____

¡Acción! 4   ¿Cómo son tus relaciones con tus amigos?

Paso 1   Contesta las siguientes preguntas sobre las relaciones entre tú y un buen amigo (una buena amiga). Usa oraciones completas.

1.   ¿Te pide consejos (*advice*) tu amigo/a?

_____

2.   ¿Le pides tú consejos a él/ella?

_____

3.   ¿Te presta (*he/she lend*) dinero? ¿Le devuelves (*you return*) el dinero pronto (*soon*)?

_____

4.   ¿Le prestas dinero tú a él/ella? ¿Te devuelve el dinero pronto?

Paso 2   Basándote en tus respuestas a las preguntas del **Paso 1,** indica cuáles de las declaraciones son ciertas para tus relaciones con tu amigo/a.

☐ Somos generosos/as con los consejos.

☐ No somos generosos/as con los consejos.

☐ Somos generosos/as con el dinero.

☐ No somos generosos/as con el dinero.

¡Acción! 5   Las emociones de la niñez

Paso 1   Escribe una oración completa que describe las emociones que asocias o asociabas de niño/a con las siguientes frases. Explica por qué.

> MODELO: sacar la licencia de conducir →
> Sacar la licencia de conducir causa muchas tensiones porque es muy importante, pero también muy difícil.

1. leer las tiras cómicas

_____

_____

2. enamorarse

_____

_____

3. pelearse con otros niños

_____

_____

4. meterse en líos

_____

_____

Paso 2   En general, ¿con qué emociones asocias tu niñez?

_____

_____

¡Acción! 6   De niño/a

Habla con un pariente o amigo/a mayor que tú y hazle preguntas sobre lo que él/ella hacía de niño/a. Luego, escribe un párrafo de veinticinco a cincuenta palabras para describir la niñez y juventud de esa persona. (Si prefieres, puedes describir tu propia [*your own*] niñez o juventud.)

_____

_____

_____

_____

_____

_____

Nombre _____ Fecha _____ Clase _____

LECCIÓN

5B

Érase una vez...

OBJETIVOS

IN THIS LESSON, YOU WILL CONTINUE TO PRACTICE:

▶ expressing years, decades, and centuries

▶ using the preterite and the imperfect together to narrate events

▶ talking about important historical events

▶ talking about important personal events

PRIMERA PARTE ■□■■□■■□■■□■■□■■□■■□■■□■■□■

Vocabulario

En 1972...   Numbers 1,000 and Higher

 Actividad A   ¿En qué orden?

▲ Apunta (*Jot down*) los números que oyes y luego ponlos en orden, del menor al mayor. Vas a oír cada número dos veces.

	NÚMERO	ORDEN
1.	_____	_____
2.	_____	_____
3.	_____	_____
4.	_____	_____
5.	_____	_____
6.	_____	_____
7.	_____	_____
8.	_____	_____

Actividad B   ¿En qué siglo?

Primero, escribe cada año en números. Luego, empareja el año con el siglo correspondiente. El primero ya está hecho (*is done*) para ti.

1. __g__ mil ochocientos setenta y tres: ___1873___

2. _____ mil diez: _____

3. _____ mil seiscientos veintitrés: _____

4. _____ mil doscientos ochenta y seis: _____

5. _____ mil trescientos doce: _____

6. _____ dos mil cincuenta y dos: _____

7. _____ mil cuatrocientos noventa y dos: _____

8. _____ mil setecientos setenta y seis: _____

a. XI (once)
b. XIII (trece)
c. XIV (catorce)
d. XV (quince)
e. XVII (diecisiete)
f. XVIII (dieciocho)
g. XIX (diecinueve)
h. XXI (veintiuno)

🎬 Go to page 29 to complete ¡Acción! 1.

Nombre _____ *Fecha* _____ *Clase* _____

Gramática

¿Qué hacías cuando te llamé?   Contrasting the Preterite and Imperfect

Actividad C   ¿Quién pregunta?

Match each person with an appropriate question.

1. _____ el detective
2. _____ el instructor
3. _____ el policía
4. _____ el médico (*doctor*)
5. _____ el jefe (*boss*)
6. _____ el novio

    a. ¿Cómo te sentías cuando decidiste tomar esa medicina?
    b. ¿Dónde estabas cuando sonó la campana (*the bell rang*)?
    c. ¿En qué pensaba Ud. cuando escribió este informe (*report*)?
    d. ¿Dónde estabas anoche cuando te llamé?
    e. ¿Qué dijo el hombre mientras sacaba el revólver?
    f. ¿Sabe Ud. a qué velocidad (*speed*) iba cuando me pasó?

Actividad D   ¿Qué pasó?

Circle the best option to finish each sentence that you hear. You will hear the beginning of each sentence twice.

1. **a.** cuando tomé el examen.
   b. el día que me gradué.
   c. cuando vi el accidente.

2. **a.** cuando conocí a mi novia.
   b. cuando fui al gimnasio.
   c. cuando asistí a mi primera clase de español.

3. **a.** cuando me gradué de la universidad.
   b. cuando entré en la escuela primaria (*elementary*).
   c. cuando saqué la licencia de conducir.

4. **a.** cuando supe (*I found out*) de la guerra (*war*).
   b. cuando terminé el examen.
   c. cuando llegué al aeropuerto.

5. **a.** cuando me dormí.
   b. cuando me acosté.
   c. cuando me despertó el teléfono.

Actividad E   ¿Dónde estaba?

Match the phrase that would logically complete each sentence.

1. _____ La madre todavía preparaba la cena cuando…

2. _____ Los estudiantes todavía hacían sus exámenes cuando…

3. _____ Antonio todavía levantaba pesas cuando…

4. _____ Laura no oyó el teléfono porque…

5. _____ El ladrón (*thief*) entró y salió con las joyas (*jewelry*) mientras…

6. _____ El equipo perdió el partido que…

7. _____ José Luis quitó la mesa mientras…

8. _____ Los niños veían su programa de televisión favorito cuando…

a. todavía pasaba la aspiradora.
b. se apagaron las luces y el televisor.
c. tenía que ganar para entrar en el campeonato.
d. la familia tomaba el postre y un café en la sala.
e. el profesor dijo que ya era hora de entregárselos (*turn them in*).
f. cerraron el gimnasio.
g. los hijos llegaron a casa para comer.
h. el perro dormía sin oír nada.

Go to page 29 to complete ¡Acción! 2.

SEGUNDA PARTE

Vocabulario

Durante la guerra…   Important Events and Occurrences

Actividad A   ¡Busca el intruso!

Indica la palabra que *no* se asocia con la primera palabra.

1. la guerra

   a. la revolución   b. invadir   c. el terremoto

2. el huracán

   a. el terremoto   b. la lluvia   c. el viento

3. la depresión económica

   a. el dinero   b. las fiestas   c. la pobreza (*poverty*)

4. la exploración

   a. descubrir   **b.** la llegada   **c.** la revolución

5. la independencia

   a. celebrar   **b.** la revolución   **c.** el descubrimiento

Actividad B   Asociaciones

Escucha cada palabra o frase e indica las palabras o expresiones correspondientes.

1. _____   **a.** San Francisco, 1906
                  b. los pasaportes
2. _____   **c.** el espacio y el sistema solar
3. _____   **d.** la Bolsa de valores (*stock market*)
                  e. Katrina, Andrew, Mitch
4. _____   **f.** 1776
                  g. civil
5. _____

6. _____

7. _____

Actividad C   Y todo cambió

Lee cada oración y emparéjala con el evento correspondiente.

1. _____ El presidente caminaba con su guardaespaldas (*bodyguard*) cuando un hombre le disparó (*shot*).

2. _____ Todo iba muy bien cuando los precios subieron hasta el cielo (*climbed sky-high*).

3. _____ La gente dormía cuando todo empezó a temblar (*tremble*).

4. _____ El primer ministro se reunía con unos senadores cuando entraron los militares y tomaron el poder (*power*).

5. _____ El cacique (*chief*) indígena reinaba (*ruled*) sobre su gente cuando llegaron los europeos e impusieron (*imposed*) un nuevo régimen.

6. _____ El cielo se puso (*became*) negro, empezó a llover muchísimo y un viento muy fuerte destruyó (*destroyed*) los árboles.

7. _____ La gente que vivía en la colonia decidió luchar (*to fight*) por su independencia.

a. un golpe de estado (*coup d'état*)
b. un terremoto
c. una revolución
d. un asesinato (*assassination*)
e. una conquista
f. un huracán
g. una crisis económica

Go to page 30 to complete **¡Acción! 3.**

Gramática

¡No lo sabía!

More on Using the Preterite
and Imperfect Together

Actividad D   ¿Qué pasó?

Indicate if the sentences you hear describe actions that have been completed (**realizada**), not completed (**no realizada**), or if it is unknown whether the action was completed or not (**No se sabe**).

	REALIZADA	NO REALIZADA	NO SE SABE
1.	☐	☐	☐
2.	☐	☐	☐
3.	☐	☐	☐
4.	☐	☐	☐
5.	☐	☐	☐
6.	☐	☐	☐
7.	☐	☐	☐
8.	☐	☐	☐

Actividad E   Ya lo conocía

Select the option that best completes each statement.

1. Anoche me presentaron (*they introduced*) a Jason. Así es como…

   a. lo conocía.   **b.** lo conocí.

2. Fue Cristina quien le dijo a Marisela que Alicia y David se separaron. Hasta ese momento, Marisela…

   a. no lo sabía.   **b.** no lo supo.

3. Te llamamos varias veces pero no contestaste. Así que…

   a. no podíamos conseguirte.   **b.** no pudimos conseguirte.

4. José era muy buen amigo mío. Así que ya…

   a. lo conocía bastante bien. **b.** lo conocí en la fiesta.

5. Sergio estudió y enseñó filosofía durante muchos años. Me imagino que…

   a. sabía algo de Aristóteles. **b.** supo algo de Aristóteles.

6. Tomé un curso de tejer (*weaving*) porque…

   a. quería aprender algo nuevo. **b.** quise aprender algo nuevo.

Nombre _____ Fecha _____ Clase _____

Actividad F   Claudia

Listen to what Claudia (a university student) says, then indicate the corresponding sentence. You will hear each of Claudia's statements twice.

1. ☐ Claudia no quería trabajar con David.

   ☐ Claudia no quiso trabajar con David.

2. ☐ Lo conocía bien.

   ☐ Lo conoció hace poco tiempo.

3. ☐ Ya sabía del divorcio de Javier.

   ☐ Supo del divorcio de Javier.

4. ☐ Pudo terminarlo.

   ☐ Podía terminarlo.

5. ☐ Quería ir al cine.

   ☐ Quiso ir al cine.

6. ☐ Conoció Buenos Aires en ese viaje.

   ☐ Ya conocía Buenos Aires.

Go to page 30 to complete **¡Acción! 4.**

TERCERA PARTE

Vocabulario

Me gradué en 2010.

Personal Events, Triumphs, and Failures

Actividad A Los eventos importantes

Lee cada oración y emparéjala con el evento correspondiente.

1. _____ Les regalé una noche de hotel para su luna de miel (*honeymoon*).

2. _____ Les compré ropa de bebé.

3. _____ Le envié una tarjeta de simpatía.

4. _____ Les regalé un adorno (*decoration*) para la casa nueva.

5. _____ La invité a cenar para conocer a gente nueva.

6. _____ Le compramos un bolígrafo elegante y un reloj.

a. la muerte del esposo de Luisa
b. la graduación de Marcos
c. el nacimiento del primer hijo de Carla y Ramón
d. el divorcio de Rosa
e. la boda de Ángela y Pedro
f. la mudanza de Olga y Andrés

Actividad B Opuestos

Escucha cada palabra y emparéjala con la palabra opuesta.

1. _____
2. _____
3. _____
4. _____
5. _____
6. _____
7. _____
8. _____

a. morir
b. quedarse
c. tumultuoso
d. divorciarse
e. perder
f. alegre
g. fracasar
h. pasarlo mal

Go to page 31 to complete **¡Acción! 5.**

Nombre _____ *Fecha* _____ *Clase* _____

Gramática

Tenía 30 años cuando nació mi primer hijo.

Summary of the Preterite
and Imperfect

Actividad C   ¿Te interrumpen?

Indicate whether the interrupting action in each sentence is a help (**ayuda**) or a distraction (**distracción**).

	AYUDA	DISTRACCIÓN
1. **Escribías** un trabajo (*paper*) cuando tu compañero/a de cuarto encendió la televisión.	☐	☐
2. Un joven **conducía** cuando recibió una llamada en el celular.	☐	☐
3. Un estudiante **trabajaba** en la computadora cuando el programa corrigió (*corrected*) la gramática en su última oración.	☐	☐
4. Un joven **conducía** cuando vio que el semáforo (*traffic light*) cambió a rojo.	☐	☐
5. Un estudiante **escribía** en la computadora cuando se abrió un anuncio emergente (*pop-up*) en la pantalla.	☐	☐
6. **Escribías** un trabajo cuando se te ocurrió una buena conclusión.	☐	☐
7. **Hacías** tus planes de boda cuando recibiste un regalo de mil dólares de tus tíos.	☐	☐
8. **Trabajabas** en un proyecto importante cuando tu amigo te llamó para charlar de sus vacaciones.	☐	☐

🎧 Actividad D   ¿Qué pasó?

Match each situation that you hear with the corresponding event.

1. _____
2. _____
3. _____
4. _____
5. _____
6. _____

   a. la muerte
   b. el cumpleaños
   c. la mudanza
   d. la boda
   e. el nacimiento
   f. la graduación

🎬 Go to page 31 to complete ¡Acción! 6.

▲ ¡A escuchar!

Actividad A Mucho trabajo

Paso 1 Escucha la conversación entre Carlos y doña Isabel. Llena los espacios en blanco con las palabras que oyes.

CARLOS: Entonces sabrás[a] que _____¹ _____² _____³ con la viña, mamá.

ISABEL: Cuando _____⁴ tu papá, te encargaste de los negocios. Yo ya _____⁵ vieja y tu hermana _____⁶ _____⁷ _____⁸.

[a]*you must know*

Paso 2 Escucha el segmento de nuevo. Luego, indica si las siguientes oraciones son ciertas o falsas.

	CIERTO	FALSO
1. Doña Isabel era joven (*young*) cuando se murió su marido.	☐	☐
2. Carlos se encargó de los negocios cuando murió su papá.	☐	☐

Actividad B ¿Novio o ayudante?

Paso 1 Escucha la conversación entre María y Jaime. Luego, indica si las siguientes oraciones son ciertas o falsas.

	CIERTO	FALSO
1. Diego es profesor al igual que (*like*) María.	☐	☐
2. Jaime pensó que Diego era el novio de María.	☐	☐

Paso 2 Escucha el segmento de nuevo. Basándote en el contexto, contesta las siguientes preguntas.

1. Fíjate en los usos de la palabra **que** en el diálogo. ¿Cuál es su significado literal en inglés?

   a. *that*　　**b.** *if*　　**c.** *for*

2. En general, ¿qué función pragmática tienen las palabras **que** y **pues** para Jaime en esta conversación?

   a. Es una manera de ganar (*buy*) tiempo para pensar en su respuesta.
   b. Es una manera de expresar tristeza (*sadness*).
   c. Es una manera de expresar alegría (*happiness*).

Nombre _____ *Fecha* _____ *Clase* _____

✍ Para escribir

Antes de escribir

Paso 1   Para esta actividad, vas a escribir una breve narración sobre los eventos del día perfecto desde el punto de vista (*point of view*) de María o Jaime. Para comenzar, indica quién de los dos diría (*would say*) las siguientes oraciones. **¡OJO!** En algunos casos puede ser los dos. (Los espacios en blanco son para el **Paso 2.**)

		JAIME	MARÍA
1.	_____ La esperaba (*I waited*) en la entrada (*entrance*) del funicular.	☐	☐
2.	_____ Leía un artículo con mi foto cuando llegué.	☐	☐
3.	_____ ¡Me besó (*kissed*)!	☐	☐
4.	_____ Se me olvidó (*I forgot*) por completo mi cita con Diego.	☐	☐
5.	_____ Pensé que tenía otro novio (*boyfriend*).	☐	☐
6.	_____ Tomamos una copa de vino y hablamos un poco de mi familia.	☐	☐
7.	_____ Lo pasábamos muy bien cuando llamó Diego.	☐	☐
8.	_____ Tuvo que salir.	☐	☐
9.	_____ Fue un día perfecto.	☐	☐
10.	_____ Su trabajo me parecía muy interesante.	☐	☐
11.	_____ Mientras subíamos en el funicular hablábamos de su trabajo y del mío.	☐	☐

Paso 2   Ahora decide si vas a narrar los eventos del día desde la perspectiva de Jaime o María y pon los eventos del **Paso 1** en orden cronológico. Escribe los números en los espacios en blanco del **Paso 1.**

A escribir

Paso 1   Usa los eventos del **Paso 1** de **Antes de escribir** para escribir un borrador en una hoja de papel aparte. Puedes utilizar las oraciones del personaje que *no* elegiste para dar más información, pero recuerda que vas a tener que cambiar algunos pronombres y verbos. Las palabras y expresiones a continuación te pueden ser útiles.

de repente	suddenly
desafortunadamente	unfortunately
después	afterwards
después de + (*noun/infinitive*)	after + (*noun/gerund*)
entonces	then
luego	then
más tarde	later
pero	but
por fin	finally
y	and

Paso 2   Repasa bien lo que has escrito. ¿Quieres agregar (*to add*) palabras, expresiones u oraciones para hacer la narración más interesante?

Paso 3   Intercambia tu composición con la de un compañero (una compañera) de clase. Mientras lees su composición, revisa los siguientes puntos.

☐ el significado y el sentido en general

☐ la concordancia entre sustantivo y adjetivo

☐ la concordancia entre sujeto y verbo

☐ la ortografía

Al entregar la composición

Usa los comentarios de tu compañero/a de clase para escribir una versión final de tu composición. Repasa los siguientes puntos sobre el lenguaje y luego entrega la composición a tu profesor(a).

☐ el uso del pretérito y del imperfecto

☐ la forma correcta de los pronombres

Nombre _____ *Fecha* _____ *Clase* _____

🎬 ¡Acción!

¡Acción! 1   ¿Cuántos hay?

Contesta cada pregunta con una oración completa. Escribe el número correcto en palabras.

> MODELO: ¿Cuántos minutos hay en veinticuatro horas? → Hay mil cuatrocientos cuarenta minutos en veinticuatro horas.

1. ¿Cuántos segundos hay en una hora?

   _____

2. ¿Cuántas pulgadas (*inches*) hay en doscientos pies (*feet*)?

   _____

3. ¿Cuántos años hay en un milenio (*millennium*)?

   _____

4. ¿Cuántos minutos hay en una semana?

   _____

5. ¿Cuántos milímetros hay en dos metros y medio?

   _____

6. ¿Cuántos huevos hay en dos mil docenas (*dozens*)?

   _____

¡Acción! 2   ¿Le puedo hacer una pregunta?

Escribe preguntas para seis personas históricas para saber qué pasaba cuando hicieron algo importante.

> MODELO: Colón → ¿Adónde iba Ud. cuando llegó a América?

1. _____
2. _____
3. _____
4. _____
5. _____
6. _____

¡Acción! 3   La época actual (*current*)

En tu opinión, ¿qué eventos actuales puedes describir con los siguientes adjetivos? Escribe una oración completa con el adjetivo dado (*given*).

MODELO: difícil → Es una época difícil por los problemas del medioambiente.

1. emocionante

_____

2. estable

_____

3. feliz

_____

4. oscuro

_____

5. pacífico

_____

6. tumultuoso

_____

¡Acción! 4   En esta clase

Contesta las siguientes preguntas sobre tu clase de español. Escribe oraciones completas.

MODELO: ¿A quién(es) conocías en esta clase? →Yo no conocía a nadie.

1. ¿Cómo conociste al profesor (a la profesora)?

_____

2. ¿Qué sabías de este curso antes de tomarlo?

_____

3. ¿Cuánto español sabías antes de este curso?

_____

4. ¿Qué supiste de este curso el primer día?

_____

5. ¿Hay algo que no sabías decir en español pero que ahora sí sabes cómo decirlo?

_____

6. ¿Hay algo que no hiciste para esta clase?

_____

¡Acción! 5   Una definición personal

Escribe un párrafo de veinticinco a cincuenta palabras para definir lo que es tener éxito en tu vida personal.

_____

_____

_____

_____

_____

¡Acción! 6   El fracaso

Contesta las siguientes preguntas. Escribe oraciones completas.

1. ¿Hay algo que intentaste hacer alguna vez pero que no conseguiste hacer?

   _____

2. ¿Cuántos años tenías cuando ocurrió?

   _____

3. ¿Cómo te sentías al fracasar?

   _____

4. ¿Qué dijeron los demás?

   _____

5. ¿Qué hiciste para recuperarte de ese fracaso?

   _____

6. ¿Aprendiste algo de la experiencia?

   _____

Nombre _____ Fecha _____ Clase _____

6A

Vamos al extranjero

OBJETIVOS

IN THIS LESSON, YOU WILL CONTINUE TO PRACTICE:

▶ talking about taking trips and traveling

▶ giving someone instructions using formal commands

▶ giving and receiving directions

▶ talking about restaurants and ordering food

▶ talking about what has happened using the present perfect

PRIMERA PARTE

Vocabulario

Para hacer viajes

Travel Vocabulary

Actividad A   El transporte

Indica si cada oración que escuchas es cierta o falsa.

	CIERTO	FALSO
1.	☐	☐
2.	☐	☐
3.	☐	☐
4.	☐	☐
5.	☐	☐
6.	☐	☐
7.	☐	☐
8.	☐	☐

Actividad B   ¿En qué orden?

Indica en qué orden (del 1 al 7) sueles hacer los preparativos para un viaje en crucero (*cruise ship*).

_____ Paso por seguridad antes de abordar.

_____ Llego al puerto (*port*).

_____ Pido información en una agencia de viajes.

_____ Hago la reservación con tarjeta de crédito.

_____ Subo al barco.

_____ Hago la maleta.

_____ Busco mi cabina en el barco.

Nombre _____ *Fecha* _____ *Clase* _____

Actividad C   El alojamiento

Empareja cada palabra con la definición correspondiente.

1. _____ la habitación

2. _____ el servicio de cuarto

3. _____ la propina

4. _____ el hotel de lujo

5. _____ el botones

6. _____ alojarse/quedarse

a. lo que pide el huésped (*guest*) de un hotel cuando quiere comer en su habitación

b. el dinero que uno da por un buen servicio

c. el empleado de un hotel que lleva las maletas a las habitaciones

d. el lugar en donde duerme un huésped en un hotel

e. pasar una o más noches en un hotel

f. un hotel elegante que tiene piscina, servicio de cuarto, un restaurante excelente, gimnasio…

Go to page 45 to complete ¡**Acción!** **1.**

Gramática

Vuelva Ud. mañana.   Affirmative Formal Commands

Actividad D   El primer viaje

Put the following commands that a travel agent might give a first-time traveler in logical order, from 1 to 8.

_____ Llegue al aeropuerto dos horas antes de la hora de despegue (*takeoff*).

_____ ¡Tenga un buen viaje!

_____ Compre su boleto de avión en la agencia de viajes.

_____ Espere en la sala de espera hasta que anuncien (*until they announce*) su vuelo.

_____ Pase por seguridad.

_____ Haga su maleta la noche antes de salir.

_____ Facture su equipaje con el maletero.

_____ Suba al avión.

Actividad E   ¿Ud. o Uds.?

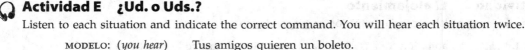

Listen to each situation and indicate the correct command. You will hear each situation twice.

MODELO: (*you hear*)   Tus amigos quieren un boleto.
(*you see*)   ☐ Búsquelo en el Internet.   ☐ Búsquenlo en el Internet.
(*you choose*)   ☑ Búsquenlo en el Internet.

1. ☐ Hagan cola en el mostrador (*at the counter*).   ☐ Haga cola en el mostrador.

2. ☐ Páguele al agente de viajes.   ☐ Páguenle al agente de viajes.

3. ☐ Vayan a pasar por seguridad.   ☐ Vaya a pasar por seguridad.

4. ☐ Duerma durante el vuelo.   ☐ Duerman durante el vuelo.

5. ☐ Pasen por la aduana.   ☐ Pase por la aduana.

6. ☐ Facturen el equipaje.   ☐ Facture el equipaje.

7. ☐ Comience a subir al avión.   ☐ Comiencen a subir al avión.

8. ☐ Sea puntual.   ☐ Sean puntuales.

Actividad F   Situaciones

Read each traveler's statement and match him or her with the corresponding piece of advice.

1. _____ No quiero llevar mucha ropa porque sólo voy por dos días.

2. _____ Quiero bañarme en un jacuzzi después del vuelo.

3. _____ Se me descompuso (*broke down*) el auto en la carretera (*highway*).

4. _____ Acabo de bajar del (*I just got off the*) avión en Francia y no sé qué hacer.

5. _____ Estoy en el avión y hay mucha turbulencia.

6. _____ Estoy en el hotel. Es medianoche y tengo hambre.

a. Llame a alguien con su teléfono celular.
b. Quédese en su asiento.
c. Pida servicio de cuarto.
d. Haga una sola maleta.
e. Quédese en un hotel de lujo.
f. Pase por la aduana.

Go to page 45 to complete ¡**Acción! 2.**

Nombre _____ *Fecha* _____ *Clase* _____

S E G U N D A   P A R T E

Vocabulario

¿Cómo llego?

Giving and Receiving Directions

Actividad A   Direcciones

Selecciona la respuesta correcta.

1. Una cuadra es la distancia entre dos…

   a. calles   **b.** edificios

2. Un plano es un mapa de…

   a. un país   **b.** una ciudad

3. Lo que pregunta un turista en Los Ángeles que quiere saber la distancia que hay a San Francisco.

   a. ¿Cómo se llega a San Francisco?   **b.** ¿Cuánto hay de aquí a San Francisco?

4. Nueva York está al norte de…

   a. Miami   **b.** Seattle

5. Si caminas hacia el sur y doblas a la derecha, ahora vas hacia…

   a. el este   **b.** el oeste

6. Si caminas hacia el este y doblas a la izquierda, ahora vas hacia…

   a. el sur   **b.** el norte

Actividad B   ¿Es lógico o no?

Escucha las oraciones e indica si cada una es lógica o no.

VOCABULARIO ÚTIL

dar la vuelta   to turn around

el semáforo   traffic light

	LÓGICO	ILÓGICO
1.	☐	☐
2.	☐	☐
3.	☐	☐
4.	☐	☐
5.	☐	☐

Actividad C   ¿Cómo se llega?

Escucha las direcciones para llegar a un destino (*destination*) e indica el plano correspondiente. Comienza en la «X».

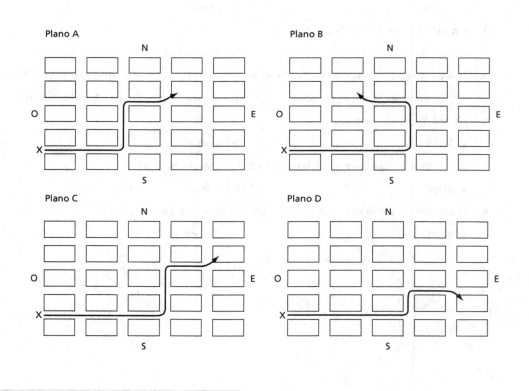

Plano A   Plano B   Plano C   Plano D

Go to page 45 to complete **¡Acción! 3.**

Nombre _____ *Fecha* _____ *Clase* _____

Gramática

¡No vuelvan tarde!   Negative Formal Commands

Actividad D   ¿La maestra (*teacher*) o la madre?

Indicate whether the command you hear is more likely given to children by a teacher (**maestra**) or by their mother (**madre**).

VOCABULARIO ÚTIL

olvidarse de + *infin.*   to forget to (*do something*)

	MAESTRA	MADRE
1.	☐	☐
2.	☐	☐
3.	☐	☐
4.	☐	☐
5.	☐	☐
6.	☐	☐
7.	☐	☐

Actividad E   ¿Conductor o ciclista?

Read the list of instructions and indicate if they are directed to a cyclist (**ciclista**), a driver (**conductor**), or both (**los dos**).

		CICLISTA	CONDUCTOR	LOS DOS
1.	No se olvide de ponerse el casco (*helmet*).	☐	☐	☐
2.	No hable por teléfono celular mientras va a su destino.	☐	☐	☐
3.	No le abroche (*fasten*) el cinturón de seguridad (*seat belt*) a un niño menor de dos años. Siéntelo en un asiento de bebé.	☐	☐	☐
4.	No se suba a las aceras (*sidewalks*): son para los peatones (*pedestrians*).	☐	☐	☐
5.	No viaje por las carreteras.	☐	☐	☐
6.	No se meta en (*get in*) el carril (*lane*) para ciclistas.	☐	☐	☐

Actividad F   En la carretera

Match each situation with the corresponding piece of advice.

1. _____ una persona que va a una fiesta donde sirven muchas bebidas alcohólicas

2. _____ alguien que maneja (*drives*) cuando las calles están mojadas (*wet*)

3. _____ una persona que suele recibir multas (*fines*) porque maneja rápido

4. _____ alguien que tiene accidentes porque maneja distraído (*distracted*)

5. _____ una persona que va a hacer un viaje muy largo en auto

6. _____ una persona impaciente que maneja detrás de (*behind*) otro auto y hay mucho tráfico en el sentido contrario (*oncoming*)

a. No pase por alto (*ignore*) las señales (*signs*) que indican la velocidad máxima.
b. No lo rebase (*pass*).
c. No se olvide de revisar (*check*) el aceite (*oil*) y las llantas (*tires*).
d. No aplique los frenos (*brakes*) rápidamente.
e. No maneje si va a tomar cerveza.
f. No coma ni hable por teléfono mientras maneja.

Go to page 46 to complete ¡**Acción! 4.**

T E R C E R A   P A R T E

Vocabulario

En el restaurante   Dining Out

Actividad A   ¿Sabes poner (*to set*) la mesa?

Indica si cada oración a continuación es cierta o falsa, según las normas para poner una mesa.

	CIERTO	FALSO
1. La cuchara va a la izquierda del plato.	☐	☐
2. El agua se sirve en una taza.	☐	☐
3. El plato va sobre el tenedor.	☐	☐
4. El vino se sirve en una copa.	☐	☐

Nombre _____ Fecha _____ Clase _____

	CIERTO	FALSO
5. Los tenedores van debajo de la servilleta.	☐	☐
6. El mantel (*tablecloth*) va encima del vaso.	☐	☐
7. La leche se sirve en un vaso.	☐	☐
8. El menú va entre los cubiertos.	☐	☐

Actividad B   Definiciones

Empareja cada palabra con la definición correspondiente.

1. _____ los cubiertos	**a.** la persona que prepara la comida en un restaurante
2. _____ la servilleta	**b.** la persona que atiende a los clientes en un restaurante
3. _____ el vaso	**c.** la cuchara, el tenedor y el cuchillo en una servilleta
4. _____ el cocinero	**d.** la lista de platos, postres y bebidas en un restaurante
	e. este objeto se usa para tomar agua
5. _____ la copa	**f.** el utensilio que se usa para cortar la comida
6. _____ el mesero	**g.** se usa para limpiarse la boca (*mouth*) y los dedos (*fingers*)
7. _____ el menú	**h.** este objeto se usa para tomar vino
8. _____ el cuchillo	

 ## Actividad C   ¿Mesero o cliente?

Escucha cada afirmación o pregunta e indica si habla un mesero o un cliente.

	MESERO	CLIENTE
1.	☐	☐
2.	☐	☐
3.	☐	☐
4.	☐	☐
5.	☐	☐
6.	☐	☐
7.	☐	☐
8.	☐	☐

Go to page 46 to complete **¡Acción! 5.**

Gramática

¡Lo he pasado muy bien!   Introduction to the Present Perfect

Actividad D   ¿A quién describe?

Listen to each statement about a student in your Spanish class and indicate whether it describes a good student or a bad student.

	EL ESTUDIANTE BUENO	EL ESTUDIANTE MALO
1.	☐	☐
2.	☐	☐
3.	☐	☐
4.	☐	☐
5.	☐	☐
6.	☐	☐
7.	☐	☐
8.	☐	☐

Actividad E   ¿Qué han hecho?

Indicate the pair of famous people to whom each statement refers.

1. _____ Han escrito novelas importantes.

2. _____ Han sido presidentes de los Estados Unidos.

3. _____ Han hecho un viaje a la luna (*moon*).

4. _____ Han dirigido (*directed*) películas conocidas.

5. _____ Han jugado al basquetbol profesionalmente.

6. _____ Han hecho invenciones indispensables (*essential*).

7. _____ Han dirigido (*run*) compañías de computadoras exitosas (*successful*).

a. Neil Armstrong y Buzz Aldridge
b. Bill Gates y Steve Jobs
c. Ronald Reagan y John F. Kennedy
d. Michael Jordan y Shaquille O'Neil
e. Steven Spielberg y George Lucas
f. John Steinbeck y Ernest Hemingway
g. Thomas Edison y Alexander Graham Bell

Actividad F   ¿Qué ha pasado?

For each of the following statements, decide which country's citizens could make these claims.

1. Hemos ganado la Copa Mundial de fútbol.

   a. los canadienses   b. los japoneses   c. los brasileños

2. Hemos perdido mucho territorio y gran parte de nuestra cultura indígena.

   a. los ingleses   b. los rusos (*Russians*)   c. los indígenas de América

Nombre _____ Fecha _____ Clase _____

3. Hemos cruzado la frontera (*border*) hacia el norte para trabajar en los Estados Unidos.

   a. los mexicanos   **b.** los canadienses   **c.** los rusos

4. Hemos descubierto tierras lejanas (*faraway lands*), como el Nuevo Mundo.

   a. los aztecas   **b.** los españoles   **c.** los africanos

5. Hemos creado formas de gobierno, como la democracia.

   a. los italianos   **b.** los griegos   **c.** los alemanes

6. Hemos inventado varios explosivos, como los fuegos artificiales (*fireworks*).

   a. los chinos   **b.** los portugueses   **c.** los franceses

7. Hemos lanzado (*dropped*) una bomba atómica a otro país.

   a. los japoneses   **b.** los rusos   **c.** los estadounidenses

8. Hemos sido ciudadanos de un imperio.

   a. los costarricenses   **b.** los romanos   **c.** los guatemaltecos

Go to page 46 to complete ¡**Acción! 6.**

▲ ¡A escuchar!

🎧 Actividad A   En el mercado

Paso 1   Escucha la conversación entre don Paco y Lourdes en un mercado de la Ciudad de México. Llena los espacios en blanco con las palabras que oyes.

> PACO: ¡Estos sí que son jitomates! ¡Firmes y _____ [1] _____ [2] _____ [3]!
>
> Así _____ [4] _____ [5].
>
> LOURDES: Como le dije: _____ [6] _____ [7] _____ [8] _____ [9].
>
> PACO: Déme _____ [10] _____ [11] por favor.

Paso 2   Escucha el segmento de nuevo. Indica si las siguientes oraciones son ciertas o falsas.

	CIERTO	FALSO
1. Lourdes dice que sus jitomates son los mejores del mercado.	☐	☐
2. Don Paco compra cuatro kilos.	☐	☐

Actividad B   La viña no está a la venta (*is not for sale*).

Paso 1   Escucha la conversación entre Jaime e Isabel sobre la venta de la viña. Luego, indica si las siguientes oraciones son ciertas o falsas.

		CIERTO	FALSO
1.	Isabel está de acuerdo con Carlos en vender la viña.	☐	☐
2.	Jaime trata de convencer a Isabel a firmar (*sign*) el contrato.	☐	☐

Paso 2   Escucha el segmento de nuevo. ¿Qué frases de la conversación expresan las siguientes ideas?

1. *Think about it carefully.* _____

2. *I've already told you.* _____

Nombre _____ *Fecha* _____ *Clase* _____

🎬 ¡Acción!

¡Acción! 1   ¿Conoces bien al profesor (a la profesora)?

Contesta las preguntas sobre tu profesor(a). Escribe oraciones completas.

> MODELO: ¿En qué clase suele viajar tu profesor(a) cuando viaja en avión? →
> La profesora suele viajar en primera clase.

1. ¿En qué tipo de hotel se queda tu profesor(a) cuando viaja?

_____

2. ¿Qué tipo de bebida le pide tu profesor(a) al asistente de vuelo cuando viaja en avión?

_____

3. ¿Qué clase de servicios pide tu profesor(a) cuando se queda en un hotel?

_____

4. ¿Dónde compra su boleto de viaje tu profesor(a)?

_____

5. ¿Se marea (*gets sick*) tu profesor(a) cuando viaja en barco o en camión?

_____

6. ¿Qué hace tu profesor(a) para pasar el tiempo en el aeropuerto antes de subir al avión?

_____

¡Acción! 2   Intercambio de consejos

Paso 1 Escribe tres mandatos para tu profesor(a) para ayudarlo/a (*help him/her*) a llevarse bien con los estudiantes.

1. _____

2. _____

3. _____

Paso 2 Ahora escribe tres mandatos que tu profesor(a) les podría (*could*) dar a los estudiantes para ser mejores estudiantes.

4. _____

5. _____

6. _____

¡Acción! 3   ¿Cómo se llega a tu casa?

En unas cincuenta palabras, escribe direcciones para tu profesor(a) para ir de la universidad a tu casa o de la clase a tu residencia estudiantil.

_____

_____

_____

_____

_____

_____

¡Acción! 4   ¡No haga eso!

Escribe seis mandatos negativos para decirle a tu profesor(a) lo que *no* debe hacer cuando está en un embotellamiento (*traffic jam*).

1. _____

2. _____

3. _____

4. _____

5. _____

6. _____

¡Acción! 5   En un restaurante

Describe seis cosas que hace o no hace un mesero (una mesera) en un restaurante.

MODELOS: Recibe propinas si da buen servicio.
                   No lava los platos.

1. _____

2. _____

3. _____

4. _____

5. _____

6. _____

¡Acción! 6   El profesor (La profesora) y yo

Paso 1 Escribe tres oraciones sobre lo que has hecho en tu vida que tu profesor(a) probablemente no ha hecho.

MODELO: He conocido a una persona famosa, pero el profesor no.

1. _____

2. _____

3. _____

Paso 2 Escribe tres oraciones sobre lo que tu profesor(a) ha hecho que tú no has hecho.

MODELO: La profesora ha vivido en un país de habla española, pero yo no.

4. _____

5. _____

6. _____

LECCIÓN

6B

La naturaleza y el medio ambiente

OBJETIVOS

IN THIS LESSON, YOU WILL CONTINUE TO PRACTICE:

▶ talking about geography and geographical features

▶ giving instructions to someone you address as **tú,** using informal commands

▶ talking about ecology and the environment

▶ talking about activities to do while on vacation

▶ talking about extremes using superlative expressions

PRIMERA PARTE

Vocabulario

¿Cómo es el paisaje?   Geography and Geographical Features

Actividad A   Definiciones

Empareja cada palabra con la definición correspondiente.

1. _____ el valle
2. _____ la colina
3. _____ el paisaje
4. _____ la costa
5. _____ la meseta
6. _____ la llanura
7. _____ el mar
8. _____ la cordillera

a. una montaña muy pequeña
b. un terreno extenso sin colinas o montañas
c. una llanura elevada
d. una vista panorámica de un sitio geográfico
e. un grupo de montañas
f. donde la tierra y el mar se encuentran
g. el espacio que queda entre dos montañas
h. un cuerpo (*body*) grande de agua

Actividad B   ¿Cuánto sabes de geografía?

Escucha las oraciones sobre la geografía del mundo e indica si cada una es cierta o falsa.

	CIERTO	FALSO
1.	☐	☐
2.	☐	☐
3.	☐	☐
4.	☐	☐
5.	☐	☐
6.	☐	☐
7.	☐	☐
8.	☐	☐

Nombre _____ Fecha _____ Clase _____

Actividad C   Asociaciones

Indica el nombre que mejor se asocia con cada palabra.

1. unas montañas

    a. la Sierra Nevada   **b.** el Pacífico   **c.** Casablanca

2. un lago

    a. Mohave   **b.** Caribe   **c.** Erie

3. un desierto

    a. la Pampa   **b.** Kalahari   **c.** Amazonas

4. un mar

    a. Victoria   **b.** Báltico   **c.** Atlántico

5. una playa

    a. Tahoe   **b.** Gobi   **c.** Waikiki

6. un río

    a. Missouri   **b.** Índico   **c.** Atacama

7. un volcán

    a. St. Helens   **b.** Pike's Peak   **c.** Mediterráneo

8. una catarata

    a. Niágara   **b.** Mississippi   **c.** Hudson

Go to page 59 to complete ¡**Acción! 1.**

Gramática

¡Ten paciencia!   Affirmative Informal Commands

Actividad D   En la clase de español

Indicate the correct verb to complete each command.

1. _____ la lección antes de venir a clase.

2. _____ todos los episodios de *Sol y viento*.

3. _____ como voluntario/a para las actividades de la clase.

4. _____ sólo en español, no en inglés.

5. _____ la tarea todos los días (todas las semanas).

6. _____ un país hispano durante las vacaciones.

    a. Haz
    b. Ofrécete
    c. Habla
    d. Visita
    e. Lee
    f. Mira

Actividad E   Situaciones

Read the following pieces of advice, then indicate for whom they are most appropriate.

1. Acuéstate más temprano.

   ☐ un amigo que tiene mucha tarea que hacer para mañana

   ☐ un estudiante que suele faltar a su primera clase porque se desvela (*he stays up late*)

2. Come más verduras y frutas.

   ☐ alguien que tiene alergia a las fresas y al bróculi

   ☐ una persona que quiere llevar una vida más sana (*healthy*)

3. ¡Ten cuidado! (*Be careful!*)

   ☐ alguien que quiere practicar el paracaidismo (*skydiving*)

   ☐ un amigo que quiere invitarte a cenar

4. Haz ejercicio todos los días.

   ☐ alguien que es adicto al trotar

   ☐ una persona que quiere bajar de peso (*to lose weight*)

5. ¡Déjame en paz!

   ☐ tu gato, que te despierta a las 5:00 de la mañana todos los sábados

   ☐ un amigo a quien echas de menos (*you miss*) cuando te llama

6. ¡Sal de esta casa!

   ☐ tu compañero/a de cuarto que quemó la cena y le prendió fuego (*set fire*) a la cocina

   ☐ un pariente que está enfermo y que debe guardar cama (*stay in bed*)

Actividad F   ¿Mandato o no?

Listen as a student mentions several things a classmate should do to get a good grade on a Spanish exam. Indicate whether what you hear is a command or not.

MODELO: (*you hear*)   Habla con el profesor durante las horas de oficina.
(*you mark*)   Es mandato.

	ES MANDATO.	NO ES MANDATO.
1.	☐	☐
2.	☐	☐
3.	☐	☐
4.	☐	☐
5.	☐	☐

Nombre _____ Fecha _____ Clase _____

	ES MANDATO.	NO ES MANDATO.
6.	☐	☐
7.	☐	☐
8.	☐	☐

Go to page 59 to complete **¡Acción! 2.**

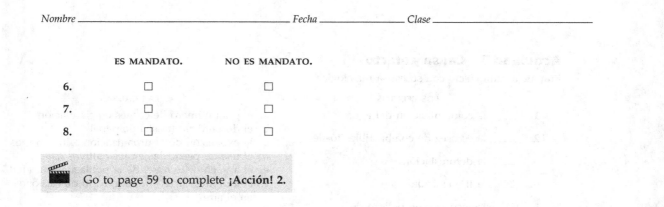

S E G U N D A   P A R T E

Vocabulario

El medio ambiente   Environmental and Ecological Matters

Actividad A   Más definiciones

Escucha cada definición e indica la palabra o frase correspondiente.

VOCABULARIO ÚTIL

dañosos   harmful

tierra   land

1. **a.** la fábrica   **b.** el basurero   **c.** la escasez

2. **a.** contaminar   **b.** desperdiciar   **c.** echar

3. **a.** construir   **b.** proteger   **c.** reciclar

4. **a.** la contaminación   **b.** la deforestación   **c.** los recursos naturales

5. **a.** descomponer   **b.** salvar   **c.** construir

6. **a.** el medio ambiente   **b.** la naturaleza   **c.** el cambio climático

Actividad B   Causa y efecto

Empareja cada efecto con su causa más lógica.

LOS EFECTOS

1. _____ la contaminación del agua
2. _____ la escasez de combustibles fósiles
3. _____ la deforestación
4. _____ la lluvia ácida
5. _____ las especies en peligro de extinción
6. _____ la falta de recursos naturales

LAS CAUSAS

a. el gran número de coches en circulación
b. el desperdicio (*waste*) de papel
c. la expansión de la urbanización a los campos
d. el uso de pesticidas en los cultivos (*crops*)
e. el aumento (*increase*) de la población mundial
f. el alto nivel (*level*) de monóxido de carbono en el aire

Actividad C   Los alimentos biológicos (*organic*)

Lee el siguiente párrafo y llena los espacios en blanco con la palabra apropiada de la lista.

conservar	peligro de extinción
contaminan	pesticidas
deforestación	proteger
fertilizantes	se descomponen

Muchas personas han cambiado su dieta y ahora consumen más alimentos biológicos por dos razones principales. Primero, las granjas[a] biológicas no usan _____[1] para controlar los insectos y las hierbas.[b] Tampoco utilizan _____[2] ni otras sustancias químicas para nutrir las plantas. Muchas personas piensan que estos productos _____[3] no sólo el agua y la tierra,[c] sino que también hacen daño[d] al cuerpo humano. En contraste con las granjas tradicionales, en las granjas biológicas los granjeros[e] utilizan productos naturales como el abono,[f] que resulta cuando los elementos naturales _____[4] y se convierten en[g] tierra. En segundo lugar, muchas personas compran alimentos biológicos porque las granjas biológicas pueden ayudar a _____[5] el hábitat natural de los animales al no cortar los árboles. La falta de árboles contribuye a la _____,[6] lo cual hace mucho daño a los animales, sobre todo a las especies en _____.[7]

En fin, muchas personas compran alimentos biológicos porque es una manera de _____[8] y proteger el medio ambiente.

[a]*farms* [b]*weeds* [c]*soil* [d]hacen… *they cause harm* [e]*farmers* [f]*compost* [g]se… *become*

Go to page 59 to complete ¡**Acción!** 3.

Gramática

¡No me hables!

Negative Informal Commands

🎧 Actividad D   ¿Qué conservas?

Listen to the following commands, then indicate if each command is appropriate for conserving paper, water, or neither.

	PAPEL	AGUA	NINGUNO DE LOS DOS
1.	☐	☐	☐
2.	☐	☐	☐
3.	☐	☐	☐
4.	☐	☐	☐
5.	☐	☐	☐
6.	☐	☐	☐
7.	☐	☐	☐
8.	☐	☐	☐

Actividad E   Los anuncios (*advertisements*)

Read each advertising slogan and indicate the corresponding company.

1. _____ No pierdas más el tiempo.

2. _____ No te frustres con el cabello enredado
   (*tangled hair*); ¡dale vida!

3. _____ No juegues con tu vida; ¡abróchate el cinturón de
   seguridad (*buckle up*)!

4. _____ No te conformes con ser como los demás; ¡expresa tu estilo!

5. _____ No te quedes atrás (*fall behind*) en los estudios.

6. _____ ¡No vayas de compras sin ella!

a. Gap
b. Ford
c. American Express
d. Timex
e. Kaplan
f. Suave

Actividad F   Una entrevista

Complete each sentence with the correct verb to create a series of instructions for a friend who is going to a job interview.

1. No _____ chicle (*gum*) durante la entrevista.

2. No _____ ropa informal o llamativa (*flashy*).

3. No _____ mal de tus jefes anteriores (*former bosses*).

4. No _____ mentiras en cuanto a tu experiencia.

5. No _____ de dominar la conversación.

6. No _____ de la oficina sin darles las gracias por la entrevista.

a. digas
b. hables
c. trates
d. mastiques (*chew*)
e. salgas
f. te pongas

Go to page 60 to complete ¡Acción! 4.

TERCERA PARTE

Vocabulario

De vacaciones

Activities to Do While on Vacation

Actividad A   ¿Qué actividad se hace aquí?

Indica la actividad que mejor se asocia con cada lugar.

1. el golfo de México

   a. practicar el paracaidismo   b. bucear   c. montar a caballo

2. la cordillera de los Andes

   a. charlar en un café   b. surfear   c. practicar el alpinismo de rocas

3. la playa de Waikiki

   a. remar en canoa   b. ver un espectáculo   c. tomar el sol

4. la ciudad de Chicago

   a. hacer kayak   b. ir de excursión   c. visitar un museo

Nombre _____ *Fecha* _____ *Clase* _____

5. el parque nacional de Yosemite

    a. navegar en un barco   **b.** hacer camping   **c.** degustar vinos

6. las montañas Rocosas

    a. esquiar   **b.** surfear   **c.** ir a un parque de diversiones

7. el Valle Napa

    a. ver un espectáculo   **b.** degustar vinos   **c.** bucear

Actividad B ¿Qué necesita uno?

Empareja cada actividad con el objeto correspondiente para formar oraciones lógicas.

Para...

1. _____ hacer rafting

2. _____ nadar

3. _____ navegar largas distancias en un barco

4. _____ pescar

5. _____ acampar

6. _____ andar en bicicleta

7. _____ tomar el sol

uno necesita...

a. gusanos (*worms*).
b. un casco (*helmet*).
c. un saco de dormir (*sleeping bag*).
d. una crema protectora.
e. un chaleco salvavidas (*lifejacket*).
f. un traje de baño.
g. una brújula (*compass*).

Actividad C ¿Es peligroso (*dangerous*) o no?

Escucha cada actividad e indica si es peligroso hacerla o no.

	ES PELIGROSO.	NO ES PELIGROSO.
1.	☐	☐
2.	☐	☐
3.	☐	☐
4.	☐	☐
5.	☐	☐
6.	☐	☐
7.	☐	☐
8.	☐	☐

Go to page 60 to complete **¡Acción! 5.**

Gramática

Es el más guapo de todos.   Superlatives

🎧 Actividad D   ¿Es lógico o no?

Listen to each statement and indicate whether it is logical or not.

	LÓGICO	ILÓGICO
1.	☐	☐
2.	☐	☐
3.	☐	☐
4.	☐	☐
5.	☐	☐
6.	☐	☐

Actividad E   Los Estados Unidos

How much do you know about the United States? Indicate the place that correctly completes
each description.

1. _____ El edificio más alto es…
2. _____ El lago más grande es…
3. _____ El estado más pequeño es…
4. _____ La carretera (*highway*) menos larga es…
5. _____ El río más largo es…
6. _____ El estado menos poblado es…
7. _____ El parque nacional más visitado es…

a. Rhode Island.
b. Wyoming.
c. la torre Willis (anteriormente conocido como la torre Sears).
d. el Gran Cañón.
e. el Michigan.
f. el Missouri.
g. la US 71, en Texas.

🎬 Go to pages 60–61 to complete ¡**Acción! 6**.

▲ ¡A escuchar!

🎧 Actividad A   Tan bella como siempre

Paso 1   Escucha el segmento en que María habla con Paco en el aeropuerto. Luego, contesta las
siguientes preguntas.

1. Parece que hace mucho tiempo que Paco no ha visto a María. ¿Qué dice Paco que da esa

    impresión? _____

2. En esta conversación, ¿cómo trata a (*addresses*) Paco María… de tú o de Ud.? _____

Nombre _____ Fecha _____ Clase _____

Paso 2   Escucha el segmento de nuevo. Basándote en el contexto, contesta las siguientes preguntas.

1.   ¿Cómo se traduce **A ver** al inglés? _____

2.   ¿Qué sería el equivalente de **Mis ojos no lo creen** en inglés? _____

_____

3.   ¿Qué verbo en esta conversación equivale a *exaggerate?* _____

Actividad B   El vino de la casa

Paso 1   Escucha la conversación entre un mesero y dos clientes en el restaurante de don Paco en la Ciudad de México. Luego, llena los espacios en blanco con las palabras que oyes.

MESERO: El _____^{1}_____^{2}_____^{3}_____.^{4} «Sol y viento».

CLIENTE 1:   Hmmm… ¿ _____^{5}_____^{6}_____^{7}?

MESERO: De Chile. Es _____^{8}_____^{9}_____^{10}_____^{11} los vinos importados.

CLIENTE 2:   Un vino chileno. ¡ _____^{12}_____^{13}!

Paso 2   Basándote en el contexto, contesta las siguientes preguntas.

1.   ¿Cómo se dice **vino de la casa** en inglés? _____

2.   ¿Qué frase de dos palabras significa *How interesting?* _____

✎ Para escribir

Antes de escribir

Paso 1   Para esta actividad, vas a describir los eventos más importantes que han ocurrido entre Jaime y María hasta el momento. Primero, describe cómo se sentían Jaime y María en cada situación a continuación.

MODELO: Jaime conoció a María. →
Jaime estaba cansado de correr, pero estaba muy feliz. María se sentía… porque…

LO QUE PASÓ ENTRE JAIME Y MARÍA	¿CÓMO SE SENTÍA(N) EN ESE MOMENTO?
1. Jaime se chocó con María en el parque.	**1.** _____ _____
2. Jaime vio a María cuando fue de compras en el mercado.	**2.** _____ _____
3. María y Jaime tomaron una copa de vino en el café al aire libre.	**3.** _____ _____
4. María tiró al suelo la figurita que Jaime le regaló.	**4.** _____ _____

A escribir

Paso 1   Usa los eventos del **Paso 1** para escribir un borrador en una hoja de papel aparte. Las palabras y expresiones a continuación pueden serte útiles.

a la vez	at the same time
además (de)	in addition (to)
después	afterwards
entonces	then
luego	then
más tarde	later
mientras	while
por lo tanto	therefore

Paso 2   Repasa bien lo que has escrito. ¿Quieres agregar oraciones para hacer la narración más interesante?

Paso 3   Intercambia tu composición con la de un compañero (una compañera) de clase. Mientras lees su composición, revisa los siguientes puntos.

- ☐ el significado y el sentido general
- ☐ la concordancia entre sustantivo y adjetivo
- ☐ la concordancia entre sujeto y verbo
- ☐ la ortografía

Al entregar la composición

Utilizando los comentarios de tu compañero/a de clase, escribe una versión final de tu composición. Revisa los siguientes puntos sobre el lenguaje y luego entrégale la composición a tu profesor(a).

- ☐ forma correcta del verbo en pretérito e imperfecto
- ☐ el uso correcto del pretérito y el imperfecto

Nombre _____ Fecha _____ Clase _____

🎬 ¡Acción!

¡Acción! 1   ¿Cómo es la geografía de... ?

Describe en unas cincuenta palabras la geografía del lugar donde vives o de otro lugar que conoces muy bien.

    MODELO: La geografía de Oregón es muy variada. Hay muchos ríos...

_____

_____

_____

_____

_____

¡Acción! 2   ¿Qué debo hacer allí?

Piensa en una ciudad o un pueblo que conoces y usa mandatos informales para hacer una lista de seis cosas que un amigo (una amiga) debe hacer o ver allí.

    MODELO: Ciudad: <u>Berkeley:</u> Come en el restaurante Chez Panisse.

              CIUDAD: _____

1. _____

2. _____

3. _____

4. _____

5. _____

6. _____

¡Acción! 3   Un problema medioambiental

Indica el problema del medio ambiente que, en tu opinión, es el más importante. Luego, menciona seis de las cosas que uno puede hacer para aliviar el problema.

    MODELO: Para aliviar el problema de <u>la deforestación</u>, uno puede...
             1. usar menos servilletas de papel.
             2. recibir las cuentas electrónicamente.
             3. ...

Para aliviar el problema de _____, uno puede...

1. _____

2. _____

3. _____

4. _____

5. _____

6. _____

¡Acción! 4   ¡No hagas eso!

Escoge uno de los problemas de la lista y escribe mandatos informales negativos para explicarle a un amigo (una amiga) seis cosas que no debe hacer para evitarlo.

MODELO: la falta de recursos naturales → No dejes las luces prendidas.

- el desperdicio del agua
- los pesticidas en la fruta y la verdura
- la contaminación del aire
- la falta de recursos naturales

1. _____

2. _____

3. _____

4. _____

5. _____

6. _____

¡Acción! 5   Las actividades ideales

Completa las oraciones con las actividades ideales para cada persona a continuación.

MODELO: Tomar el sol y bucear son actividades ideales para una persona estresada (*stressed out*).

1. _____ y _____ son actividades ideales para una persona sociable.

2. _____ y _____ son actividades ideales para una persona perezosa (*lazy*).

3. _____ y _____ son actividades ideales para una persona intelectual.

4. _____ y _____ son actividades ideales para una persona arriesgada (*daring*).

5. _____ y _____ son actividades ideales para una persona fuerte.

6. _____ y _____ son actividades ideales para una persona solitaria.

¡Acción! 6   En tu ciudad o pueblo

Usa las frases a continuación para formar oraciones sobre tu ciudad o pueblo.

MODELO: la mejor pizzería → La mejor pizzería de Chicago es Giordano's.

1. el peor restaurante

_____

2. la atracción turística más interesante

_____

3. el hotel menos elegante

_____

Nombre _____ *Fecha* _____ *Clase* _____

4. la mejor tienda de ropa

_____

5. la comida más típica

_____

6. el mejor equipo deportivo

_____

Nombre _____ Fecha _____ Clase _____

LECCIÓN

¿Cómo te sientes?

OBJETIVOS

IN THIS LESSON, YOU WILL CONTINUE TO PRACTICE:

► talking about feelings and mental conditions

► using certain verbs to describe changes in emotion or mood

► describing parts of the body and health–related issues

► using the imperfect to talk about conditions in the past

► talking about a visit to the doctor's office

► using the verb **hacer** to express *ago* in a variety of contexts

Vocabulario

Estoy tenso.   Describing Emotions

Actividad A   Reacciones

Empareja cada una de las condiciones que escuchas con la situación más lógica. Vas a oír las condiciones dos veces.

1. **a.** Llora.   **b.** Canta.   **c.** Grita.

2. **a.** Tiene mucho dinero   **b.** Su novio llama a otra chica.   **c.** Lo toma todo a pecho.

3. **a.** Está de vacaciones.   **b.** Ganó la lotería.   **c.** Hizo algo inapropiado.

4. **a.** Tiene mucho trabajo.   **b.** Llora.   **c.** Lo toma todo a pecho.

5. **a.** Compró una casa.   **b.** Conoció al hombre perfecto.   **c.** Vendió su auto.

6. **a.** Tiene mucho trabajo.   **b.** Hizo algo inapropiado.   **c.** Toma una cerveza.

7. **a.** Hace mucho ejercicio.   **b.** Tiene muchas responsabilidades. **c.** Lee un artículo cómico.

8. **a.** Se ríe.   **b.** Grita.   **c.** Llora.

Actividad B   ¿Sinónimos o antónimos?

Indica la relación que existe entre cada par de adjetivos.

		SINÓNIMOS	ANTÓNIMOS	NO HAY RELACIÓN
1.	preocupado / relajado	☐	☐	☐
2.	furioso / enojado	☐	☐	☐
3.	alegre / contento	☐	☐	☐
4.	triste / alegre	☐	☐	☐
5.	celoso / cansado	☐	☐	☐
6.	avergonzado / tenso	☐	☐	☐
7.	irritado / frustrado	☐	☐	☐
8.	enamorado / confundido	☐	☐	☐

Nombre _____ *Fecha* _____ *Clase* _____

Actividad C   ¿Cómo reaccionas?

Completa cada oración con la(s) palabra(s) correcta(s).

1. Si alguien te dice algo realmente cómico, tú probablemente…

   a. lloras.   **b.** te ríes.   **c.** lo tomas a pecho.

2. Muchos niños les tienen miedo a…

   a. sus amigos.   **b.** los gatos.   **c.** los perros grandes.

3. Si uno está alegre, es porque…

   a. le pasa algo malo.   **b.** le pasa algo bueno.   **c.** no le pasa nada.

4. Lo opuesto (*opposite*) de nervioso es…

   a. relajado.   **b.** enamorado.   **c.** furioso.

5. Si alguien dice que está avergonzado, probablemente…

   a. no comió esta mañana. **b.** hizo algo inapropiado.   **c.** alguien lo/la ofendió.

Go to page 75 to complete **¡Acción! 1.**

Gramática

¿Cómo se siente?   Pseudo-Reflexive Verbs

Actividad D   ¿Cierto o falso?

Indicate whether each statement about the characters of *Sol y viento* is true or false, based on the episodes you have seen thus far.

	CIERTO	FALSO
1. María se enoja con Jaime porque lo vio con otra mujer.	☐	☐
2. María se alegra al ver a su tío Paco en el aeropuerto.	☐	☐
3. Don Paco se preocupa por doña Isabel y la viña.	☐	☐
4. María se ofende cuando Jaime le dice que no es una profesora típica.	☐	☐
5. Andy se irrita de los pretextos de Jaime.	☐	☐
6. Mario se confunde cuando ve a Jaime discutiendo con María.	☐	☐

Actividad E   ¿Cómo te pones?

Listen to each phrase, then indicate the correct sentence to complete it. You will hear the phrases twice.

1. ☐ …me ofendo.

   ☐ …me aburro.

2. ☐ …¿te pones contento?

   ☐ …¿te pones triste?

3. ☐ …nos confundimos.

   ☐ …nos aburrimos.

4. ☐ …el profesor se irrita.

   ☐ …el profesor se alegra.

5. ☐ …se sienten frustrados los estudiantes.

   ☐ …se sienten bien los estudiantes.

6. ☐ …nos ponemos contentos.

   ☐ …nos cansamos.

7. ☐ …mi amigo se puso muy confundido.

   ☐ …mi amigo se deprimió.

8. ☐ …me sentí muy bien.

   ☐ …me confundí.

Actividad F   ¿Cómo se siente?

Match each personality to the typical reaction.

Una persona…

1. _____ impaciente…

2. _____ que tiene mucho resentimiento…

3. _____ nerviosa…

4. _____ que toma todo a pecho…

5. _____ con una actitud positiva…

a. se enoja fácilmente.
b. se ofende fácilmente.
c. se siente contenta siempre.
d. se siente frustrada fácilmente.
e. se preocupa siempre.

Go to pages 75–76 to complete ¡Acción! 2.

Nombre _____ Fecha _____ Clase _____

SEGUNDA PARTE

Vocabulario

Estoy un poco enfermo.   Parts of the Body and Physical Health

 Actividad A   ¿Qué usan para hacerlo?

Escucha las oraciones e indica qué partes del cuerpo las personas usan. ¡**OJO!** En algunos casos hay más de una respuesta posible.

1. **a.** las manos   **b.** los pies   **c.** las piernas

2. **a.** el hombro   **b.** la boca   **c.** los dedos

3. **a.** las rodillas   **b.** la boca   **c.** la garganta

4. **a.** la espalda   **b.** los brazos   **c.** la cara

5. **a.** los pies   **b.** el codo   **c.** la cabeza

6. **a.** la espalda   **b.** los dedos del pie   **c.** las manos

Actividad B   Asociaciones

Indica la actividad que se asocia con cada parte del cuerpo que oyes.

1. **a.** comer   **b.** correr   **c.** dormir   **d.** estudiar

2. **a.** leer   **b.** pescar   **c.** cantar   **d.** escuchar

3. **a.** escribir   **b.** pensar   **c.** llorar   **d.** ver

4. **a.** recordar   **b.** besar (*to kiss*)   **c.** abrazar (*to hug*) **d.** reír

5. **a.** beber   **b.** caminar   **c.** oír   **d.** hablar

6. **a.** dormir   **b.** sonreír (*to smile*)   **c.** mirar   **d.** aprender

Actividad C   Descripciones

Empareja cada prenda de ropa con la descripción que le corresponde.

1. _____ los pantalones
2. _____ el sombrero
3. _____ la blusa
4. _____ los guantes
5. _____ los zapatos

a. Protege la cabeza del sol.
b. Protegen las manos del frío.
c. Cubren las piernas.
d. Cubre el pecho, la espalda y los hombros.
e. Se llevan en los pies.

Actividad D   Las enfermedades (*Illnesses*)

Indica la palabra que mejor completa cada oración.

1. Si uno tiene un resfriado, es típico tener... tapada.

   ☐ la nariz   ☐ la boca

2. Uno hace gárgaras para...

   ☐ el hombro.   ☐ la garganta.

3. Si tienes fiebre, debes...

   ☐ tomar aspirina.   ☐ afeitarte.

4. Si te rompiste la pierna, debes...

   ☐ usar muletas (*crutches*).   ☐ tener gripe.

5. No debes levantar cosas grandes si...

   ☐ te lastimas el brazo.   ☐ te lastimas la espalda.

6. Si tienes la gripe, muchas veces...

   ☐ te rompes el brazo.   ☐ tienes tos.

7. Cuando te rompes un brazo, debes usar...

   ☐ una rodilla.   ☐ yeso (*cast*).

8. Si tienes mala circulación, siempre tienes... fríos.

   ☐ los dedos   ☐ los codos

Go to page 76 to complete ¡Acción! 3.

Nombre _____ Fecha _____ Clase _____

Gramática

Estaban contentos, ¿no?   Review of the Imperfect

Actividad E   Una historia

Select from the list of verbs to complete the following story correctly and logically.

era	podía
estaba	tenía
había	veía

Una vez mi amigo se rompió una pierna. _____[1] de vacaciones en Colorado con

su familia y _____[2] un día perfecto para esquiar. El día anterior nevó mucho, así

que _____[3] mucha nieve y mi amigo _____[4] muchas ganas de salir a esquiar.

Al salir del hotel, mi amigo no _____[5] lo que hacía. Se cayó[a] y se rompió la pierna

en la entrada[b] del hotel. Lo llevaron al hospital y no estaba nada contento. Volvió de las

vacaciones con una pierna rota[c] y ni siquiera[d] _____[6] decirles a sus amigos que tuvo

un accidente de esquí.

[a]Se... *He fell*   [b]*entrance*   [c]*broken*   [d]ni... *not even*

Actividad F   Juanita en la universidad

Listen to the conversation between Juanita and Ramón about Juanita's first day at the university. Then indicate whether the following statements are **probable, improbable,** or **no se sabe.** You can listen to the conversation more than once if you like.

Juanita…	PROBABLE	IMPROBABLE	NO SE SABE.
1. no se sentía muy cómoda.	☐	☐	☐
2. no sabía qué esperar (*to expect*).	☐	☐	☐
3. tenía varios amigos que la podían ayudar.	☐	☐	☐
4. no echaba de menos (*didn't miss*) a su familia.	☐	☐	☐
5. era muy buena estudiante.	☐	☐	☐

Go to page 76 to complete ¡Acción! 4.

TERCERA PARTE

Vocabulario

Me duele la garganta.

In the Doctor's Office

Actividad A   ¿Cierto o falso?

Indica si las siguientes oraciones son ciertas o falsas.

		CIERTO	FALSO
1.	Los rayos X se usan para sacar fotos del interior del cuerpo.	☐	☐
2.	El corazón es el órgano principal de la digestión.	☐	☐
3.	Tomar demasiado alcohol puede dañar (*damage*) el hígado.	☐	☐
4.	El estómago es responsable de la respiración.	☐	☐
5.	La enfermera es una persona que ayuda al médico.	☐	☐
6.	Los pulmones son responsables de la circulación de la sangre por el cuerpo.	☐	☐
7.	Una pastilla es una medicina que se toma por inyección.	☐	☐
8.	Para obtener una medicina, el paciente debe llevar la receta al farmacéutico.	☐	☐

Actividad B   Preguntas

Indica la mejor respuesta para cada pregunta.

1. ¿Por qué le toma la temperatura a un paciente la enfermera?

   ☐ Porque necesita ver si tiene fiebre o no.

   ☐ Porque necesita ver si tiene dificultades en respirar.

2. ¿Cuántos pulmones tiene una persona normal y de buena salud?

   ☐ Tiene uno, no más.

   ☐ Tiene dos.

3. ¿Qué información debes darle a tu médico?

   ☐ Si hay una farmacia cerca de tu casa.

   ☐ Si tienes alergias.

4. En un examen médico, ¿qué hacen siempre?

   ☐ Siempre toman la presión de la sangre.

   ☐ Siempre sacan rayos X.

Nombre _____ *Fecha* _____ *Clase* _____

5. ¿Qué hacen para ver si uno tiene alto el colesterol?

☐ Le examinan los órganos internos.

☐ Le sacan sangre.

6. Si el enfermero escribe «155 libras (*pounds*)» en sus apuntes; ¿qué hizo?

☐ Te dio una inyección.

☐ Te pesó (*weighed*).

 Actividad C   ¿Quién lo dice?

Escucha cada una de las oraciones e indica quién lo dice: un médico o un paciente.

	MÉDICO	PACIENTE
1.	☐	☐
2.	☐	☐
3.	☐	☐
4.	☐	☐
5.	☐	☐
6.	☐	☐
7.	☐	☐
8.	☐	☐

Go to page 77 to complete ¡**Acción! 5.**

Gramática

Hace dos años que se me rompió el brazo.

Hacer in Expressions of Time

Actividad D   ¿Cuánto tiempo?

Indicate the correct verb form to complete each statement.

1. Soy estudiante. Hace más de dos años que _____ en la universidad.

   a. estudio   **b.** estudié   **c.** estudiaba

2. _____ hace una semana, pero me recuperé pronto.

   a. Me enfermo   **b.** Me enfermé   **c.** Me enfermaba

3. Hacía dos semanas que me _____ recuperado cuando me enfermé de nuevo.

   a. estoy   **b.** estuve   **c.** estaba

(continued)

4. _____ un examen médico hace un año.

   a. Tengo   **b.** Tuve   **c.** Tenía

5. Hace mucho tiempo que no _____ medicinas.

   a. tomo   **b.** tomé   **c.** tomaba

6. Hace dos días que me _____ una inyección, pero todavía estoy enferma.

   a. ponen   **b.** pusieron   **c.** ponían

7. Hacía tres años que _____ del cáncer cuando murió.

   a. padece   **b.** padeció   **c.** padecía

8. _____ a esa farmacia desde hace veinticinco años. Es tradicional, pero es buena.

   a. Vamos   **b.** Fuimos   **c.** Íbamos

Actividad E   ¿Cuándo?

Listen to each account, in which you will hear the current time and when something happened. Then you will hear a question. Indicate the correct response, based on the information you are given. You will hear each account twice.

1. _____ **a.** julio   **b.** marzo   **c.** febrero

2. _____ **a.** 2006   **b.** 2009   **c.** 2007

3. _____ **a.** el domingo   **b.** el sábado   **c.** el viernes

4. _____ **a.** julio   **b.** noviembre   **c.** junio

5. _____ **a.** el lunes   **b.** el martes   **c.** el jueves

6. _____ **a.** a las 10:00   **b.** a las 8:00   **c.** a las 12:00

Go to page 77 to complete ¡Acción! 6.

▲ ¡A escuchar!

Actividad A   Uds. se veían muy contentos.

Paso 1   Escucha la conversación entre Mario y Jaime. Luego, contesta las siguientes preguntas.

1. ¿Qué expresión capta mejor la reacción de Mario ante la discusión entre Jaime y María?

   a. Se preocupa.   **b.** Se confunde.   **c.** Se alegra.

2. ¿Qué expresión capta mejor la reacción de Jaime ante las preguntas de Mario?

   a. Se ofende.   **b.** Se deprime.   **c.** Se irrita.

Nombre _____ *Fecha* _____ *Clase* _____

Paso 2   Escucha el segmento de nuevo y apunta las palabras que oyes.

MARIO: Don Jaime, no entiendo. Esa señorita que _____[1] _____[2] con Ud.,

María, es la misma que yo _____[3] con Ud. el otro día, ¿no es cierto?

JAIME: Sí, es cierto.

MARIO: Y Uds. _____[4] _____[5] muy contentos.

JAIME: Así _____[6] yo.

MARIO: ¿Y? ¿Por qué se enojó con Ud.? ¿Lo _____[7] con otra mujer?

JAIME: Mario, calla y maneja.

Actividad B   Una represa (*dam*)

Paso 1   Escucha lo que Paco e Isabel le dicen a Jaime sobre los planes que su compañía tiene para el Valle del Maipo y llena los espacios con las palabras que oyes.

PACO: _____[1] _____[2] que su compañía quiere construir una represa en esta

zona. ¿Comprende Ud. el daño que eso causaría por estas tierras?

ISABEL: Mi amigo Paco _____[3] _____[4] haciendo averiguaciones.[a] _____[5]

_____[6] cosas muy interesantes con respecto a su compañía.

PACO: La magia del Internet y unas llamadas por teléfono. Pero obviamente a su compañía

no _____[7] _____[8] mucho el daño a la ecología… ni a la comunidad

humana que habita estas tierras. ¡Lo que hicieron en Bolivia _____[9]

_____[10] _____[11] no tiene perdón!

[a]*inquiries*

Paso 2   Contesta las siguientes preguntas.

1.   ¿Quién hizo averiguaciones sobre la compañía de Jaime? _____

2.   ¿Cómo encontró la información sobre su compañía? _____

3.   Según Paco, una represa causaría mucho daño a dos cosas. ¿Qué son? _____

4.   ¿Dónde construyó Bartel AquaPower otra represa? _____

Nombre _____ Fecha _____ Clase _____

🎬 ¡Acción!

¡Acción! 1   ¿Te controlas bien?

Contesta las siguientes preguntas con oraciones completas.

1. ¿Estás enojado/a o irritado/a con frecuencia?

_____

2. ¿Estás preocupado/a con frecuencia?

_____

3. ¿Te molesta algo o alguien con frecuencia?

_____

4. ¿Estás contento/a la mayoría (*majority*) del tiempo?

_____

5. ¿Te ríes mucho?

_____

6. ¿Tomas las cosas muy a pecho fácilmente?

_____

Basándote en tus respuestas, ¿sueles estar de buen humor (*mood*) o de mal humor? Explica.

☐ Suelo estar de buen humor.

☐ Suelo estar de mal humor.

_____

_____

_____

_____

¡Acción! 2   ¿Cuándo te ofendes?

Contesta las preguntas, según tu experiencia. Escribe oraciones completas.

1. ¿Cuándo te pones furioso/a?

_____

2. ¿Cuándo te ofendes?

_____

3. ¿Cuándo te sientes mal?

_____

(continued)

4. ¿Cuándo te aburres?

_____

5. ¿Cuándo te preocupas?

_____

¡Acción! 3   Una prueba

¡Te toca a ti! Vas a escribir una prueba para tu profesor(a). Primero escribe cinco declaraciones incompletas usando el vocabulario de esta sección. Luego, escribe dos posibles respuestas para completar la declaración, una correcta y otra incorrecta. Puedes usar la **Actividad C** de esta sección como modelo, pero no debes copiar las declaraciones de esa actividad.

1. _____
    a. _____   b. _____
2. _____
    a. _____   b. _____
3. _____
    a. _____   b. _____
4. _____
    a. _____   b. _____
5. _____
    a. _____   b. _____

¡Acción! 4   La última vez que estabas enfermo/a

Piensa en la última vez que estabas enfermo/a o que tenías algún problema físico. ¿Cómo te sentías? ¿Quién te cuidaba (*took care*) o te ayudaba? ¿Qué tipo de día era? ¿Qué tenías que hacer? ¿Cómo te sentías? ¿Qué medicinas tomabas? Describe la experiencia en unas veinticinco a cincuenta palabras.

_____
_____
_____
_____
_____
_____
_____

Nombre _____ *Fecha* _____ *Clase* _____

¡Acción! 5   Una visita al consultorio del médico

Imagina que alguien va al consultorio del médico porque tiene dolores de estómago. Escribe un posible intercambio entre el médico (la médica) y el/la paciente.

MÉDICO/A: ¡Hola!

PACIENTE: ¡Hola, doctor(a)!

MÉDICO/A: ¿Cuál es el motivo de su visita hoy?

PACIENTE: _____

MÉDICO/A: _____

PACIENTE: _____

MÉDICO/A: _____

PACIENTE: _____

¡Acción! 6   Hace dos horas que...

Contesta las siguientes preguntas con oraciones completas.

1. ¿Cuánto tiempo hace que estuviste en tu clase de español?

_____

2. ¿Cuánto tiempo hace que oíste un buen chiste (*joke*)?

_____

3. ¿Cuánto tiempo hace que te graduaste de la escuela secundaria?

_____

4. ¿Cuánto tiempo hace que tuviste una conversación seria con alguien?

_____

5. ¿Cuánto tiempo hace que realmente lo pasaste bien?

_____

Nombre _____ *Fecha* _____ *Clase* _____

Los demás y yo

OBJETIVOS

IN THIS LESSON, YOU WILL CONTINUE TO PRACTICE:

▶ expressing your feelings toward others

▶ talking about what people do to and for each other using **nos** and **se**

▶ talking about how people act in relationships

▶ talking about your wishes and desires using the subjunctive mood

▶ talking about positive and negative aspects of relationships

▶ talking about contingencies and conditions using the subjunctive with conjunctions

PRIMERA PARTE ▮▮▮▮▮▮▮▮▮▮▮▮▮▮▮▮▮▮▮▮▮

Vocabulario

Te tengo mucho cariño.

Feelings

Actividad A   Asociaciones

Indica la(s) palabra(s) correcta(s) para completar cada oración.

1. Una madre _____ a su bebé recién nacido.

   a. le cae mal   **b.** adora   **c.** tiene celos

2. Una persona _____ a su pareja (*partner*) cuando está lejos.

   a. extraña   **b.** no aguanta   **c.** abraza

3. Alguien a quien le molesta la buena suerte (*luck*) de otra persona _____.

   a. la ama   **b.** la estima   **c.** le tiene envidia

4. Se nos enseña que debemos _____ a los ancianos (*the elderly*).

   a. respetar   **b.** despreciar   **c.** odiar

5. Si una persona es muy agresiva, puede _____ a otras personas.

   a. tenerles respeto   **b.** caerles mal   **c.** besar

6. Solemos _____ a una persona honrada (*honorable*) y simpática.

   a. no aguantar   **b.** detestar   **c.** estimar

Actividad B   ¿Positivo o negativo?

Indica si los sentimientos que una estudiante expresa hacia su compañera de cuarto son positivos o negativos.

	POSITIVO	NEGATIVO
1.	☐	☐
2.	☐	☐
3.	☐	☐
4.	☐	☐
5.	☐	☐
6.	☐	☐
7.	☐	☐
8.	☐	☐

Nombre _____ *Fecha* _____ *Clase* _____

Actividad C   Las emociones de Claudia

Escucha las oraciones sobre Claudia e indica la frase que mejor capta lo que siente en cada circunstancia.

VOCABULARIO ÚTIL

cuelga   hangs up (*the phone*)

1. _____
2. _____
3. _____
4. _____
5. _____
6. _____

   a. Está enamorada.
   b. Está triste.
   c. Está enojada.
   d. Está avergonzada.
   e. Está confundida.
   f. Está celosa.

Go to page 91 to complete **¡Acción! 1.**

Gramática

Se conocen bien.

Reciprocal Reflexives

Actividad D   Buenos amigos

Read the following statements and indicate whether or not they are true (**cierto**) or false (**falso**).

Los buenos amigos…	CIERTO	FALSO
1. se llaman por teléfono.	☐	☐
2. se tienen envidia.	☐	☐
3. se gritan (*shout at each other*) todo el tiempo.	☐	☐
4. se saludan cuando se ven.	☐	☐
5. se tratan con respeto.	☐	☐
6. se mienten.	☐	☐
7. se ayudan.	☐	☐
8. se odian.	☐	☐

Actividad E   ¿Socios o amigos?

Indicate whether you think the following would be said by two business partners (**socios**), two friends (**amigos**), or both (**ambos**).

	SOCIOS	AMIGOS	AMBOS
1. Nos reunimos para hablar de la fecha límite (*deadline*) para terminar el proyecto (*project*).	☐	☐	☐
2. Nos llamamos por teléfono.	☐	☐	☐
3. Nos damos la mano.	☐	☐	☐
4. Nos abrazamos cuando nos vemos.	☐	☐	☐
5. No nos vemos mucho fuera del trabajo.	☐	☐	☐
6. Nos admiramos.	☐	☐	☐
7. Nos extrañamos cuando no estamos juntos.	☐	☐	☐
8. Nunca nos vemos los fines de semana.	☐	☐	☐

Actividad F   ¿Recíproco o reflexivo?

Indicate whether each statement that you hear describes what people do to each other (**recíproco**) or to themselves (**reflexivo**).

	RECÍPROCO	REFLEXIVO
1.	☐	☐
2.	☐	☐
3.	☐	☐
4.	☐	☐
5.	☐	☐
6.	☐	☐
7.	☐	☐
8.	☐	☐

Go to page •• to complete ¡Acción! 2.

Nombre _____ *Fecha* _____ *Clase* _____

SEGUNDA PARTE

Vocabulario

Eres muy romántico.

Describing People

Actividad A   Definiciones

Empareja cada una de las definiciones con la palabra correspondiente.

1. _____ Se dice de alguien a quien le gusta dar órdenes (*commands*).

2. _____ Se refiere a alguien que tiene una opinión elevada de sí mismo.

3. _____ Describe a alguien que actúa según sus impulsos naturales.

4. _____ Si uno no tiene vergüenza, es esto.

5. _____ Se dice de alguien que llora con facilidad.

6. _____ Es una persona que presta (*pays*) atención a las cosas pequeñas.

7. _____ Se dice de la persona que comparte lo que tiene con los demás.

8. _____ Se dice de la persona que insiste en dar consejos a los demás y explicarles cómo resolver sus problemas.

a. detallista
b. sensible
c. descarado
d. entrometido
e. orgulloso
f. mandón
g. generoso
h. espontáneo

Actividad B   Descripciones

Empareja las frases para formar descripciones.

1. _____ Una persona coqueta…

2. _____ Una persona encantadora…

3. _____ Una persona engañadora…

4. _____ Una persona resuelta…

5. _____ Un amigo fiel…

6. _____ Una persona cabezona…

7. _____ Una persona vana…

8. _____ Una persona vengativa…

a. es muy calmada y cae bien.
b. no cambia de opinión fácilmente.
c. sonríe y le hace guiños (*winks*) a la persona que le interesa.
d. toma satisfacción de un agravio (*offense*) recibido.
e. está a tu lado cuando lo necesitas.
f. sabe lo que quiere.
g. no dice siempre la verdad.
h. se preocupa mucho por su apariencia física.

Actividad C   ¿Es lógico o no?

Indica si cada una de las oraciones que escuchas es lógica o no.

	LÓGICO	ILÓGICO
1.	☐	☐
2.	☐	☐
3.	☐	☐
4.	☐	☐
5.	☐	☐
6.	☐	☐
7.	☐	☐

Go to page 91 to complete ¡Acción! 3.

Gramática

Espero que sea divertido.   Introduction to the Subjunctive

Actividad D   ¿Quién lo dijo?

Indicate whether the following statements are most likely said by a child (**niño**), a movie star (**estrella de cine**), or both (**ambos**).

		NIÑO	ESTRELLA DE CINE	AMBOS
1.	Espero que Papá Noel (*Santa Claus*) me dé muchos regalos.	☐	☐	☐
2.	Espero que nadie me reconozca en público.	☐	☐	☐
3.	Ojalá que me dejen salir a jugar con mis amigos.	☐	☐	☐
4.	Espero que recuerden mi cumpleaños.	☐	☐	☐
5.	Espero que la crítica sea favorable.	☐	☐	☐
6.	Ojalá que yo les caiga bien a todos.	☐	☐	☐

Nombre _____ Fecha _____ Clase _____

Actividad E　Opciones

Complete each sentence with the most logical verb phrase.

1. Este fin de semana tenemos un pícnic y esperamos que no _____.

   ☐ haga sol.　　　☐ llueva

2. Ojalá que el profesor _____ a clase. No estudié para el examen.

   ☐ falte　　　☐ vaya

3. Ojalá que _____ ir de vacaciones a México este verano.

   ☐ queramos　　　☐ podamos

4. Espero que mi compañero de cuarto _____ casa porque no tengo la llave (key).

   ☐ salga de　　　☐ esté en

5. Espero que mi vecino _____ una fiesta el sábado.

   ☐ dé　　　☐ pierda

6. Ojalá que _____ bien a mi profesor.

   ☐ le caiga　　　☐ quiera

7. Espero que no _____ durante el discurso (lecture).

   ☐ me adore　　　☐ me hable

8. Ojalá que mi familia _____ a mi novio.

   ☐ estime　　　☐ desprecie

Actividad F　¿Quién lo diría?

Listen to each statement and indicate the character from *Sol y viento* who would most likely say it.

1. _____　　**a.** Jaime

2. _____　　**b.** María

3. _____　　**c.** Carlos

4. _____　　**d.** Mario

5. _____　　**e.** doña Isabel

6. _____　　**f.** don Paco

7. _____　　**g.** Traimaqueo

8. _____　　**h.** Andy

Go to page 92 to complete ¡Acción! 4.

TERCERA PARTE ∎∎∎∎∎∎∎∎∎∎∎∎∎∎∎∎∎∎∎∎∎

Vocabulario

¡Me engañó!
More on Relationships

Actividad A   En las películas románticas

Completa el párrafo a continuación con las expresiones correctas entre paréntesis.

La trama[a] de una película romántica típica de Hollywood suele seguir un orden predecible.[b] Primero, dos personas (**se casan** / **se conocen**)[1] en un lugar público como un café, bar o restaurante. Empiezan a charlar y coquetear[c] y luego salen juntos. Después de un tiempo relativamente corto, los dos empiezan a sentir una fuerte atracción mutua y (**se pelean** / **se enamoran**).[2] Los sentimientos crecen[d] rápidamente y en muchos casos las personas (**se casan** / **rompen**)[3] en una ceremonia grande. Después de vivir algunos años en matrimonio, la pareja pasa por varios problemas. A veces los problemas llegan a tal[e] punto que las personas (**comienzan** / **terminan**)[4] sus relaciones. Si logran[f] reconciliar sus diferencias, los dos (**se perdonan** / **se guardan rencor**)[5] y viven felices por muchos años más. Pero si nunca hacen las paces, (**se arrepienten** / **se divorcian**).[6]

[a]plot [b]predictable [c]flirt [d]grow [e]a... to such a [f]they manage

Actividad B   ¿Qué se dice?

Indica la palabra o frase correcta para completar cada una de las oraciones a continuación.

1. Cuando dos personas que se pelean resuelven sus problemas se dice que...

   a. hacen las paces.   **b.** están enamoradas.   **c.** se traicionan.

2. Cuando los esposos terminan sus relaciones en forma legal se dice que...

   a. discuten.   **b.** se gritan.   **c.** se divorcian.

3. Dos personas que se llevan bien sin tener relaciones románticas tienen...

   a. una boda.   **b.** una amistad.   **c.** un noviazgo.

4. Cuando una persona lastima a otra y luego se siente mal decimos que...

   a. perdona.   **b.** se arrepiente.   **c.** se compromete.

5. Cuando una persona no dice la verdad decimos que...

   a. seduce.   **b.** castiga.   **c.** miente.

6. Cuando una persona no perdona por años las ofensas de otra decimos que...

   a. guarda rencor.   **b.** oculta secretos.   **c.** engaña.

Nombre _____ *Fecha* _____ *Clase* _____

🎧 Actividad C   Las relaciones

Indica si cada una de las situaciones que escuchas describe relaciones buenas o malas.

	BUENAS	MALAS
1.	☐	☐
2.	☐	☐
3.	☐	☐
4.	☐	☐
5.	☐	☐
6.	☐	☐
7.	☐	☐
8.	☐	☐

🎬 Go to page 92 to complete ¡Acción! 5.

Gramática

A menos que no quieras...   Obligatory Subjunctive

Actividad D   Para tener buenas relaciones

Indicate the correct phrase to complete each piece of advice about maintaining a good relationship.

1. _____ Puedes ocultar algunos secretos con tal de que…

2. _____ Debes comunicar tus sentimientos con tranquilidad después de que…

3. _____ A veces tienes que respetar y aceptar las diferencias para que…

4. _____ Es bueno ser atento/a en caso de que…

5. _____ No debes salir con una persona cabezona a menos que…

6. _____ No debes comprometerte con él/ella sin que…

a. seas muy paciente y flexible.
b. lo hagas para proteger o sorprenderlo/la.
c. tu amigo/a te necesite pero no sabe pedirte ayuda.
d. Uds. se peleen.
e. pasen suficiente tiempo juntos para conocerse bien.
f. Uds. se lleven bien.

Actividad E   ¿En caso de qué?

Indicate the correct verb form to complete each sentence.

1. Estudiamos en la biblioteca a menos que _____ cerrada.

   a. está   **b.** esté

2. Miro las telenovelas (*soap operas*) porque me _____.

   a. divierten   **b.** diviertan

3. Estudio español para que _____ comunicarme con mis amigos hispanos.

   a. puedo   **b.** pueda

4. Quiero irme antes de que _____ demasiado tarde.

   a. es   **b.** sea

5. Limpio la casa sin que nadie me lo _____.

   a. pide   **b.** pida

6. Tenemos dinero en el banco porque lo _____.

   a. necesitamos   **b.** necesitemos

7. Voy a acompañarte con tal de que _____ antes de las 10:00.

   a. volvemos   **b.** volvamos

 ## Actividad F   Situaciones

You will hear the first part of a sentence. Indicate which phrase best completes each sentence. You will hear the beginning of each sentence twice.

1. ☐ ...reciba un aumento de sueldo (*raise*).

   ☐ ...recibir un aumento de sueldo.

2. ☐ ...haga ejercicio en el gimnasio.

   ☐ ...hacer ejercicio en el gimnasio.

3. ☐ ...perdonarme el malentendido (*misunderstanding*).

   ☐ ...me perdone el malentendido.

4. ☐ ...ofrecerse los cursos necesarios.

   ☐ ...se ofrezcan los cursos necesarios.

5. ☐ ...haya otra solución al problema.

   ☐ ...haber otra solución al problema.

6. ☐ ...saber los niños.

   ☐ ...sepan los niños.

Go to page 93 to complete ¡**Acción! 6.**

Nombre _____ Fecha _____ Clase _____

▲ ¡A escuchar!

Actividad A   ¿Estamos lejos?

Paso 1   Escucha la conversación entre Jaime y Mario. Luego, indica si las siguientes oraciones son ciertas o falsas.

1.   ¿A cuánto tiempo están Jaime y Mario de la viña en automóvil? ¿Y a pie?

2.   ¿En cuántos minutos se puede llegar a la viña si se atraviesa (*one goes through*) el campo (*field*)?

Paso 2 Escucha la conversación de nuevo. Basándote en el contexto, contesta las siguientes preguntas.

1.   ¿Cómo se traduce **a pie** al inglés?

2.   ¿Qué expresión en inglés equivale a **tomar un atajo**?

Actividad B   ¡Es durísima (*very tough*)!

Paso 1   Escucha la continuación de la conversación entre Paco, Isabel y Jaime sobre la compañía de Jaime. Llena los espacios en blanco con las palabras que oyes.

JAIME: He cometido un grave error. _____^{1} _____^{2} _____^{3}

_____^{4} para ayudarles a Uds. y _____^{5} _____^{6}

su hija _____^{7} _____^{8}.

ISABEL: ¿María Teresa _____^{9}? ¡Huy! ¡Es durísima! Va a ser muy difícil…

_____^{10} _____^{11} _____^{12} Ud., don Jaime, _____^{13}

_____^{14} perdón.

Paso 2 Indica si las siguientes oraciones son ciertas o falsas.

	CIERTO	FALSO
1. Jaime sigue tratando de finalizar el negocio con los Sánchez.	☐	☐
2. Isabel no le ofrece a Jaime ninguna esperanza (*hope*) de que María lo perdone.	☐	☐

✎ Para escribir

Antes de escribir

Paso 1   Hasta ahora se sabe muy poco del pasado de Carlos Sánchez. En esta actividad, vas a inventar una breve historia en la que describes el pasado de Carlos. Para comenzar, contesta las preguntas a continuación. No hay respuestas correctas; son tus opiniones.

1.   ¿Cuántos años tenía Carlos cuando murió su papá? ¿Qué hacía Carlos en esa época? ¿Trabajaba? ¿Estudiaba? ¿Vivía en la viña?

2.   Siendo el único hijo, ¿qué responsabilidades en cuanto a la familia y el manejo (*managing*) de la viña le tocaban al morir (*upon dying*) su padre?

3.   ¿Quería Carlos encargarse de (*to take charge of*) la viña? Si dices que sí, explica por qué era importante para él asumir este puesto (*position*). Si dices que no, ¿qué quería hacer con su vida? ¿Quería casarse? ¿tener hijos? ¿seguir otra profesión?

(Continued)

4. ¿Se llevaban bien de adolescentes Carlos y María? ¿Cómo reaccionó Carlos cuando María decidió trabajar en otro campo (*field*) que no fuera (*wasn't*) la viña?
5. Explica cómo eran las relaciones entre Carlos y don Paco tras (*after*) la muerte del padre de Carlos. ¿Lo trataba don Paco como si fuera (*he were*) su propio hijo? ¿Lo ayudaba en los asuntos de la viña? ¿Crees que Carlos respetaba a don Paco o que resentía algo de él?
6. Explica las circunstancias que llevaron a Carlos a querer vender la viña. ¿Estaba cansado del trabajo? ¿aburrido? ¿Resentía algo de su familia? ¿Había otros problemas?

Paso 2 Comparte tu información con un compañero (una compañera) de clase. ¿Tienen ideas parecidas?

A escribir

Paso 1 Usa las respuestas del **Paso 1** para escribir un borrador en una hoja de papel aparte. Las palabras y expresiones a continuación pueden serte útiles.

además de	in addition to
al contrario	on the contrary
así que	therefore
creo que	I think that
es obvio/evidente que	it's obvious/evident that
me parece que	it seems to me that
opino que	it's my opinion that
por lo visto	apparently
sin embargo	however

Paso 2 Repasa bien lo que has escrito. ¿Quieres agregar oraciones para hacer la narración más interesante?

Paso 3 Intercambia tu composición con la de un compañero (una compañera) de clase. Revisa los siguientes puntos.

☐ el significado y el sentido en general

☐ la concordancia entre sustantivo y adjetivo

☐ la concordancia entre sujeto y verbo

☐ la ortografía

Al entregar tu composición

Usa los comentarios de tu compañero/a de clase para escribir una versión final de tu composición. Repasa los siguientes puntos sobre el lenguaje y luego entrégasela a tu profesor(a).

☐ el uso correcto del pretérito y del imperfecto

☐ el uso correcto del subjuntivo

☐ el uso correcto de las palabras de transición

Nombre _____ Fecha _____ Clase _____

🎬 ¡Acción!

¡Acción! 1   ¿Cómo te hacen sentirte?

Completa las siguientes oraciones con los nombres de personas o personajes famosos y una explicación de por qué te sientes así.

MODELO: No le tengo envidia al <u>presidente</u> porque <u>tiene muchas responsabilidades.</u>

1. No aguanto _____ porque _____

2. Me gusta(n) mucho _____ porque _____

3. Admiro a _____ porque _____

4. _____ no me cae(n) bien porque _____

5. Le(s) tengo envidia a _____ porque _____

6. Respeto a(l) _____ porque _____

¡Acción! 2   ¿Qué se hacen?

Escribe seis oraciones con los verbos de la lista sobre lo que tú y tus amigos y/o parientes se hacen.

abrazar   aguantar   escribir cartas   extrañar   llamar   respetar

MODELO: extrañar → Mi primo Jeff y yo nos extrañamos porque no nos vemos con frecuencia.

1. _____

2. _____

3. _____

4. _____

5. _____

6. _____

¡Acción! 3   Las fábulas (*Fables*)

Los animales de las fábulas representan características humanas. Completa las siguientes oraciones con adjetivos que representan los animales y explica por qué.

MODELO: El zorro (*fox*) representa a una persona engañadora porque engaña a los demás.

1. El mono (*monkey*) representa a una persona _____ porque _____

2. La serpiente (*snake*) representa a una persona _____ porque _____

3. El perro representa a una persona _____ porque _____

4. La hiena representa a una persona _____ porque _____

5. El cisne (*swan*) representa a una persona _____ porque _____

6. La gata representa a una persona _____ porque _____

¡Acción! 4   Espero que...

Escribe de seis a diez oraciones sobre el futuro (en diez años) de tus relaciones con amigos y parientes. Usa las expresiones **espero que...** y **ojalá que...** en tus oraciones.

_____

_____

_____

_____

_____

_____

¡Acción! 5   ¿Qué debo hacer?

Usa el vocabulario de esta sección para darles consejos a las siguientes personas.

1. Encontré el número telefónico de un hombre en la cartera de mi novia. Ella dice que es su socio (*business partner*), pero creo que me engaña. ¿Qué debo hacer?

   _____

2. Mi jefa (*boss*) y yo nos peleamos y ahora ella no me habla. Me siento mal porque quiero que seamos cordiales otra vez. ¿Qué debo hacer?

   _____

3. Mis padres quieren casarme con la hija de unos amigos de ellos que no conozco. Respeto a mis padres, pero no quiero casarme con alguien que no amo. ¿Qué debo hacer?

   _____

4. Cada vez que no estoy de acuerdo con alguna decisión de mi esposo, él me amenaza (*threatens*) con el divorcio. No quiero divorciarme, pero tampoco quiero vivir así. ¿Qué debo hacer?

   _____

5. Me enteré de (*I found out*) que una compañera de trabajo le cuenta a su esposo todos mis secretos. Estoy muy decepcionada y no sé si puedo confiar más en ella. ¿Qué debo hacer?

   _____

6. Mi novio es muy guapo y le gusta coquetear con las mujeres. No va más allá de eso, pero aún así me molesta su actitud. ¿Qué debo hacer?

   _____

Nombre _____ Fecha _____ Clase _____

¡Acción! 6   ¿Qué haces?

Completa las siguientes oraciones con información verdadera para ti.

1. Llevo una tarjeta de crédito cuando voy de viaje en caso de que _____

2. No salgo de la casa sin que _____

3. Hago la tarea antes de que _____

4. No les doy dinero a mis amigos a menos que _____

5. Los padres trabajan para que sus hijos _____

6. De vez en cuando no duermo bien a menos que _____

Appendix 1 Verbs

A. Regular Verbs: Simple Tenses

Infinitive / Present Participle / Past Participle	INDICATIVE					SUBJUNCTIVE		IMPERATIVE
	Present	Imperfect	Preterite	Future	Conditional	Present	Imperfect	
hablar	hablo	hablaba	hablé	hablaré	hablaría	hable	hablara	
hablando	hablas	hablabas	hablaste	hablarás	hablarías	hables	hablaras	habla / no hables
hablado	habla	hablaba	habló	hablará	hablaría	hable	hablara	hable
	hablamos	hablábamos	hablamos	hablaremos	hablaríamos	hablemos	habláramos	hablemos
	habláis	hablabais	hablasteis	hablaréis	hablaríais	habléis	hablarais	hablad / no habléis
	hablan	hablaban	hablaron	hablarán	hablarían	hablen	hablaran	hablen
comer	como	comía	comí	comeré	comería	coma	comiera	
comiendo	comes	comías	comiste	comerás	comerías	comas	comieras	come / no comas
comido	come	comía	comió	comerá	comería	coma	comiera	coma
	comemos	comíamos	comimos	comeremos	comeríamos	comamos	comiéramos	comamos
	coméis	comíais	comisteis	comeréis	comeríais	comáis	comierais	comed / no comáis
	comen	comían	comieron	comerán	comerían	coman	comieran	coman
vivir	vivo	vivía	viví	viviré	viviría	viva	viviera	
viviendo	vives	vivías	viviste	vivirás	vivirías	vivas	vivieras	vive / no vivas
vivido	vive	vivía	vivió	vivirá	viviría	viva	viviera	viva
	vivimos	vivíamos	vivimos	viviremos	viviríamos	vivamos	viviéramos	vivamos
	vivís	vivíais	vivisteis	viviréis	viviríais	viváis	vivierais	vivid / no viváis
	viven	vivían	vivieron	vivirán	vivirían	vivan	vivieran	vivan

B. Regular Verbs: Perfect Tenses

INDICATIVE										SUBJUNCTIVE			
Present Perfect		Past Perfect		Preterite Perfect		Future Perfect		Conditional Perfect		Present Perfect		Past Perfect	
he	hablado	había	hablado	hube	hablado	habré	hablado	habría	hablado	haya	hablado	hubiera	hablado
has	comido	habías	comido	hubiste	comido	habrás	comido	habrías	comido	hayas	comido	hubieras	comido
ha	vivido	había	vivido	hubo	vivido	habrá	vivido	habría	vivido	haya	vivido	hubiera	vivido
hemos		habíamos		hubimos		habremos		habríamos		hayamos		hubiéramos	
habéis		habíais		hubisteis		habréis		habríais		hayáis		hubierais	
han		habían		hubieron		habrán		habrían		hayan		hubieran	

C. Irregular Verbs

Infinitive Present Participle Past Participle	INDICATIVE Present	Imperfect	Preterite	Future	Conditional	SUBJUNCTIVE Present	Imperfect	IMPERATIVE
andar andando andado	ando andas anda andamos andáis andan	andaba andabas andaba andábamos andabais andaban	anduve anduviste anduvo anduvimos anduvisteis anduvieron	andaré andarás andará andaremos andaréis andarán	andaría andarías andaría andaríamos andaríais andarían	ande andes ande andemos andéis anden	anduviera anduvieras anduviera anduviéramos anduvierais anduvieran	anda / no andes ande andemos andad / no andéis anden
caer cayendo caído	caigo caes cae caemos caéis caen	caía caías caía caíamos caíais caían	caí caíste cayó caímos caísteis cayeron	caeré caerás caerá caeremos caeréis caerán	caería caerías caería caeríamos caeríais caerían	caiga caigas caiga caigamos caigáis caigan	cayera cayeras cayera cayéramos cayerais cayeran	cae / no caigas caiga caigamos caed / no caigáis caigan
dar dando dado	doy das da damos dais dan	daba dabas daba dábamos dabais daban	di diste dio dimos disteis dieron	daré darás dará daremos daréis darán	daría darías daría daríamos daríais darían	dé des dé demos deis den	diera dieras diera diéramos dierais dieran	da / no des dé demos dad / no deis den
decir diciendo dicho	digo dices dice decimos decís dicen	decía decías decía decíamos decíais decían	dije dijiste dijo dijimos dijisteis dijeron	diré dirás dirá diremos diréis dirán	diría dirías diría diríamos diríais dirían	diga digas diga digamos digáis digan	dijera dijeras dijera dijéramos dijerais dijeran	di / no digas diga digamos decid / no digáis digan
estar estando estado	estoy estás está estamos estáis están	estaba estabas estaba estábamos estabais estaban	estuve estuviste estuvo estuvimos estuvisteis estuvieron	estaré estarás estará estaremos estaréis estarán	estaría estarías estaría estaríamos estaríais estarían	esté estés esté estemos estéis estén	estuviera estuvieras estuviera estuviéramos estuvierais estuviera	está / no estés esté estemos estad / no estéis estén
haber habiendo habido	he has ha hemos habéis han	había habías había habíamos habíais habían	hube hubiste hubo hubimos hubisteis hubieron	habré habrás habrá habremos habréis habrán	habría habrías habría habríamos habríais habrían	haya hayas haya hayamos hayáis hayan	hubiera hubieras hubiera hubiéramos hubierais hubieran	

C. Irregular Verbs (continued)

Infinitive / Present Participle / Past Participle	INDICATIVE					SUBJUNCTIVE		IMPERATIVE
	Present	Imperfect	Preterite	Future	Conditional	Present	Imperfect	
hacer haciendo hecho	hago haces hace hacemos hacéis hacen	hacía hacías hacía hacíamos hacíais hacían	hice hiciste hizo hicimos hicisteis hicieron	haré harás hará haremos haréis harán	haría harías haría haríamos haríais harían	haga hagas haga hagamos hagáis hagan	hiciera hicieras hiciera hiciéramos hicierais hicieran	haz / no hagas haga hagamos haced / no hagáis hagan
ir yendo ido	voy vas va vamos vais van	iba ibas iba íbamos ibais iban	fui fuiste fue fuimos fuisteis fueron	iré irás irá iremos iréis irán	iría irías iría iríamos iríais irían	vaya vayas vaya vayamos vayáis vayan	fuera fueras fuera fuéramos fuerais fueran	ve / no vayas vaya vamos / no vayamos id / no vayáis vayan
oír oyendo oído	oigo oyes oye oímos oís oyen	oía oías oía oíamos oíais oían	oí oíste oyó oímos oísteis oyeron	oiré oirás oirá oiremos oiréis oirán	oiría oirías oiría oiríamos oiríais oirían	oiga oigas oiga oigamos oigáis oigan	oyera oyeras oyera oyéramos oyerais oyeran	oye / no oigas oiga oigamos oíd / no oigáis oigan
poder pudiendo podido	puedo puedes puede podemos podéis pueden	podía podías podía podíamos podíais podían	pude pudiste pudo pudimos pudisteis pudieron	podré podrás podrá podremos podréis podrán	podría podrías podría podríamos podríais podrían	pueda puedas pueda podamos podáis puedan	pudiera pudieras pudiera pudiéramos pudierais pudieran	
poner poniendo puesto	pongo pones pone ponemos ponéis ponen	ponía ponías ponía poníamos poníais ponían	puse pusiste puso pusimos pusisteis pusieron	pondré pondrás pondrá pondremos pondréis pondrán	pondría pondrías pondría pondríamos pondríais pondrían	ponga pongas ponga pongamos pongáis pongan	pusiera pusieras pusiera pusiéramos pusierais pusieran	pon / no pongas ponga pongamos poned / no pongáis pongan
querer queriendo querido	quiero quieres quiere queremos queréis quieren	quería querías quería queríamos queríais querían	quise quisiste quiso quisimos quisisteis quisieron	querré querrás querrá querremos querréis querrán	querría querrías querría querríamos querríais querrían	quiera quieras quiera queramos queráis quieran	quisiera quisieras quisiera quisiéramos quisierais quisieran	quiere / no quieras quiera queramos quered / no queráis quieran

C. Irregular Verbs (continued)

Infinitive / Present Participle / Past Participle	INDICATIVE					SUBJUNCTIVE		IMPERATIVE
	Present	Imperfect	Preterite	Future	Conditional	Present	Imperfect	
saber sabiendo sabido	sé sabes sabe sabemos sabéis saben	sabía sabías sabía sabíamos sabíais sabían	supe supiste supo supimos supisteis supieron	sabré sabrás sabrá sabremos sabréis sabrán	sabría sabrías sabría sabríamos sabríais sabrían	sepa sepas sepa sepamos sepáis sepan	supiera supieras supiera supiéramos supierais supieran	sabe / no sepas sepa sepamos sabed / no sepáis sepan
salir saliendo salido	salgo sales sale salimos salís salen	salía salías salía salíamos salíais salían	salí saliste salió salimos salisteis salieron	saldré saldrás saldrá saldremos saldréis saldrán	saldría saldrías saldría saldríamos saldríais saldrían	salga salgas salga salgamos salgáis salgan	saliera salieras saliera saliéramos salierais salieran	sal / no salgas salga salgamos salid / no salgáis salgan
ser siendo sido	soy eres es somos sois son	era eras era éramos erais eran	fui fuiste fue fuimos fuisteis fueron	seré serás será seremos seréis serán	sería serías sería seríamos seríais serían	sea seas sea seamos seáis sean	fuera fueras fuera fuéramos fuerais fueran	sé / no seas sea seamos sed / no seáis sean
tener teniendo tenido	tengo tienes tiene tenemos tenéis tienen	tenía tenías tenía teníamos teníais tenían	tuve tuviste tuvo tuvimos tuvisteis tuvieron	tendré tendrás tendrá tendremos tendréis tendrán	tendría tendrías tendría tendríamos tendríais tendrían	tenga tengas tenga tengamos tengáis tengan	tuviera tuvieras tuviera tuviéramos tuvierais tuvieran	ten / no tengas tenga tengamos tened / no tengáis tengan
traer trayendo traído	traigo traes trae traemos traéis traen	traía traías traía traíamos traíais traían	traje trajiste trajo trajimos trajisteis trajeron	traeré traerás traerá traeremos traeréis traerán	traería traerías traería traeríamos traeríais traerían	traiga traigas traiga traigamos traigáis traigan	trajera trajeras trajera trajéramos trajerais trajeran	trae / no traigas traiga traigamos traed / no traigáis traigan

C. Irregular Verbs (continued)

Infinitive Present Participle Past Participle	INDICATIVE					SUBJUNCTIVE		IMPERATIVE
	Present	Imperfect	Preterite	Future	Conditional	Present	Imperfect	
venir viniendo venido	vengo vienes viene venimos venís vienen	venía venías venía veníamos veníais venían	vine viniste vino vinimos vinisteis vinieron	vendré vendrás vendrá vendremos vendréis vendrán	vendría vendrías vendría vendríamos vendríais vendrían	venga vengas venga vengamos vengáis vengan	viniera vinieras viniera viniéramos vinierais vinieran	ven / no vengas venga vengamos venid / no vengáis vengan
ver viendo visto	veo ves ve vemos veis ven	veía veías veía veíamos veíais veían	vi viste vio vimos visteis vieron	veré verás verá veremos veréis verán	vería verías vería veríamos veríais verían	vea veas vea veamos veáis vean	viera vieras viera viéramos vierais vieran	ve / no veas vea veamos ved / no veáis vean

D. Stem-Changing and Spelling Change Verbs

Infinitive Present Participle Past Participle	INDICATIVE					SUBJUNCTIVE		IMPERATIVE
	Present	Imperfect	Preterite	Future	Conditional	Present	Imperfect	
construir (y) construyendo construido	construyo construyes construye construimos construís construyen	construía construías construía construíamos construíais construían	construí construiste construyó construimos construisteis construyeron	construiré construirás construirá construiremos construiréis construirán	construiría construirías construiría construiríamos construiríais construirían	construya construyas construya construyamos construyáis construyan	construyera construyeras construyera construyéramos construyerais construyeran	construye / no construyas construya construyamos construid / no construyáis construyan
dormir (ue, u) durmiendo dormido	duermo duermes duerme dormimos dormís duermen	dormía dormías dormía dormíamos dormíais dormían	dormí dormiste durmió dormimos dormisteis durmieron	dormiré dormirás dormirá dormiremos dormiréis dormirán	dormiría dormirías dormiría dormiríamos dormiríais dormirían	duerma duermas duerma durmamos durmáis duerman	durmiera durmieras durmiera durmiéramos durmierais durmieran	duerme / no duermas duerma durmamos dormid / no durmáis duerman
pedir (i, i) pidiendo pedido	pido pides pide pedimos pedís piden	pedía pedías pedía pedíamos pedíais pedían	pedí pediste pidió pedimos pedisteis pidieron	pediré pedirás pedirá pediremos pediréis pedirán	pediría pedirías pediría pediríamos pediríais pedirían	pida pidas pida pidamos pidáis pidan	pidiera pidieras pidiera pidiéramos pidierais pidieran	pide / no pidas pida pidamos pedid / no pidáis pidan

D. Stem-Changing and Spelling Change Verbs (*continued*)

pensar (ie) / pensando / pensado

	INDICATIVE					SUBJUNCTIVE		IMPERATIVE
	Present	Imperfect	Preterite	Future	Conditional	Present	Imperfect	
	pienso	pensaba	pensé	pensaré	pensaría	piense	pensara	
	piensas	pensabas	pensaste	pensarás	pensarías	pienses	pensaras	piensa / no pienses
	piensa	pensaba	pensó	pensará	pensaría	piense	pensara	piense
	pensamos	pensábamos	pensamos	pensaremos	pensaríamos	pensemos	pensáramos	pensemos
	pensáis	pensabais	pensasteis	pensaréis	pensaríais	penséis	pensarais	pensad / no penséis
	piensan	pensaban	pensaron	pensarán	pensarían	piensen	pensaran	piensen

producir (zc) / produciendo / producido

	INDICATIVE					SUBJUNCTIVE		IMPERATIVE
	Present	Imperfect	Preterite	Future	Conditional	Present	Imperfect	
	produzco	producía	produje	produciré	produciría	produzca	produjera	
	produces	producías	produjiste	producirás	producirías	produzcas	produjeras	produce / no produzcas
	produce	producía	produjo	producirá	produciría	produzca	produjera	produzca
	producimos	producíamos	produjimos	produciremos	produciríamos	produzcamos	produjéramos	produzcamos
	producís	producíais	produjisteis	produciréis	produciríais	produzcáis	produjerais	producid / no produzcáis
	producen	producían	produjeron	producirán	producirían	produzcan	produjeran	produzcan

reír (i, i) / riendo / reído

	INDICATIVE					SUBJUNCTIVE		IMPERATIVE
	Present	Imperfect	Preterite	Future	Conditional	Present	Imperfect	
	río	reía	reí	reiré	reiría	ría	riera	
	ríes	reías	reíste	reirás	reirías	rías	rieras	ríe / no rías
	ríe	reía	rió	reirá	reiría	ría	riera	ría
	reímos	reíamos	reímos	reiremos	reiríamos	riamos	riéramos	riamos
	reís	reíais	reísteis	reiréis	reiríais	riáis	rierais	reíd / no riáis
	ríen	reían	rieron	reirán	reirían	rían	rieran	rían

seguir (i, i) (g) / siguiendo / seguido

	INDICATIVE					SUBJUNCTIVE		IMPERATIVE
	Present	Imperfect	Preterite	Future	Conditional	Present	Imperfect	
	sigo	seguía	seguí	seguiré	seguiría	siga	siguiera	
	sigues	seguías	seguiste	seguirás	seguirías	sigas	siguieras	sigue / no sigas
	sigue	seguía	siguió	seguirá	seguiría	siga	siguiera	siga
	seguimos	seguíamos	seguimos	seguiremos	seguiríamos	sigamos	siguiéramos	sigamos
	seguís	seguíais	seguisteis	seguiréis	seguiríais	sigáis	siguierais	seguid / no sigáis
	siguen	seguían	siguieron	seguirán	seguirían	sigan	siguieran	sigan

sentir (ie, i) / sintiendo / sentido

	INDICATIVE					SUBJUNCTIVE		IMPERATIVE
	Present	Imperfect	Preterite	Future	Conditional	Present	Imperfect	
	siento	sentía	sentí	sentiré	sentiría	sienta	sintiera	
	sientes	sentías	sentiste	sentirás	sentirías	sientas	sintieras	siente / no sientas
	siente	sentía	sintió	sentirá	sentiría	sienta	sintiera	sienta
	sentimos	sentíamos	sentimos	sentiremos	sentiríamos	sintamos	sintiéramos	sintamos
	sentís	sentíais	sentisteis	sentiréis	sentiríais	sintáis	sintierais	sentid / no sintáis
	sienten	sentían	sintieron	sentirán	sentirían	sientan	sintieran	sientan

volver (ue) / volviendo / vuelto

	INDICATIVE					SUBJUNCTIVE		IMPERATIVE
	Present	Imperfect	Preterite	Future	Conditional	Present	Imperfect	
	vuelvo	volvía	volví	volveré	volvería	vuelva	volviera	
	vuelves	volvías	volviste	volverás	volverías	vuelvas	volvieras	vuelve / no vuelvas
	vuelve	volvía	volvió	volverá	volvería	vuelva	volviera	vuelva
	volvemos	volvíamos	volvimos	volveremos	volveríamos	volvamos	volviéramos	volvamos
	volvéis	volvíais	volvisteis	volveréis	volveríais	volváis	volvierais	volved / no volváis
	vuelven	volvían	volvieron	volverán	volverían	vuelvan	volvieran	vuelvan

Appendix 2

Glossary of Grammatical Terms

ADJECTIVE　A word that modifies a noun or pronoun.

una casa **grande**
*a **big** house*

Ana es **inteligente.**
*Ana is **smart.***

Demonstrative adjective　An adjective that indicates relative position of an entity.

este chico, **esos** libros, **aquellas** personas
***this** boy, **those** books, **those** people (over there)*

Interrogative adjective　An adjective used to form questions.

¿Qué cuaderno?
***Which** notebook?*

¿Cuáles son los carteles que buscas?
***What (Which)** posters are you looking for?*

Possessive adjective (unstressed)　An adjective that indicates possession and precedes the noun in Spanish

sus coches
***their** cars*

mi hermana
***my** sister*

Possessive adjective (stressed)　An adjective that more emphatically indicates possession and follows the noun in Spanish.

Es **una** amiga **mía.**
*She's **my** friend. / She's a friend **of mine.***

Es **un** coche **suyo.**
*It's **her** car. / It's a car **of hers.***

ADVERB　A word that modifies an adjective, a verb, or another adverb.

Roberto es **muy** alto.
*Roberto is **very** tall.*

María escribe **bien.**
*María writes **well.***

Van **demasiado** rápido.
*They are going **too** quickly.*

AGREEMENT　A process by which adjectives, verbs, and pronouns must agree in gender, person, number, or some other grammatical feature with a noun or pronoun.

AGREEMENT WITH		
GENDER	NUMBER	PERSON
el libr**o** blanc**o**	**los** libro**s** blanco**s**	**el** chico juega
l**a** casa blanc**a**	**las** casa**s** blanca**s**	**los** chicos juega**n**
		(yo) viv**o**, **(tú)** vive**s**,...

ARTICLE　A determiner that sets off a noun.
Definite article　An article that indicates a specific noun.

el país
***the** country*

la silla
***the** chair*

las mujeres
***the** women*

Indefinite article　An article that indicates an unspecified noun.

un chico
***a** boy*

una ciudad
***a** city*

unas zanahorias
***(some)** carrots*

CLAUSE　A construction that contains a subject and a verb.

Main (Independent) clause　A clause that can stand on its own because it expresses a complete thought.

Busco una muchacha.
***I'm looking** for a girl.*

Si yo fuera rica, **me compraría una casa.**
*If I were rich, **I would buy a house.***

Subordinate (Dependent) clause   A clause that cannot stand on its own because it does not express a complete thought. It is generally set off with *that*, *which*, *if*, or a similar word.

Busco a la muchacha **que juega al tenis.**
*I'm looking for the girl **who plays tennis.***

Si yo fuera rica, me compraría una casa.
***If I were rich,** I would buy a house.*

COMPARATIVE   The form of adjectives and adverbs used to compare two nouns or actions.

Luis es **menos hablador que** Julián.
*Luis is **less talkative than** Julián.*

Luis corre **más rápido que** Julián.
*Luis runs **faster than** Julián.*

CONJUGATION   The different forms of a verb for a particular tense or mood.

A present indicative conjugation:

(yo) **hablo**	(nosotros/as) **hablamos**
(tú) **hablas**	(vosotros/as) **habláis**
(Ud.) **habla**	(Uds.) **hablan**
(él/ella) **habla**	(ellos/as) **hablan**

I speak	*we speak*
you (fam. sing.) speak	*you (fam. pl.) speak*
you (form. sing.) speak	*you (pl. fam. & form.)*
	speak
he/she speaks	*they speak*

CONJUNCTION   An expression that connects words, phrases, or clauses.

Cristóbal **y** Diana
*Cristóbal **and** Diana*

Hace frío, **pero** hace buen tiempo.
*It's cold, **but** it's nice out.*

DIRECT OBJECT   The noun or pronoun that receives the action of a verb; that is, the person, place, thing, or idea that is touched/cooked/eaten/said/seen/etc.

Veo **la caja.**
*I see **the box.***

La veo.
*I see **it.***

GENDER   A grammatical category for nouns and pronouns. In Spanish, there are two genders: masculine and feminine.

	MASCULINE	FEMININE
NOUNS:	**el** disco	**la** cinta

IMPERATIVE   *See* Mood.

IMPERFECT (*IMPERFECTO*)   In Spanish, a verb form that expresses a past event with no specific beginning or ending.

Nadábamos con frecuencia.
*We **used to swim** often.*

IMPERSONAL CONSTRUCTION   One that contains a third-person singular verb but no specific subject in Spanish. The subject of English impersonal constructions is generally *it*.

Es importante que…
***It is important** that…*

Es necesario que…
***It is necessary** that…*

INDICATIVE   *See* Mood.

INDIRECT OBJECT   The noun or pronoun that indicates *for who(m)* or *to who(m)* an action is performed. In Spanish, the indirect object pronoun must always be included, even when the indirect object is explicitly stated as a noun.

Marcos **le** da el suéter **a Raquel.** / Marcos **le** da el suéter.
*Marcos gives the sweater **to Raquel.** / Marcos gives **her** the sweater.*

INFINITIVE   A tenseless form of a verb introduced by *to* in English (*to walk*, *to live*) and ending in **-r** in Spanish (**caminar, vivir**). In Spanish dictionaries, the infinitive form of the verb appears as the main entry.

Luisa va a **comprar** un periódico.
*Luisa is going **to buy** a newspaper.*

MOOD   A set of categories for verbs indicating the attitude of the speaker toward what he or she is saying.

Imperative mood   A verb form expressing a command.

¡Ten cuidado!
***Be** careful!*

Indicative mood   A verb form denoting actions or states considered facts.

Voy a la biblioteca.
***I'm going** to the library.*

Subjunctive mood   A verb form, uncommon in English, used primarily in subordinate clauses after expressions of desire, doubt, or emotion. Spanish constructions with the subjunctive have many possible English equivalents.

Quiero que **vayas** inmediatamente.
*I want you **to go** immediately.*

Noun   A word that denotes a person, place, thing, or idea. Proper nouns are capitalized names.

abogado, ciudad, periódico, libertad, Luisa
lawyer, city, newspaper, freedom, Luisa

NUMBER   The grammatical term for the distinction between singular and plural.

	SINGULAR	PLURAL
NOUNS	libro, chica	libro**s**, chica**s**
PRONOUNS	usted, ella	usted**es**, ella**s**
ADJECTIVES	bonito, grande	bonito**s**, grande**s**
VERBS	vivo	vivi**mos**
	vive	vive**n**

PAST PARTICIPLE   The form of a verb used in compound tenses (*see* Perfect Tenses). Used with forms of *to have* or *to be* in English and with **ser, estar,** or **haber** in Spanish.

comido, terminado, perdido
eaten, finished, lost

PERFECT TENSES   Compound tenses that combine the auxiliary verb **haber** with a past participle.

Present perfect indicative   This form uses a present indicative form of **haber.** The use of the Spanish present perfect generally parallels that of the English present perfect.

No **he viajado** nunca a México.
I've never *traveled* to Mexico.

Past perfect indicative   This form uses **haber** in the imperfect tense to talk about something that had or had not been done before a given time in the past.

Antes de 2008, **no había estudiado** español.
Before 2008, **I hadn't studied** *Spanish.*

Present perfect subjunctive   This form uses the present subjunctive of **haber** to express a present perfect action when the subjunctive is required.

¡Ojalá que Marisa **haya llegado** a su destino!
I hope (that) Marisa **has arrived** *at her destination!*

PERSON   The grammatical term for a pronoun or verb that indicates the relationship to the speaker. (NOTE: The speaker is always *I*.)

	SINGULAR	PLURAL
FIRST PERSON:	*I* / yo	*we* / nosotros/as
SECOND PERSON:	*you* / tú, Ud.	*you* / vosotros/as, Uds.
THIRD PERSON:	*he, she* / él, ella	*they* / ellos, ellas

PREPOSITION   A word or phrase that specifies the relationship of one word (usually a noun or pronoun) to another. The relationship is usually spatial or temporal.

a la escuela
to *school*

cerca de la biblioteca
near *the library*

con él
with *him*

antes de la medianoche
before *midnight*

PRETERITE (*PRETÉRITO*)   In Spanish, a verb form expressing a past action with a specific beginning or ending.

Salí para Roma el jueves.
I left *for Rome on Thursday.*

PRONOUN   A word that refers to a person (such as *I* or *you*) or that is used in place of one or more nouns.

Demonstrative pronoun   A pronoun that singles out a particular person, place, thing, or idea.

Aquí están dos libros. **Este** es interesante, pero **ese** es aburrido.
Here are two books. **This one** *is interesting, but* **that one** *is boring.*

Interrogative pronoun   A pronoun used to ask a question.

¿**Quién** es él?   ¿**Qué** prefieres?
Who *is he?*   **What** *do you prefer?*

Object pronoun   A pronoun that replaces a direct object noun or an indirect object noun. Both direct and indirect object pronouns can be used together in the same sentence.

Si **me** llamas más tarde, **te** doy el número de teléfono de David.
If you call **me** *later, I'll give* **you** *David's phone number.*

Veo a **Alejandro. Lo** veo.
I see **Alejandro.** *I see* **him.**

However, when the pronouns **le** or **les** are used with **lo, la, los,** or **las, le** or **les** change to **se.**

Le doy **el libro** a Juana. **Se lo** doy (a ella).
I give the book **to Juana.** *I give* **it** *to* **her.**

Reflexive pronoun   A pronoun that represents the same person as the subject of the verb.

Me miro en el espejo.
I look at **myself** *in the mirror.*

Relative pronoun   A pronoun that introduces a dependent clause and denotes a noun already mentioned.

El hombre con **quien** hablaba era mi vecino.
The man with **whom** *I was talking was my neighbor.*

Aquí está el bolígrafo **que** buscas.
Here is the pen (**that**) *you're looking for.*

Subject pronoun   A pronoun representing the subject of the verb. Spanish omits subject pronouns if the subject is understood and not emphasized.

Lucas y Julia juegan al tenis.
Lucas and Julia *are playing tennis.*

Ellos juegan al tenis. /Juegan al tenis.
They *are playing tennis.*

SUBJECT   The word(s) denoting the thing performing an action, engaging in a process, or existing in a state. Sometimes subjects cannot be specified in Spanish, as with weather, time, and other impersonal expressions.

Sara trabaja aquí.
Sara works here.

María conoce bien al profesor.
***María** knows the professor well.*

Mis **libros** y mi **computadora** están allí.
*My **books** and my **computer** are over there.*

Está lloviendo.
It is raining.

SUBJUNCTIVE   *See* Mood.

SUPERLATIVE   The form of adjectives or adverbs used to compare three or more nouns or actions. In English, the superlative is marked by *most, least,* or *-est.*

Escogí **el vestido más caro.**
*I chose **the most expensive** dress.*

Ana es **la persona menos habladora** que conozco.
*Ana is **the least talkative** person I know.*

TENSE   The form of a verb indicating time: present, past, or future.

Raúl **era, es** y siempre **será** mi mejor amigo.
*Raúl **was, is,** and always **will be** my best friend.*

VERB   A word denoting an action, process, or state.

Maribel llegó.
Maribel ***arrived.***

La niña **estaba** cansada.
*The child **was** tired.*

Auxiliary verb   A verb in conjuction with a participle to convey distinctions of tense and mood. In Spanish, one auxiliary verb is **haber.**

Han viajado por todas partes del mundo.
*They **have** traveled everywhere in the world.*

Reflexive verb   A verb whose subject and object are the same.

Juan **se corta** la cara cuando **se afeita.**
*Juan **cuts himself** when he **shaves (himself).***

Spanish-English Vocabulary

This Spanish-English Vocabulary contains all the words that appear in the text, with the following exceptions: (1) most identical cognates that do not appear in the chapter vocabulary lists; (2) verb forms; (3) diminutives in **-ito/a;** (4) absolute superlatives in **-ísimo/a;** and (5) most adverbs in **-mente.** Active vocabulary is indicated by the number of the lesson in which a word or given meaning is first listed (P = **Lección preliminar** and **F** = **Lección final**). Vocabulary that is glossed in the text is not considered to be active vocabulary, and no lesson number is indicated for it. Only meanings that are used in this text are given.

Gender is indicated except for masculine nouns ending in **-o,** feminine nouns ending in **-a,** and invariable adjectives. Stem changes and spelling changes are indicated for verbs: **dormir (ue, u); llegar (gu).**

Because **ch** and **ll** are no longer considered separate letters, words with **ch** and **ll** are alphabetized as they would be in English. The letter **ñ** follows the letter **n: añadir** follows **anuncio,** for example.

The following abbreviations are used:

adj.	adjective	*irreg.*	irregular
adv.	adverb	*m.*	masculine
Arg.	Argentina	*Mex.*	Mexico
aux.	auxiliary	*n.*	noun
conj.	conjunction	*neut.*	neuter
def. art.	definite article	*obj.*	object
d.o.	direct object	*p.p.*	past participle
f.	feminine	*pl.*	plural
fam.	familiar	*poss.*	possessive
form.	formal	*prep.*	preposition
gram.	grammatical term	*pron.*	pronoun
indef. art.	indefinite article	*refl.*	reflexive
inf.	infinitive	*s.*	singular
interj.	interjection	*Sp.*	Spain
inv.	invariable	*sub. pron.*	subject pronoun
i.o.	indirect object	*v.*	verb

A

a to, at (1B); **a continuación** following; **a favor de** in favor of; **a la derecha de** to the right of (2A); **a la izquierda de** to the left of (2A); **a la(s)... ** at ... o'clock (1A); **a menos que** unless (7B); **a pesar de** *prep.* in spite of, despite; **¿a qué hora?** at what time? (1A); **a solas** alone (1B); **a través de** through, by means of; **a veces** sometimes; **llegar (gu) a tiempo** to arrive on time (1A)

abajo (de) below, underneath

abandonar to abandon; to give up

abarcar (qu) to cover

abierto/a (*p.p. of* **abrir**) open

abogado/a lawyer (F)

aborigen (*pl.* **aborígenes**) aboriginal

abrazar (c) to embrace (7B)

abrigo overcoat (2B)

abril *m.* April (1B)

abrir (*p.p.* **abierto/a**) to open (1B)

abrochar(se) (el cinturón) to fasten (one's seatbelt)

absoluto/a absolute; complete

absurdo/a absurd

abuelo/a grandfather, grandmother (3A); *pl.* grandparents

aburrido/a bored (1B); boring (2B)

aburrir(se) to bore (oneself) (7A)

acá here

acabar to finish; **acabar de** + *inf.* to have just (*done something*)

académico/a academic

acalorado/a heated

acampar to camp; to go camping (6B)

¿acaso...? by any chance . . . ?; **por si acaso** just in case

acceder to access; **acceder a** to gain access to

acción *f.* action; **Día** (*m.*) **de Acción de Gracias** Thanksgiving (4A); *pl.* stocks (8A)

aceite *m.* oil

aceptación *f.* acceptance

aceptar to accept

acerca de about

acero steel

acertado/a correct

acertar (ie) to guess right

aclaración *f.* clarification

acompañar to accompany; to go with

acontecimiento event, happening (8B)
acoso (sexual) sexual harassment
acostarse (ue) to go to bed (2A)
acostumbrarse a to get used to, to become accustomed to
actitud *f.* attitude
actividad *f.* activity
activismo activism
activista *m., f.* activist
activo/a active
acto act
actor *m.* actor (F)
actriz *f.* (*pl.* **actrices**) actress (F)
actual current; contemporary
actualidad *f.*: **en la actualidad** currently
actuar (actúo) to act
acuario Aquarius
acuático/a aquatic
acuerdo agreement; **estar** (*irreg.*) **de acuerdo** to agree; **ponerse** (*irreg.*) **de acuerdo** to come to an agreement
adaptable adaptable (5A)
adaptar(se) to adapt
adecuado/a appropriate
adelante *adv.* ahead; **de aquí en adelante** from here on out
además moreover; **además de** besides
adentro *adv.* inside
adicional additional
adiós good-bye
adivinar to guess
adjetivo adjective
administración *f.* administration; **administración de empresas** business administration (P)
administrador(a) administrator
admirar to admire
adolescente *m., f.* adolescent, teenager (5A)
¿adónde? where (to)? (1B)
adoptar to adopt
adoptivo/a adopted (3A)
adorar to adore, worship (7B)
adquirido/a acquired; **síndrome** (*m.*) **de inmunodeficiencia adquirida (SIDA)** Acquired Immune Deficiency Syndrome (AIDS) (8B)
aduana *s.* customs; **pasar por la aduana** to go through customs (6A)
adverbio adverb

advertir (ie, i) (de) to warn (about)
aeróbico aerobic; **hacer** (*irreg.*) **ejercicio aeróbico** to do aerobics (4A)
aeropuerto airport (6A)
afanarse por + *inf.* to strive to + *inf.*
afectar to affect
afectuoso/a affectionate
afeitarse to shave (4B)
aficionado/a fan; **ser** (*irreg.*) **aficionado/a (a)** to be a fan (of) (4A)
afirmación *f.* statement
afirmativo/a *adj.* affirmative
afortunadamente fortunately, luckily
África Africa (6B)
africano/a *n., adj.* African
afroamericano/a *n., adj.* African-American
afuera *adv.* outside; *n. pl.* suburbs, outskirts (2A)
agencia agency; **agencia de viajes** travel agency (6A)
agente *m., f.* agent; **agente de bienes** real estate agent; **agente de viajes** travel agent (6A)
agosto August (1B)
agradable pleasant, nice (1B)
agradar to please (5A)
agradecer (zc) to thank (3A)
agregar (gu) to add
agrícola *adj. m., f.* agricultural
agricultura agriculture
agrio/a sour (3B)
agrupación *f.* group
agrupar to group
agua *f.* (*but* **el agua**) water (3B); **agua del grifo** tap water; **agua potable** drinking water; **contaminación** (*f.*) **del agua** water pollution (6B); **esquiar (esquío) en el agua** to water ski (4A)
aguacate *m.* avocado
aguado/a watered down (3B)
aguafiestas *m., f. s.* party-pooper (4A)
aguantar to endure; **no aguantar** not to be able to stand, put up with (7B)
ahí there
ahora now (1A); **ahora mismo** right now
ahorrar to save (8A)
ahorros *pl.* savings (8A); **cuenta de ahorros** savings account (8A)

aire *m.* air; **al aire libre** outdoor(s) (6B); **contaminación** (*f.*) **del aire** air pollution (6B)
ajedrez *m.* chess (4A)
al (*contraction of* **a** + **el**) to the; **al aire libre** outdoors (6B); **al horno** baked (3B); **al igual que** just like; **al lado de** beside (2A); **al vapor** steamed (3B)
albergar (gu) to house
álbum *m.* album
alcalde *m., f.* mayor
alcanzar (c) (una meta) to reach, achieve (a goal) (9B)
alcoba bedroom
alcohólico/a *adj.* alcoholic; **bebida alcohólica** alcoholic drink
alegrarse to get, become happy (7A)
alegre happy (1B)
alemán *m.* German (*language*) (P)
alemán, alemana *n., adj.* German
Alemania Germany
alergia allergy (7A)
alérgico/a allergic
alfabetización literacy
alfombra rug; carpet (4B)
algo something, some (3B); **tomar algo muy a pecho** to take something to heart (7A)
alguien someone (1B)
algún, alguno/a some, any (3B)
alimenticio/a nutritional
alimento food item (3B)
alistar to list
aliviar to alleviate
allá (way) over there
allí there (2B); over there (2B)
almacén *m.* (*pl.* **almacenes**) department store
almirante *m.* admiral
almohada pillow
almorzar (ue) (c) to eat lunch (2A)
almuerzo lunch (3B)
aló hello (*telephone*)
alojamiento lodging (6A)
alojarse to stay (*in a place*) (6A)
alpinismo rock climbing; **practicar (qu) el alpinismo de rocas** to rock climb (6B)
alquilar to rent (4B); **se alquila** for rent
alquiler *m.* rent (1A)
alrededor de *prep.* around (2A)
alternativo/a alternating
alterno/a alternating
altiplano high plateau

altitud *f.* altitude

alto/a tall (3A); high; **en voz alta** aloud; **poner** (*irreg.*) **alto el volumen** to turn the volume up high

altruista *adj. m., f.* altruistic

altura height

aluminio aluminum; **lata de aluminio** aluminum can (6B)

alza *f.* (*but* **el alza**) rise (8A)

amar to love (7B)

amargo/a bitter (3B)

amarillo/a yellow (2B)

Amazonia Amazon

amazónico/a *adj.* Amazon

ambicioso/a ambitious (1B)

ambiente *m.* atmosphere; **medio ambiente** environment (6B)

ambos/as *pl.* both

americano/a *n., adj.* American; **fútbol** (*m.*) **americano** football (4A)

amigo/a friend

amistad *f.* friendship (7B); **Día** (*m.*) **del Amor y de la Amistad** Valentine's Day

amor *m.* love; **Día** (*m.*) **del Amor y de la Amistad** Valentine's Day

amoroso/a affectionate, loving

amortizar (c) to pay off

amplio/a ample, broad

amueblado/a furnished (4B)

amuleto amulet

analfabetismo illiteracy (8B)

análisis *m. inv.* analysis

analista *m., f.* analyst; **analista de sistemas** systems analyst (FB)

anaranjado/a orange (*color*) (2B)

andar *irreg.* to walk; **andar en bicicleta** to ride a bicycle (4A); **rueda de andar** treadmill (4A)

andino/a Andean

anfibio amphibian

ángel *m.* angel

animado/a: dibujo animado cartoon

animal *m.* animal

animar to encourage; to animate; to energize

ánimo: estado de ánimo state of mind

anoche *adv.* last night

anónimo/a anonymous

anotar to note, take note of

ansioso/a worried, anxious (5B)

antártico/a Antarctic

Antártida Antarctica (6B)

ante *prep.* before; faced with; in the presence of

antemano: de antemano ahead of time

anteojos *pl.* glasses (*vision*)

antepasado/a ancestor

anterior previous

antes *adv.* before; **antes de** (*prep.*) + *inf.* before (*doing something*); **antes de Cristo (a.C.)** before Christ (B.C.); **antes (de) que** *conj.* before (7B)

anticipación *f.:* **con dos horas de anticipación** two hours ahead of time

antiguo/a old

antirrobo/a antitheft; **seguro antirrobo** antitheft insurance (8A)

antropología anthropology (P)

antropólogo/a anthropologist

anuncio advertisement; announcement; **anuncio publicitario** commercial (8B)

añadir to add

año year (1B); **cada año** each year; **¿cuántos años cumples?** how many years old are you (*turning*) (*fam. s.*)? (4A); **cumplir... años** to be ... old (*on a birthday*) (4A); **hace... años** ... years ago; **los años veinte** the twenties; **tener** (*irreg.*)**... años** to be ... years old (2A)

apagar (gu) to turn off (*light*) (5A)

aparato appliance; **aparato doméstico** household appliance (4B); **aparato electrónico** electronic device (5A)

aparecer (zc) to appear

aparición *f.* apparition

apariencia appearance

apartamento apartment (4B)

aparte *adv.* apart; besides; **hoja de papel aparte** separate piece of paper

apasionado/a passionate (1B)

apático/a apathetic

apellido last name; **¿cuál es su apellido?** what's his/her last name? (P); **¿cuál es tu apellido?** what's your (*fam. s.*) last name? (P); **mi apellido es...** my last name is ... (P)

apenas *adv.* hardly; barely

aperitivo appetizer

apetecer (zc) to appeal, be pleasing (5A)

aplicado/a diligent; industrious

aplicar(se) (qu) to apply (oneself)

apoyar to support (8B)

apreciar to appreciate

aprender to learn (1B)

apresurar to rush

aprobar (ue) to approve, pass (8B)

apropiado/a appropriate (8B)

aprovecharse (de) to take advantage (of)

aproximadamente approximately

apuntar to note, jot down

apunte *m.* note; **tomar apuntes** to take notes (1A)

apresurar to hurry

aquel, aquella *adj.* that (over there) (2B); *pron.* that one (over there) (2B)

aquello *neut. pron.* that (2B); that thing (2B)

aquí here (2B); **de aquí en adelante** from here on out

árabe *n., adj. m., f.* Arab

árbol *m.* tree; **árbol genealógico** family tree; **subirse a los árboles** to climb trees

archipiélago archipelago, group of islands

archivo archive, file (5A)

área *f.* (*but* **el área**) area

arepa round corn loaf

argentino/a *n., adj.* Argentine

árido/a arid, dry

arma *f.* (*but* **el arma**) **de fuego** firearm

armario closet (4B)

arqueológico/a archaeological

arquitecto/a architect (F)

arquitectónico/a architectural

arquitectura architecture (F)

arreglar to fix

arrepentirse (ie, i) (de) to be sorry (about); to regret (7B)

arriba (de) *prep.* up; above

arriesgado/a daring

arrogante arrogant (1B)

arroz *m.* rice (3B)

arruinar to ruin

arte *m.* (*but* **las artes**) art (F); *pl.* arts (P); **bellas artes** fine arts

arterial: presión (*f.*) **arterial** blood pressure (7A)

artesanía *s.* arts and crafts

artículo article (8B)

artista *m., f.* artist
artístico/a artistic
arzobispo archbishop
asado/a roasted
ascendencia heritage
asegurado/a insured
asegurarse (de que) to make sure (that)
asesinar to murder
asesor(a) consultant
así thus, so; **así como** just as; **así que** so (that), therefore
Asia Asia (6B)
asiático/a *n., adj.* Asian
asiáticoamericano *n., adj.* Asian-American
asiento chair (6A); **tomar asiento** to take a seat
asignar to assign
asistencia médica medical care
asistente (*m., f.*) **de vuelo** flight attendant (6A); **asistente** (*m., f.*) **social** social worker
asistir (a) to attend (1B)
asociación *f.* association
asociado/a associated; **Estado Libre Asociado**. Commonwealth
asociar to associate; to combine
aspecto aspect; appearance
aspiración *f.* aspiration, hope (F)
aspiradora vacuum (4B); **pasar la aspiradora** to vacuum (4B)
aspirar (a) to aspire (to)
aspirina aspirin (7A)
astronomía astronomy (P)
astrónomo/a astronomer (F)
astuto/a astute, clever (1B)
asumir to assume, take on
asunto subject, topic, issue
asustado/a scared
atacar (qu) to attack
atajo shortcut
atención *f.* attention; **prestar atención** to pay attention
atender (ie) to wait on (6A)
atentado *n.* attack
atento/a attentive (7B)
atleta *m., f.* athlete (4A)
atlético/a athletic
atracción *f.* attraction; *pl.* sights
atractivo/a attractive
atraer (like **traer**) to attract
atrasado/a backward
atravesar (ie) to cross; to run through (*river*)

atrevido/a daring (8B)
atún *m.* tuna (3B)
audiencia audience
auditorio/a auditorium (P)
aumentar to augment, increase
aumento *n.* increase
aun *adv.* even
aún *adv.* still, yet
aunque although
ausencia absence
Australia Australia (6B)
auto car
autobús *m.* bus (6A); **parada de autobuses** bus stop (2A)
autóctono/a autochthonous
autoescuela driving school
automático/a automatic; **cajero automático** ATM (2A)
automóvil *m.* automobile (8A); **seguro de automóvil** automobile insurance (8A)
autonomía autonony
autónomo/a autonomous
autoridad *f.* authority
autorización *f.* authorization
autosuficiente self-sufficient
avance *m.* advance
avanzado/a advanced
ave *f.* (*but* **el ave**) bird; *pl.* poultry (3B)
avenida avenue
aventurarse to risk
avergonzado/a embarrassed (7A)
averiguación *f.* verification
averiguar (averigüo) to find out
avión *m.* airplane (6A)
¡ay! *interj.* oh!
ayer yesterday (4A)
aymara *m.* Aymara (*language*)
ayuda *n.* help; **pedir (i, i) ayuda** to ask for help
ayudante *m., f.* helper; assistant
ayudar to help (8B)
azteca *n. m., f.; adj.* Aztec
azúcar *m.* sugar (8A)
azul blue (2B)

B

bailador(a) dancer
bailar to dance (1A)
baile *m.* dance
baja *n.* fall (*stocks*) (8A)
bajar to go down (8A); **bajar de** to get off (6A); **bajar de peso** to lose weight
bajo *prep.* under
bajo/a *adj.* short (*height*); low (3A)

balboa *m. currency of Panama*
balcón *m.* balcony (4B)
ballena whale
ballet *m.* ballet
baloncesto basketball
banana banana
bancario/a *adj.* banking, financial
banco bank (2A)
banda band
bandeja tray
bandera flag
bañar to bathe; **bañarse** to take a bath (4B)
bañera bathtub (4B)
baño bathroom (4B); **traje** (*m.*) **de baño** bathing suit (2B)
bar *m.* bar (2A)
barato/a inexpensive, cheap (2B)
barba beard
barco ship, boat; **navegar (gu) en barco** to sail (4A)
barra bar; **barra de memoria** memory stick (5A)
barrer (el piso) to sweep (the floor) (4B)
barrio neighborhood (2A)
basar to base, support; **basarse en** to base oneself on
base *f.* base, foundation; **a base de** based on
básico/a basic
basquetbol *m.* basketball (4A); **jugar (ue) (gu) al basquetbol** to play basketball
bastante *adv.* somewhat, rather (1B)
basura garbage; **sacar (qu) la basura** to take out the trash (4B)
basurero landfill (6B)
batalla battle
batear to bat
bate *m.* bat (*sports*)
beber to drink (1B)
bebida *n.* drink; **bebida alcohólica** alcoholic drink
béisbol *m.* baseball (4A)
belleza beauty
bello/a beautiful
beneficios *pl.* benefits
besar to kiss (7B)
beso *n.* kiss; **darle** (*irreg.*) **un beso a alguien** to give someone a kiss (7B)
biblioteca library (P)
bibliotecario/a librarian (F)
bicicleta bicycle; **andar** (*irreg.*) **en bicicleta** to ride a bicycle (4A)

bien *adv.* well; **caerle** (*irreg.*) **bien a alguien** to like someone (5A); **combinar bien** to go well with (*clothing*) (2B); **llevarse bien con** to get along well with (5A); **manejar bien** to manage well (8A); **pasarlo bien** to have a good time (4A); **portarse bien** to behave well (5A); **quedarle bien** to fit well (2B)
bienes (*m. pl.*) **raíces** real estate (8A)
bienestar *m.* well-being
bilingüe bilingual
bilingüismo bilingualism
billete *m.* ticket (*Sp.*)
biodegradable: producto biodegradable biodegradable product (6B)
biodiversidad *f.* biodiversity
biología biology (P)
biológico/a biological
biólogo/a biologist (F)
biomasa biomass
bistec *m.* steak (3B)
blanco/a white (2B); **vino blanco** white wine (3B)
blando/a soft (3B)
blusa blouse (2B)
boca mouth (7A)
boda wedding (5B); **padrino de boda** groomsman
bodega wine cellar
boleto ticket (6A); **boleto de ida** one-way ticket; **boleto de ida y vuelta** round-trip ticket
boliche *m.* bowling
bolígrafo pen (P)
boliviano/a *n., adj.* Bolivian
bolsa purse (2B); **Bolsa de valores** stock market (8A)
bonito/a pretty
bono voucher
borrador *m.* eraser (P)
borrar to erase
bosque *m.* forest (6B); **bosque lluvioso** rainforest
botana (*Mex.*) appetizer
botas *pl.* boots (2B)
botella bottle; **botella de plástico** plastic bottle (6B); **botella de vidrio** glass bottle (6B)
botones *m. inv.* bellhop (6A)
Brasil *m.* Brazil
brazo arm (7A)
breve *adj.* brief

brillar to shine
brindis *m.* toast (4A)
bróculi *m.* broccoli (3B)
bucear to snorkel (6B)
buen, bueno/a good (1B) **buen provecho** enjoy your meal (6A); **buenas noches** good night (P); **buenas tardes** good afternoon/evening (P) **buenos días** good morning (P); **es buena idea** it's a good idea (2B); **estar** (*irreg.*) **a buen precio** it's a good price; **estar** (*irreg.*) **en buena forma** to be in good shape; **hace buen tiempo** it's good weather (1B)
burlador(a) *adj.* seducer
buscar (qu) to look for (1A)
búsqueda *n.* search; **hacer** (*irreg.*) **una búsqueda** to do a search (5A)
buzón (*m.*) **de voz** voicemail (5A)

C

caballero gentleman
caballo horse; **montar a caballo** to go horseback riding (6B)
cabeza head (7A); **dolor** (*m.*) **de cabeza** headache
cabezón(a) headstrong (5A)
cacahuete *m.* peanut; **mantequilla de cacahuete** peanut butter (3B)
cacao cocoa (8A)
cada *inv.* each (1A); **cada año** each year; **cada día** every day; **cada mes** each month; **cada uno** each one; **cada vez** each time; **cada vez más** more and more
cadena (TV) network (8B); chain
caer(se) *irreg.* to fall; **caerle bien/mal a alguien** to (dis)like someone (5A); **¿en qué día (mes) cae... ?** what day (month) is … ?
café *m.* coffee (3B); **charlar en un café** to chat in a cafe (6B); **tomar café** to drink coffee (1A)
cafetera coffeepot (4B)
cafetería cafeteria (P)
caída *n.* drop
caja box; cashier's station, checkout counter; **caja de cartón** cardboard box (6B)
cajero/a teller (8A); **cajero automático** ATM (2A)
cajón *m.* large box
cakchiquel *m.* Cakchiquel (*language*)
calcetines *m. pl.* socks (2B)

calculadora calculator (5A)
calcular to calculate
cálculo calculus
calendario calendar
calidad *f.* quality
cálido/a warm
caliente hot; **chocolate** (*m.*) **caliente** hot chocolate (3B); **té** (*m.*) **caliente** hot tea (3B)
callar to silence someone; *refl.* to shut up
calle *f.* street (6A)
calmado/a calm
calor *m.* heat; **hace (mucho) calor** it's (very) hot (1B)
caloría calorie; **quemar calorías** to burn calories (4A)
calvo/a bald (3A)
cama bed (4B); **cama matrimonial** queen bed (6A); **cama sencilla** twin bed (6A); **hacer** (*irreg.*) **la cama** to make the bed (4B)
cámara digital digital camera (5A)
camarero/a waiter, waitress
camarones *m. pl.* shrimp (3B)
cambiar (por) to change, exchange (for); **cambiar de canal** to change channels (5A)
cambio change; **cambio climático** climate change (6B); **en cambio** on the other hand
caminar to walk (4A)
camino road; **camino a** on the way to
camisa shirt (2B)
camiseta T-shirt (2B)
campaña campaign
campeón, campeona champion
campesino/a peasant
camping: hacer (*irreg.*) **camping** to go camping (6B)
campo country(side); field (*of work*) (F); **¿cuál es tu campo?** what's your major? (P)
campus *m.* campus
Canadá *m.* Canada
canal *m.* canal; **cambiar de canal** to change channels (5A); **canal de televisión** television channel
cancelar to cancel
cáncer *m.* cancer
canción *f.* song
candidato/a candidate
canoa canoe; **remar en canoa** to go canoeing (6B)
canoso/a: pelo canoso gray hair (3A)
cansado/a tired (7A)

cansar(se) to tire (7A), get tired
cantante *m., f.* singer
cantar to sing (1A)
cantidad *f.* quantity
caña de azúcar sugar cane
caos *m.* chaos
caótico/a chaotic (1B)
capa layer
capaz (*pl.* **capaces**) *adj. m., f.* capable (F)
capilla chapel (2A)
capital *f.* capital (*city*)
capitán *m.* captain
Capricornio Capricorn
captar to grasp
cara *n.* face (7A)
característica characteristic
caracterizar (c) to characterize
carbohidrato carbohydrate (3B)
cardiología cardiology
cargar (gu) to charge
cargo post; **hacerse** (*irreg.*) **cargo de** to take charge of (*something*)
Caribe *m.* Caribbean (Sea)
caribeño/a *n., adj. of or from the Caribbean*
cariño affection; **tenerle** (*irreg.*) **cariño a alguien** to be fond of someone (7B)
cariñoso/a affectionate (7B)
carnaval *m.* carnival; **Martes** (*m.*) **de Carnaval** Mardi Gras (4A)
carne *f.* meat (3B)
carnero *n.* ram
carnicería butcher's shop
caro/a expensive (2B)
carrera major; career; **¿qué carrera haces?** what's your (*fam. s.*) major? (P)
carretera highway
carta letter
cartel *m.* poster (4B)
cartera wallet
cartón *m.* cardboard; **caja de cartón** cardboard box (6B)
casa house (4B); **casa de cambio** (money) exchange office; **casa particular** private residence (4B); **limpiar la casa (entera)** to clean the (whole) house (4B); **regresar a casa** to go home (1A)
casado/a married (3A)
casarse (con) to marry, get married (5B)
cascada waterfall
casco viejo old zone (*of a city*)

casero/a *adj.* home
casi almost; **casi nunca** almost never; **casi siempre** almost always
casilla square
casino: jugar (ue) (gu) en un casino to gamble in a casino (6B)
caso case; **en caso de que** *conj.* in case (7B)
castaño/a brown (3A)
castigar (gu) to punish (7B)
casualidad *f.* chance; coincidence
catalán *m.* Catalonian (*language*)
catalán/catalana *n., adj.* Catalonian
catalogar (gu) to catalogue
catálogo *n.* catalog
Cataluña Catalonia
cataratas *pl.* waterfall (6B); **las cataratas del Niágara** Niagara Falls
catástrofe *f.* catastrophe
catedral *f.* cathedral (2A)
categoría category; class
catolicismo Catholicism
católico/a *n., adj.* Catholic
catorce fourteen (1A)
causa cause; **a causa de** because of
causar to cause
cazar (c) to hunt
CD: reproductor (*m.*) **de CD** CD player (5A)
cebolla onion
celebración *f.* celebration
celebrar to celebrate (4A)
célebre famous
celos *pl.* jealousy (7B); **tener** (*irreg.*) **celos** to be jealous
celoso/a jealous; **estar** (*irreg.*) **celoso/a** to be jealous (7A)
celular: (teléfono) celular cell phone (5A)
cena dinner (3B)
cenar to eat/have (for) dinner (3B); **cenar en un restaurante elegante** to eat in a fancy restaurant (6B)
cenizas *pl.* ashes
censo census
centavo cent
centígrado/a centigrade
centrar en to center on
centro downtown (2A); **centro comercial** shopping center, mall (2A); **centro estudiantil** student center/union (2A)
Centroamérica Central America

centroamericano/a *n., adj. of or from Central America*
cerca de *prep.* close to (2A)
cercano/a *adj.* near, close
cerdo pork; **chuleta de cerdo** pork chop (3B)
cereal cereal (3B)
cerebral cerebral (1B)
cerebro brain (8A)
ceremonia ceremony
cero zero (1A)
cerrar (ie) to close (2A)
cerveza beer; **tomar cerveza** to drink beer (1A)
chapulín *m.* grasshopper
chaqueta jacket (2B)
charadas: juego de charadas charades
charlar to chat (1A); **charlar en un café** to chat in a cafe (6B)
chatarro/a: comida chatarra junk food
chau ciao
cheque *m.* check (8A); **cheque de viajero** traveler's check (8A)
chicharrón *m.* piece of crackling
chico/a *n. m., f.* boy, girl (P); *adj.* small
chileno/a *n., adj.* Chilean
chimpancé *m.* chimpanzee
chino/a *n., adj.* Chinese
chisme *m.* gossip; **contar (ue) chismes** to gossip
chismoso/a gossipy (1B)
chocante shocking (8B)
chocar (qu) (con) to run (into)
chocolate *m.* chocolate; **chocolate caliente** hot chocolate (3B)
chofer *f., m.* driver
chorizo sausage
chuleta de cerdo pork chop (3B)
cibercafé *m.* cybercafe
ciclismo cycling; **hacer** (*irreg.*) **ciclismo estacionario** to ride a stationary bike (4A)
ciclo cycle
cielo sky; heaven
cien, ciento one hundred (2A); **ciento uno/a** (2B); **por ciento** percent
cien mil one hundred thousand (5B)
ciencia science; **ciencias naturales** natural sciences (P); **ciencias políticas** political science (P); **ciencias sociales** social sciences (P); **ser** (*irreg.*) **hábil para las ciencias** to be good at science (F)

científico/a scientist (9B); *adj.* scientific

cierto/a certain; true; **no es cierto** it's not true

cifra number, figure

cima top

cinco five (1A)

cincuenta fifty (2A)

cine *m.* movie theater (2A); the movies; **ir** (*irreg.*) **al cine** to go to the movies

cinta cassette

cinturón *m.* belt; **abrocharse el cinturón** to fasten one's seatbelt

circuito circuit

círculo circle

circunstancia circumstance

cirugía surgery

cita appointment; date (5A)

ciudad *f.* city (2A)

ciudadano/a citizen (8B)

cívico/a civic; **responsabilidad** (*f.*) **cívica** civic duty (8B); **reunión** (*f.*) **cívica** town meeting (8B)

civil: ingeniería civil civil engineering (P); **ingeniero/a civil** civil engineer (F)

civilización *f.* civilization

claro/a clear; light

clase *f.* class (P); **clase media** middle class; **clase turística** tourist class (6A); **compañero/a de clase** classmate; **primera clase** first class (6A); **¿qué clases tienes este semestre/trimestre?** what classes do you (*fam. s.*) have this semester/quarter? (P); **sala de clase** classroom (P); **tengo una clase de...** I have a(n) ... class (P); **tomar una clase** to take a class (1A)

clasificación *f.* classification

clasificar (qu) to classify

clave *f.* key

clic: hacer (*irreg.*) **clic** to click (5A)

cliente *m., f.* customer (2B)

clima *m.* climate

climático/a climatic; **cambio climático** climate change (6B)

clínica clinic

cobrar to charge (*a fee*) (8A)

coche *m.* car

cocido/a cooked (3B)

cocina kitchen; cooking (4B); cuisine

cocinar to cook (4A)

cocinero/a cook (6A)

codiciado/a coveted

código code

codo elbow (7A)

cognado cognate

coincidencia coincidence

coincidir to coincide

cola tail (*of an animal*); line (*of people*); **hacer** (*irreg.*) **cola** to wait (stand) in line (6A)

colaborar to collaborate

colega *m., f.* colleague

colesterol *m.* cholesterol

colgar (ue) (gu) to hang; to hang up (*phone*)

coliflor *f.* cauliflower (3B)

colina hill (6B)

colocar (qu) to place

colombiano/a *n., adj.* Colombian

colonia colony

colonizar (c) to colonize (5B)

color *m.* color

colorear to color (5A)

columna column

comandante commander

combatir to fight

combinación *f.* combination

combinar to combine; **combinar bien** to go well with (*clothing*) (2B)

combustibles (*m.*) **fósiles** fossil fuels (6B)

comedia comedy (8B)

comedor *m.* dining room (4B)

comentar to comment, make comments on; to discuss

comentario comment; remark; *pl.* commentaries

comenzar (ie) (c) to begin

comer to eat (1B); **dar** (*irreg.*) **de comer** to feed

comercial: centro comercial shopping center, mall (2A)

comercio business (P); **libre comercio** free trade; **Tratado de Libre Comercio (TLC)** North American Free Trade Agreement (NAFTA)

comestible *m.* food item (8A)

cometer to commit

cómico/a funny, comical (1B); **tiras cómicas** comics (5A)

comida food; meal; **comida chatarra** junk food; **comida rápida** fast food (3B)

comienzo *n.* beginning

comisión *f.* commission (8A)

como as, like; about; **tan pronto como** as soon as (F)

¿cómo? how (1B); **¿cómo es?** what is he/she/it like? what are you (*form. s.*) like? (3A); **¿cómo se llama (él/ella)?** what's his/her name? (P); **¿cómo se llega a... ?** how do you get to ... ? (6A); **¿cómo te llamas?** what's your (*fam. s.*) name? (P)

cómoda dresser, chest of drawers (4B)

cómodo/a comfortable

compacto/a compact; **disco compacto** compact disc

compañero/a companion; **compañero/a de clase** classmate; **compañero/a de cuarto** roommate (4B)

compañía company

comparación *f.* comparison

comparar to compare

compartir to share

competición *f.* competition

competir (i, i) to compete (4A)

completar to complete

completo/a complete; **pensión** (*f.*) **completa** room and all meals (6A)

componer (*like* **poner**) to compose

comportamiento behavior

composición *f.* composition

compra shopping; *pl.* purchases; **ir** (*irreg.*) **de compras** to go shopping

comprar to buy (2B); **comprar recuerdos** to buy souvenirs (6B)

comprender to understand (1B); to encompass

comprensivo/a understanding (7B)

comprometer to compromise; to involve; **comprometerse (con)** to get engaged (to) (7B)

compuesto/a *adj.* compound

compulsivo/a compulsive

computación *f.* computer science (9B)

computadora computer (P); **computadora portátil** laptop computer (5A)

común *adj.* common

comunicación *f.* communication; **medios** (*pl.*) **de comunicación** media (8B); *pl.* communications (P)

comunicarse (qu) to communicate (F)

comunidad *f.* community

con with (P); **con dos horas de anticipación** two hours ahead of time; **con fines de lucro** for profit; **con frecuencia** frequently; **¿con qué frecuencia?** how often?; **con tal (de) que** provided (that) (7B)
concentración *f.* concentration
concentrar to concentrate; to focus; **concentrarse en** to concentrate; to be focused
concepto concept, idea
concierto concert; **ir** (*irreg.*) **a un concierto** to go to a concert (6B)
conclusión *f.* conclusion
concursante *m., f.* contestant
concurso contest; game show (8B)
condición *f.* condition
condicional *m. gram.* conditional
condimentos condiments
condominio condominium (4B)
conducir *irreg.* to drive; **sacar (qu) la licencia de conducir** to get a driver's license (5A)
conductor(a) driver
conectar to connect (5A)
conejo rabbit (9A)
conexión *f.* connection
confiado/a trusting (1B)
confianza trust
confiar (confío) (en) to trust (in) (7B)
confirmar to confirm
conflicto conflict; **resolver (ue) conflictos** to resolve conflicts
confrontar to confront
confundido/a confused (7A)
confundir to confuse; *refl.* to get confused (7A)
confusión *f.* confusion
congelado/a frozen
congelar to freeze; **congelarse** to freeze up (*the screen*) (5A)
conjunto outfit; entirety
conmemorar to commemorate
conmigo with me
conocer (zc) to know, be familiar with (*someone, something*) (3A)
conocimiento awareness; *pl.* knowledge
conquista conquest (5B)
conquistar to conquer (5B); to succeed in seducing someone (7B); to win someone over (7B)
consecuencia consequence
conseguir (i, i) (g) to get, obtain (4B); **conseguir** + *inf.* to succeed in (*doing something*) (4B)

consejo piece of advice; *pl.* advice; **dar** (*irreg.*) **consejos** to give advice
conservación *f.* conservation
conservador(a) conservative (1B)
conservar to preserve, conserve (6B)
considerar to consider
consistir en to consist of
constante *adj.* constant
constar de to consist of
constitución *f.* constitution
constituir (y) to constitute
construcción *f.* construction
construir (y) to build (6B)
consultar to consult
consultorio doctor's office (7A)
consumidor(a) *n.* consumer
consumir to eat; to use up
contabilidad *f.* accounting (P)
contable *m., f.* accountant
contacto contact
contador(a) accountant (F)
contaminación *f.* pollution; **contaminación del agua** water pollution (6B); **contaminación del aire** air pollution (6B)
contaminar to contaminate (6B)
contar (ue) to count (2A); to tell (2A)
contemporáneo/a contemporary
contener (*like* **tener**) to contain
contento/a happy (7A)
contestar to answer
contexto context
contigo *fam. s.* with you
continente *m.* continent (6B)
continuación *f.* continuation; **a continuación** following
continuar (continúo) to continue
continuidad *f.* continuity
continuo/a continuous
contra: en contra opposed; **ser** (*irreg.*) **en contra de** to be against (8B)
contraer (*like* **traer**) to contract
contrario *n.* opposite, contrary
contraseña password (5A)
contraste *m.* contrast
contratar to hire
contrato lease (4B); contract
contribución *f.* contribution
contribuir (y) to contribute
control *m.* control
controlar to control (8B); to inspect
controvertido/a controversial (8B)
convencer (z) to convince

convento convent
conversación *f.* conversation
convertir (ie, i) to change; **convertirse en** to turn into
convulsivo/a convulsive
cooficial co-official
copa (wine) glass (6A)
copiar to copy (5A)
coqueto/a flirtatious (7B)
corazón *m.* heart (7A)
corbata necktie (2B)
corcovado/a curved; hunchbacked
cordillera mountain range (6B)
coronario/a coronary
correcto/a correct
corregir (i, i) (j) to correct
correo mail (2A); post office; **correo electrónico** e-mail (5A)
correr to run (1B); to extend (*mountain range*)
correspondencia correspondence
corresponder to correspond
correspondiente *adj.* corresponding
corriente *n. f.* current; *adj.* current, present; **cuenta corriente** checking account (8A); **estar** (*irreg.*) **al corriente** to be caught up (*with current events*) (8B)
corrupción *f.* corruption (8B)
cortar(se) to cut (oneself) (7A)
corte *f.* court; **Corte Suprema** Supreme Court
cortés courteous, polite
corto/a short (*except height*) (3A); **de corto plazo** short term (2B); **pantalones** (*m. pl.*) **cortos** shorts (2B)
cosa thing; **manejar varias cosas a la vez** to manage a variety of things at once (F)
cosecha harvest
coser to sew
cosmopolita *adj. m., f.* cosmopolitan
costa coast (6B)
costar (ue) to cost (2A)
costarricense *n., adj. m., f.* Costa Rican
costeño/a coastal
costo cost, price
costumbre *f.* custom
cráter *m.* crater
creador(a) creative (1B)
crear to create
creativo/a creative
crecer (zc) to grow
crecimiento growth

crédito credit (1A); **llevar… créditos** to have … credits; **tarjeta de crédito** credit card (2B)
creencia belief
creer (y) (que) to believe (that) (1B)
criada maid
criar (crío) to raise (*child, pet*)
crimen *m.* crime; **crimen violento** violent crime (8B)
criollo/a Creole
cristalino/a crystalline, clear
cristianismo Christianity
cristiano/a *n., adj.* Christian
Cristo Christ; **antes de Cristo (a.C.)** before Christ (B.C.)
criticar (qu) to criticize (8B)
crítica criticism
crucero cruise ship
crudo/a raw (3B)
cruel cruel
cruzar (c) to cross (6A)
cuaderno notebook
cuadra (city) block (6A)
cuadrado/a squared; **metros cuadrados** square meters (4B)
cuadro painting (4B); statistical chart; **de cuadros** plaid
cual: tal cual just as
¿cuál(es)? what? which? (1B); **¿cuál es su apellido?** what's his/her last name? (P); **¿cuál es tu apellido?** what's your (*fam. s.*) last name? (P); **¿cuál es tu campo?** what's your major? (P)
cualquier(a) any
cuando when(ever) (F); **de vez en cuando** once in a while (3B)
¿cuándo? when? (1B)
cuanto: en cuanto as soon as (F); **en cuanto a** with regard to; **en unos cuantos días** in a few days (1B)
cuánto *pron.* how much; **¿a cuánto sale?** how much is it?; **¿cuánto hay de aquí a…** how far is it from here to … ? (6A)
¿cuántos/as? how many? (1B); **¿cuántos años cumples?** how many years old are you (*turning*) (*fam. s.*)? (4A); **¿cuántos años tiene… ?** how old is … ?; **¿cuántos años tienes?** how old are you (*fam. s.*)?
cuarenta forty (2A)
cuarto *n.* quarter (*of an hour*); fourth; room (4B); **compañero/a de cuarto** roommate (4B); **menos**

cuarto a quarter to (*hour*) (1A); **servicio de cuarto** room service (6A); **y cuarto** a quarter past (*hour*) (1A)
cuarto/a fourth (4A)
cuatro four (1A)
cuatrocientos/as four hundred (2B); **cuatrocientos/as mil** four hundred thousand (5B)
cubano/a *n., adj.* Cuban
cubierto/a (*p.p. of* **cubrir**) covered
cubiertos *pl.* silverware (6A)
cubrir (*p.p.* **cubierto/a**) to cover
cuchara spoon (6A)
cuchillo knife (6A)
cuenta bill (6A); check; **cuenta corriente** checking account (8A); **cuenta de ahorros** savings account (8A); **darse (irreg.) cuenta de** to realize
cuero leather
cuerpo body; **partes** (*f. pl.*) **del cuerpo** parts of the body (7A)
cuestión *f.* question
cuidado care; **cuidado con…** be careful with …
culona: hormiga culona soldier ant
culpa fault
cultura culture
cumpleaños *m. inv.* birthday (4A)
cumplido compliment
cumplir (con) to fulfill, carry out; **¿cuántos años cumples?** how many years old are you (*turning*) (*fam. s.*)? (4A); **cumplir… años** to be … old (*on a birthday*) (4A)
cuñado/a brother-in-law, sister-in-law; *pl.* siblings-in-law
cursi tacky (8B); cheesy
curso course
curva curve
cuy *m.* guinea pig
cuyo/a/os/as whose

D

dama lady; **dama de honor** bridesmaid
dañar to hurt, harm (8B)
daño damage, hurt
dar *irreg.* to give (3B); **dar consejos** to give advice (3B); **dar de comer** to feed; **dar la vuelta a** to go around (*something*); **dar las gracias** to thank; **dar un paseo** to take a walk (4A); **dar una fiesta** to throw a party (4A); **darle**

miedo a alguien to scare someone (5A); **darle un beso a alguien** to give someone a kiss (7B); **darse cuenta de** to realize; **darse la mano** to shake hands (7B)
dato piece of information; *pl.* data, facts
de *prep.* of (P); from (P); **de antemano** ahead of time; **de aquí en adelante** from here on out; **de corto/largo plazo** short/long term (9B); **¿de dónde eres?** where are you (*fam. s.*) from? (P); **de estatura mediana** of medium height (3A): **de hecho** in fact; **de ida** one-way (6A); **de ida y vuelta** round-trip (6A); **de la mañana** in the morning (A.M.) (1A); **de la noche** in the evening (night) (P.M.) (1A); **de la tarde** in the afternoon (1A); **de moda** in style; **de momento** currently; **de nada** you're welcome; **¿de qué tamaño es… ?** what size is … ? (4B); **de repente** suddenly; **de vacaciones** on vacation; **de veras** really; **de vez en cuando** once in a while (3B); **es de…** it's made of … (2B); **soy de…** I'm from … (P)
debajo de under, below (2A)
debate *m.* debate
deber *n. m.* duty (8B)
deber + *inf.* ought to, should (*do something*); to owe (8A)
debido a due to
débil weak
década decade (5B)
decano/a dean
decidido/a decisive
decidir to decide
decir *irreg.* (*p.p.* **dicho/a**) to say (2A); **es decir** that is; **querer (irreg.) decir** to mean
decisión *f.* decision
declaración *f.* statement
declarar(se) to declare
dedicación *f.* dedication
dedicarse (qu) a to dedicate oneself to
dedo finger (7A); **dedo del pie** toe (7A)
deducción *f.* deduction
deducir (*like* **conducir**) to deduct; to infer

defecto defect
defensa defense
definición *f.* definition
deforestación *f.* deforestation (6B)
degustar vinos to go wine tasting (6B)
dejar to leave; **dejar de** + *inf.* to stop (*doing something*); **dejar en paz** to leave alone; **dejar (una) propina** to leave a tip (6A)
del (*contraction of* **de** + **el**) of/from the
delante de in front of (2A)
delgado/a thin (3A)
demanda demand
demandar to sue
demás: los/las demás others (4A); **dirigir (j) a los demás** to lead others (F)
demasiado *adv.* too, too much
demasiado/a *adj.* too much; *pl.* too many
democracia democracy
democrático/a democratic
demostración *f.* demonstration
demostrar (ue) to demonstrate; to show
demostrativo/a demonstrative
denominar to name
denso/a heavy
dentista *m., f.* dentist
dentro (de) in, within, inside; **dentro de poco** in a little while (1B)
departamento apartment (*Mex.*)
depender de to depend on
dependiente/a salesperson (2B)
deporte *m.* sport; **practicar (qu) un deporte** to practice a sport (1A)
deportivo/a *adj.* sport; **programa** (*m.*) **deportivo** sports show (8B)
depositar to deposit (8A)
depósito deposit
depresión *f.* **(económica)** (economic) depression (5B)
deprimido/a depressed (5B)
deprimir(se) to depress, become depressed (7A)
derecha *n.* right-hand side; **a la derecha (de)** to the right (of) (2A); **doblar a la derecha** to turn right
derecho *n.* right (*legal*) (8B); law (F); **derechos humanos** human rights (8B); **seguir (i, i) (g) derecho** to continue straight ahead (6A)
derivar to derive
derogatorio/a annulling

derramar to spill
derrochador(a) wasteful
derrotar to defeat
desafortunadamente unfortunately
desagradable unpleasant
desaparecer (zc) to disappear
desarrollado/a developed; **país** (*m.*) **desarrollado** developed country (8A)
desarrollar to develop
desarrollo development; **país desarrollado** developed country; **país** (*m.*) **en vías de desarrollo** developing country (8A)
desastre *m.* **(natural)** (natural) disaster (5B)
desayunar to eat/have (for) breakfast (3B)
desayuno breakfast (3D)
descansar to rest (1A)
descapotable convertible
descarado/a shameless (7B)
descargar (gu) to download (5A)
descendiente *m., f.* descendant
descomponer (*like* **poner**) decompose (6B)
desconfiado/a untrusting (1B)
desconocido/a unknown
describir (*p.p.* **descrito/a**) to describe (1B)
descripción *f.* description
descubierto/a (*p.p. of* **descubrir**) discovered
descubrimiento discovery (5B)
descubrir to discover
descuento discount
descuidar to neglect
desde *prep.* from
desear to want, desire (1A)
desechable disposable; **producto desechable** disposable product (6B)
desempleo unemployment; **tasa de desempleo** unemployment rate (8A)
deseo *n.* wish, desire (F)
desgraciado/a unfortunate, unlucky
deshebrado/a shredded
desierto desert (6B)
desigualdad *f.* inequality
desleal disloyal (1B)
desmenuzado/a crumbled
desorden *m.* mess
despacho office
despacio/a slow

despejado/a clear; **está despejado** it's clear (*weather*) (1B)
desperdiciar to waste (6B)
desperdicios *pl.* waste
despertador *m.* alarm clock
despertarse (ie) to wake up (2A)
despreciar to despise (7B)
después *adv.* after; **después de** *prep.* after; **después (de) que** *conj.* after (F)
destacado/a outstanding
destacar (qu) to stand out
destilar to distill
destilería distillery
destino destination; destiny, fate
destreza skill (F)
destrucción *f.* destruction
destruir (y) to destroy
detalle *m.* detail
detallista *adj. m., f.* detail-oriented (7B)
detergente *m.* detergent (4B)
determinar to determine
detestar to detest (7B)
detrás de *adv.* behind (2A)
deuda debt (8A)
devoción *f.* devotion
devolver (ue) (*p.p.* **devuelto/a**) to return (*something*)
devuelto/a (*p.p. of* **devolver**) returned
día *m.* day (1A); **buenos días** good morning (P); **cada día** every day; **Día de Acción de Gracias** Thanksgiving (4A); **Día de la Independencia** Independence Day; **Día de la Madre (del Padre)** Mother's (Father's) Day; **Día de los Enamorados** St. Valentine's Day (4A); **Día de los Presidentes** Presidents' Day; **Día de San Patricio** St. Patrick's Day (4A); **Día de San Valentín** St. Valentine's Day (4A); **Día del Amor y de la Amistad** Valentines' Day; **día del santo** saint's day; **Día del Trabajo** Labor Day; **día festivo** holiday (4A); **¿en qué día cae... ?** what day is ... ?; **hoy en día** nowadays; **¿qué día es hoy?** what day is it today? (1A); **todos los días** every day (1A)
diabetes *f.* diabetes
diablo devil
dialecto dialect
diálogo dialogue

diámetro diameter
diario *m.* newspaper
diario/a *adj.* daily
dibujar to draw (4A)
dibujo drawing; **dibujo animado** cartoon
diccionario dictionary
dicho/a (*p.p. of* **decir**) said
diciembre *m.* December (1B)
dictador(a) dictator
dictadura dictatorship
diecinueve nineteen (1A)
dieciocho eighteen (1A)
dieciséis sixteen (1A)
diecisiete seventeen (1A)
diente *m.* tooth; **lavarse los dientes** to brush one's teeth (4B)
dieta *n.* diet
dietético/a: refresco dietético diet soft drink (3B)
diez ten (1A)
diez mil ten thousand (5B)
diferencia difference; **a diferencia de** unlike
diferente (de) different (from/than)
difícil difficult (5B)
dificultad *f.* difficulty
digital: cámara digital digital camera (5A)
dinámico/a dynamic
dinero money (2B); **sacar (qu) dinero** to withdraw money (8A)
dinosaurio dinosaur
dios(a) god, goddess; **Dios** *m.* God
dirección *f.* direction; address (4B)
directo/a direct; straight; **vuelo directo** direct flight (6A)
director(a) director (F)
dirigir (j) to direct; **dirigir a los demás** to lead others (F); **dirigirse a** to direct oneself toward
disco: disco compacto compact disc; **disco duro** hard drive (5A)
discoteca discotheque (2A)
discreto/a discreet (1B)
discriminación *f.* discrimination (8B)
disculpar(se) to excuse (oneself)
disculpas: pedir (*irreg.*) **disculpas** to apologize
discusión *f.* discussion
discutir to discuss; to argue (7B)
diseñador(a) designer; **diseñador(a) de sitios** Web site designer (F)

diseñar to draw; to design
disminuir (y) to diminish
disponible available
distancia distance; **mando a distancia** remote control (5A)
distinción *f.* distinction
distinguir (g) to distinguish
distinto/a different, distinct
distorsionado/a distorted (8B)
distraer (*like* **traer**) to distract (8B)
distribución *f.* distribution
distribuidor(a) distributor
distrito (federal) (federal) district
diversidad *f.* diversity
diversión *f.*: **ir** (*irreg.*) **a un parque de diversiones** to go to an amusement park (6B)
diverso/a diverse
divertido/a fun (1B)
divertirse (ie, i) to enjoy oneself (5B)
dividirse to divide
divorciado/a divorced (3A)
divorciarse to divorce, get divorced (5B)
divorcio divorce (5B)
doblar to turn (6A); **doblar a la derecha/izquierda** to turn right/left
doce twelve (1A)
doctor(a) doctor
doctorado doctoral degree (F)
documental *m.* documentary (8B)
documento document; **guardar documentos** to save documents (5A)
dólar *m.* dollar
doler (ue) to hurt, ache (7A)
dolor *m.* pain; **dolor de cabeza** headache; **dolor de garganta** sore threat
doméstico/a domestic; **aparato doméstico** household appliance (4B); **quehaceres** (*m.*) **domésticos** household chores (4B); **violencia doméstica** domestic violence (8B)
dominar to dominate
domingo Sunday (1A)
dominicano/a *n., adj.* of or from the *Dominican Republic*
dominio *n.* control
don *m.* gift, skill; *title of respect used with a man's first name;* **tener** (*irreg.*) **don de gentes** to have a way with people (F)

¿dónde? where? (1B); **¿de dónde eres?** where are you (*fam. s.*) from? (P);
doña *title of respect used with a woman's first name*
dormir (ue, u) to sleep (2A); **dormirse** to fall asleep (4B)
dormitorio bedroom
dos two (1A); **con dos horas de anticipación** two hours ahead of time; **los dos** both
dos mil two thousand (5B)
dos millones two million (5B)
doscientos/as two hundred (2B); **doscientos/as mil** two hundred thousand (5B)
drama *m.* drama (8B)
dramático/a dramatic
drástico/a drastic
droga drug
drogadicción *f.* drug addiction (8B)
ducha shower (4B)
ducharse to shower, take a shower (4B)
duda doubt; **sin duda** without a doubt
dudar to doubt (8B)
dueño/a owner (4B)
dulce *adj.* sweet (3B); *n. pl.* candy (3B)
duradero/a lasting
durante during
durar to last
duro/a hard; firm; **disco duro** hard drive (5A)
DVD: reproductor (*m.*) **de DVD** DVD player (5A); **sacar (qu) un DVD** to rent a DVD (4A)

E

e and (*used instead of* **y** *before words beginning with* **i** *or* **hi**)
ebrio/a intoxicated
echar to throw out (6B)
ecología ecology
economía economy (8A); *s.* economics (P)
económico/a economic; **depresión** (*f.*) **económica** economic depression (5B); **nivel** (*m.*) **económico** economic level
ecoturismo ecotourism
ecoturístico/a *adj.* ecotourist
ecuatoriano/a *n., adj.* Ecuadorean
edad *f.* age (2A)
edición *f.* edition
edificio building (P)

educación *f.* education
educar (qu) to educate (8B)
educativo/a educational
efectivo: en efectivo cash (money)
(2B)
efecto effect
efectuar (efectúo) to carry out
eficaz (*pl.* **eficaces**) *adj. m., f.* effective
egoísta *adj. m., f.* selfish, egotistical
(1B)
ejemplar *m.* issue
ejemplo example; **por ejemplo** for
example
ejercer (z) to exercise (*a right*)
ejercicio exercise; **hacer** (*irreg.*)
ejercicio to exercise (4A); **hacer**
(*irreg.*) **ejercicio aeróbico** to do
aerobics (4A)
ejército army
el *def. art. m.* the (P); **el/la mayor**
the oldest (3A); **el/la menor** the
youngest (3A)
él *sub. pron.* he (P); *obj. of prep.* him
elaborado/a elaborate
elección *f.* election (3B)
electricidad *f.* electricity
eléctrico/a electric; **ingeniería**
eléctrica electrical engineering
(P); **ingeniero/a eléctrico/a**
electrical engineer (F)
electrónico/a electronic (8A);
aparato electrónico electronic
device (5A); **correo electrónico**
e-mail (5A)
elegante elegant; **cenar en un**
restaurante elegante to eat in a
fancy restaurant (6B)
elegir (i, i) (j) to choose; to elect
elemento element
eliminar to eliminate (8B)
ella *sub. pron.* she (P); *obj. of prep.* her
ellos/as *sub. pron.* they (P); *obj. of*
prep. them
embargo: sin embargo *conj.*
however
emocionado/a moved
emocional emotional
emocionante exciting (5B)
empanada turnover pie or pastry
emparejar to match
emperador(a) emperor, empress
empezar (ie) (c) to begin (2A);
empezar a + *inf.* to begin to (*do*
something)
empinado/a steep
empleado/a employee

empleador(a) employer
emplear to use
empleo job
empresa company; **administración**
(*f.*) **de empresas** business
administration (P)
empresario/a *n.* entrepreneur (F)
en in (2A); **en cambio** on the other
hand; **en caso de que** in case
(7B); **en cuanto** as soon as (F); **en**
cuanto a with regard to; **en la**
actualidad currently; **en punto**
on the dot (*time*) (1A); **¿en qué**
día/mes cae... ? what day/month
is ... ?; **en total** all together; **en**
unos cuantos días in a few days
(1B); **en voz alta** aloud
enamorado/a *n.* lover; **enamorado/a**
adj. **(de)** in love (with) (7A); **Día**
(*m.*) **de los Enamorados** St.
Valentine's Day (4A)
enamorarse (de) to fall in love
(with) (5A)
encantado/a nice to meet you
encantador(a) delightful, charming
(7B)
encantar to love (5A); **encantarle** to
charm, delight (*someone*); to love
(*thing*)
encargarse (de) to take charge (of)
encender (ie) to turn on (5A)
encima de on top of (2A)
encontrar (ue) to find (2B);
encontrarse con to get together
(meet) with
encuentro *n.* get-together; (chance)
meeting (5B)
encuesta survey
energía energy
enérgico/a energetic (1B)
enero January (1B)
enfermarse to get sick (7A)
enfermedad *f.* sickness; disease
enfermero/a *n.* nurse (7A)
enfermo/a *n.* sick person; *adj.* sick;
estar (*irreg.*) **enfermo/a** to be
sick (7A)
enfoque *m.* focus
enfrentarse a to face, confront
enfrente de across from (2A); in
front of (2A)
engañador(a) deceitful (7B)
engañar to deceive (7B); to cheat on
(7B); **engañarse** to fool oneself
enlace *m.* link (5A)
enojado/a angry (5B)

enojarse to get mad (7A)
enorme enormous
ensalada salad; **ensalada mixta**
tossed salad (3B)
enseñanza teaching (F)
enseñar to teach (1A)
entender (ie) to understand (2A)
enterarse de to find out about
entero/a entire, whole; **limpiar la**
casa entera to clean the whole
house (4B)
enterrar (ie) to bury
entonces then
entrada entrance; ticket
entrante: la semana entrante next
week (1B)
entrar (**a** + *place*) to enter (*a place*);
entrar en vigor to go into effect
entre between (1B); **figurar entre**
to figure among
entregar (gu) to hand in
entrenamiento training
entrenar to train
entretener (*like* **tener**) to entertain
(8B); **entretenerse** to be entertained
entretenido/a amused, entertained,
fun (8B)
entrevista interview; **programa** (*m.*)
de entrevistas talk show (8B)
entrevistar to interview
entrometerse to meddle
entrometido/a meddlesome (7B)
enviar (envío) to send; **enviar**
mensajes de texto to send text
messages (1A)
envidia envy; **tenerle** (*irreg.*)
envidia (a alguien) to be envious
(of someone) (7B)
episodio episode
época era, age
equilibrado/a well-balanced
equipado/a equipped
equipaje *m.* luggage (6A); **facturar**
el equipaje to check luggage (6A)
equipo team (4A)
equitación *f.* horseback riding
equivalente equivalent
equivaler (*like* **valer**) to be
equivalent; to be equal
equivocarse (qu) to be mistaken
erótico/a erotic
error *m.* error, mistake
erupción *f.* eruption
escala scale; ladder; layover; **hacer**
(*irreg.*) **escala** to make a stopover
(6A)

escalar montañas to go mountain climbing
escalinata flight of steps
escándalo scandal
escandaloso/a scandalous (8B)
escapar(se) (de) to escape (from) (8B)
escasez (*pl.* **escaseces**) *f.* scarcity
escaso/a scarce
escena scene
escenario stage, setting
esclavo/a slave
escoger (j) to choose
esconder to hide
escondite (*m.*)**: jugar (ue) (gu) al escondite** to play hide and seek (5A)
Escorpio Scorpio
escribir (*p.p.* **escrito/a**) to write (1B)
escrito/a (*p.p. of* **escribir**) written
escritor(a) writer
escritorio desk (P)
escuchar to listen (to) (1A)
escuela school (2A); **escuela primaria** elementary school; **escuela secundaria** high school
esculpir to sculpt
escultor(a) sculptor (F)
escultura sculpture
ese/a *adj.* that (2B); *pron.* that (one) (2B)
esfuerzo effort
esmeralda emerald
eso *neut. pron.* that (2B)
esos/esas *adj.* those (2B); *pron.* those (ones) (2B)
espacio space
espaguetis *m. pl.* spaghetti (3B)
espalda back (*of a person*) (7A)
español *n. m.* Spanish (*language*) (P)
español(a) *n.* Spaniard; *adj.* Spanish; **tortilla española** *omelette made of eggs, potatoes, and onions*
espárragos *pl.* asparagus
especial special
especialidad *f.* specialty
especialista specialist
especialización *f.* specialization, major
especie *f. s.* species; **especies en peligro de extinción** endangered species (6B)
específico/a specific
espectáculo spectacle, sight; show; **mundo de los espectáculos** entertainment industry (8A); **ver** (*irreg.*) **un espectáculo** to see a show (6B)

espejo mirror (4B)
espera: sala de espera waiting room (6A)
esperanza hope (7B)
esperar to hope; to wait for
espíritu *m.* spirit
espontáneo/a spontaneous (7B)
esposo/a husband, wife (3A); *pl.* married couple
esquí *m.* skiing (*sport*)
esquiar (esquío) (en el agua) to (water) ski (4A)
estabilidad *f.* stability
estable *adj.* stable (5B)
establecer (zc) to establish (5B)
establecimiento establishment
estación *f.* season (1B); station; **estación del tren** train station (2A)
estacionario stationary; **hacer** (*irreg.*) **ciclismo estacionario** to ride a stationary bike (4A)
estadio stadium (2A)
estadística *s.* statistics
estado *n.* state; condition; **estado de ánimo** state of mind; **estado físico** physical condition (7A); **Estado Libre Asociado** Commonwealth; **Estados Unidos** United States; **golpe de estado** coup (d'état)
estadounidense *n., adj.* of or from the United States
estancia ranch
estante *m.* bookshelf (4B)
estar *irreg.* to be (P); **está despejado** it's clear (*weather*) (1B); **está lloviendo** it's raining (1B); **está nevando** it's snowing (1B); **está nublado** it's cloudy (1B); **estar a buen precio** to be a good price; **estar al corriente** to be caught up (*with current events*) (8B); **estar celoso/a** to be jealous (7A); **estar de acuerdo** to agree; **estar en (buena) forma** to be in (good) shape; **estar enfermo/a** to be sick (7A); **estar listo/a** to be ready; **estar por** + *inf.* to be about to (*do something*); **estar seguro/a de** to be sure of (8B); **estar vigente** to be in affect
estatua statue
estatura: de estatura mediana of medium height (3A)
este *m.* east; **al este de** to the east of (2A)

este/a *adj.* this (2B); *pron.* this (one) (2B); **esta noche** tonight (1B)
este… uh … (*pause sound*)
estela stele (*inscribed stone slab*)
estéreo stereo (5A)
estereotipo *n.* stereotype
estilo style
estimar to think highly of (7B)
estimulante stimulating (1B)
estimular to stimulate
esto *neut. pron.* this (2B)
estómago stomach (7A)
estos/as *adj.* these (2B); *pron.* these (ones) (2B)
estrecho *n.* strait
estrecho/a narrow
estrella star
estrenar to debut
estrés *m.* stress
estresado/a stressed
estresante stressful
estricto/a strict
estudiante *m., f.* student (P)
estudiantil *adj.* student; **centro estudiantil** student center/union (2A); **residencia estudiantil** dormitory (P)
estudiar to study (1A); **estudio…** I study …, I'm studying … (P); **¿qué estudias?** what are you (*fam. s.*) studying?
estudio study; *pl.* studies, schooling; **estudios de posgrado** graduate studies (9B); **estudios interdepartamentales** interdisciplinary studies (P); **estudios latinos** Latino studies (P); **estudios sobre el género** gender studies (P)
estufa stove (4B)
etapa step, stage
ética *s.* ethics
etiqueta etiquette
étnico/a ethnic
Europa Europe (6B)
europeo/a *adj.* European
euskera Basque (*language spoken in the Basque Country, a region in northeastern Spain and southwestern France*)
evaluación *f.* evaluation
evento event
evidencia evidence
evidente evident
evitar to avoid
evolucionar to evolve

exacto/a exact
exagerado/a exaggerated (8B)
exagerar to exaggerate (8B)
examen *m.* test; **examen médico** medical exam (7A)
examinar to examine (7A)
excavación *f.* excavation
excelencia excellence
excelente excellent
excéntrico/a eccentric (1B)
excepcional exceptional
excepto *adv.* except
exceso excess
excursión *f.* excursión; **ir** (*irreg.*) **de excursión** to go on a hike, go hiking (6B)
excusa excuse
exhibir to exhibit
existencia existence
existir to exist
éxito success (5B); **tener** (*irreg.*) **éxito** to be successful (5B)
exitoso/a successful
exótico/a exotic; strange
expandir to expand
expansión *f.* expansion
expectativa expectation
expendedor(a): máquina expendedora vending machine
experiencia *n.* experience (F)
experimentar to test, try out; to experience
explicación *f.* explanation
explicar (qu) to explain
exploración *f.* exploration (5B)
explorar to explore (5B)
explosión *f.* explosion
explosivo/a explosive (1B)
explotar to exploit
exportación *f.* exportation; **productos de exportación** export products (8A)
exportador(a) exporter
exportar to export (8A)
expresar to express
expresión *f.* expression
expulsar to eject
extender (ie) to extend
extendido/a extended; **familia extendida** extended family (3A)
extensión *f.* extension
extenso/a vast
extinción *f.* extinction; **especies** (*f. pl.*) **en peligro de extinción** endangered species (6B)

extranjero *n.* abroad; **ir** (*irreg.*) **al extranjero** to go abroad (6A)
extranjero/a *n.* foreigner; *adj.* foreign; **lengua extranjera** foreign language
extrañar to miss (*someone*) (7B); to be strange
extraño/a strange
extraordinario/a extraordinary
extremidad *f.* end
extrovertido/a extroverted (1B)

F

fábrica factory (6B)
fabricado/a manufactured
fácil easy
facilidad *f.* ease; facility
facilitar to facilitate, make easy
factor *m.* factor, cause
facturar el equipaje to check luggage (6A)
facultad *f.* department (P)
falda skirt (2B)
falsificado/a falsified
falso/a false
falta *n.* lack (6B); **hacer** (*irreg.*) **falta** to be necessary; to need
faltar to be missing, lacking
fama fame
familia family (3A); **familia extendida** extended family (3A)
familiar *n.* family member; *adj. pertaining to a family*
famoso/a famous
fanático/a fan, enthusiast
fantástico/a fantastic
farmacéutico/a *n.* pharmacist (7A); *adj.* pharmaceutical; **producto farmacéutico** pharmaceutical product (8A)
farmacia pharmacy (2A)
fascinante fascinating
fascinar to love, be fascinated by (5A)
fauno faun
favor *m.* favor; **por favor** please; **ser** (*irreg.*) **a favor de** to be against (8B)
favorito/a favorite
fax *m.*: **máquina fax** fax machine (5A)
febrero February (1B)
fecha date (*calendar*) (5B)
federal: distrito federal federal district
feliz (*pl.* **felices**) happy (5B)
femenino/a feminine
fenómeno phenomenon

feo/a ugly (3A)
fermentación *f.* fermentation
férrea: vía férrea railroad
festivo: día (*m.*) **festivo** holiday (4A)
fiebre *f.* fever; **tener** (*irreg.*) **fiebre** to have a fever (7A)
fiel faithful (7B)
fiesta party (4A); **dar** (*irreg.*) **una fiesta** to throw a party (4A); **Fiesta de las Luces** Hanukkah (4A); **fiesta de sorpresa** surprise party (4A)
figura figure
figurar entre to figure among
fijarse en to take note of, notice
fijo/a fixed; **precio fijo** fixed price (2B)
Filipinas *pl.* Philippines
filmar to film
filosofía philosophy (P)
filosófico/a philosophical
fin *m.* end; **con fines de lucro** for profit; **fin de semana** weekend (1A); **poner** (*irreg.*) **fin a** to end; **por fin** finally
final *m.* end; *adj.* final
finalizar (c) to finalize
financiar to finance
financiero/a financial
finanzas (*pl.*) **personales** personal finances (8A)
fiordo fjord
firmar to sign
firme firm
física *s.* physics (P)
físico/a physicist (9B); **estado físico** physical condition (7A)
flan *m.* flan (*baked custard*)
flexible flexible
flor *f.* flower
florido/a flowery; **Pascua Florida** Easter (4A)
folclórico/a folkloric
folleto brochure
fonda boarding house
forestal *adj.* forest
forjar to create
forma form, shape; **estar** (*irreg.*) **en (buena) forma** to be in (good) shape
formación *f.* formation
formar to form
formular to formulate
fortuna luck
forzado/a forced

fósil *m.* fossil; **combustibles** (*m. pl.*) **fósiles** fossil fuels (6B)

foto picture; **sacar (qu) fotos** to take pictures

foto(grafía) photo(graph); photography

fotografiado/a photographed

fotógrafo/a photographer (F)

fracasar to fail (5B)

fracaso failure (5B)

frágil fragile

francamente frankly

francés *m.* French (*language*) (P)

francés, francesa *n., adj.* French

Francia France

frase *f.* phrase

frecuencia frecuency; **con frecuencia** frequently; **¿con qué frecuencia?** how often?

frecuente frequent

frente *m.* front; *f.* forehead

frente a *prep.* in the face of; versus; facing

fresa strawberry

fresco/a fresh cool; **hace fresco** it's cool (*weather*) (1B)

frijol *m.* bean

frío *n.:* **hace (mucho) frío** it's (very) cold (*weather*) (1B)

frío/a *adj.* cold; **Guerra Fría** Cold War

frito/a (*p.p. of* **freír**) fried; **huevo frito** fried egg (3B); **papas fritas** French fries (3B)

frontera border

frustrado/a frustrated (7A)

frustrar(se) to frustrate (7A)

fruta fruit (3B)

frutería fruit store

fuego fire; **arma** (*f.* [*but* **el arma**]) **de fuego** firearm

fuente *f.* source; fountain

fuera de outside (of); **por fuera** (on the) outside

fuerte strong (4A)

fumar to smoke

funcionar to function, work (*machines*) (5A)

fundación *f.* foundation; founding (5B)

fundar to found

funicular *m.* funicular, railway

furioso/a furious (7A)

fútbol *m.* soccer (4A); **fútbol americano** football (4A)

futuro *n.* future

futuro/a *adj.* future

G

gallego Galician (*language spoken in the region of Galicia in northwest Spain*)

galleta cookie (3B); **galleta salada** cracker (3B)

gallo rooster

galón *m.* gallon

gamba shrimp (*Sp.*)

ganadería cattle raising

ganador(a) winner

ganar to win (4A); to earn (8A)

ganas *pl.:* **tener** (*irreg.*) **ganas de +** *inf.* to feel like (*doing something*)

ganga bargain (2B)

garaje *m.* garage (4B)

garganta throat (7A)

gárgaras *pl.:* **hacer** (*irreg.*) **gárgaras** to gargle (7A)

gastar to spend (2B)

gastos *pl.* expenses (8A)

gato/a cat (3A)

gemelo/a twin (3A)

Géminis Gemini

genealógico/a genealogical; **árbol** (*m.*) **genealógico** family tree

generación *f.* generation

general: en general in general; **por lo general** generally

genérico/a generic

género gender; genre; **estudios sobre el género** gender studies (P)

generoso/a generous (7B)

gente *f. s.* people; **rozarse (c) con la gente** to mingle with people (4A); **tener** (*irreg.*) **don de gentes** to have a way with people (F)

geografía geography

geográfico/a geographical

geometría geometry

gesto gesture

gimnasia: hacer (*irreg.*) **gimnasia** to work out (4A)

gimnasio gymnasium (2A)

girar to turn

gitano/a gypsy

gobernador(a) governor

gobierno government (8B)

golf *m.* golf (4A)

golpe de estado coup (d'état)

gordito/a chubby (3A)

gordo/a fat

gorra baseball cap (2B)

gozar (c) de to enjoy

grabación *f.* recording

grabar to record (5A)

gracias thank you; **dar** (*irreg.*) **las gracias** to thank; **Día** (*m.*) **de Acción de Gracias** Thanksgiving (4A)

gracioso/a funny (8B)

grado degree (*temperature*)

graduación *f.* graduation (5B)

graduarse (me gradúo) to graduate (5B)

gráfico/a graphic

gramática grammar

gran, grande large, big (1B); great (1B)

grasa *n.* fat

grasiento/a greasy

grasoso/a greasy

gratis *adv. inv.* free (*of charge*)

grave serious

gregario/a gregarious (1B)

grifo tap, faucet; **agua** (*m.*) **del grifo** tap water

gripe *f.* flu; **tener** (*irreg.*) **(la) gripe** to have the flu

gris gray (2B)

gritar to yell, shout

grueso/a thick

grupo group

guagua bus (*Carib.*)

guante *m.* glove

guapo/a handsome (3A); good-looking (3A)

guaraní *m.* Guarani (*indigenous language of Paraguay*)

guardar (documentos) to keep, save (documents) (5A); **guardar(le) rencor (a alguien)** to hold a grudge (against someone) (7B)

guaro *Costa Rican alcoholic beverage made from sugarcane*

guatemalteco/a *n., adj.* Guatemalan

guerra war (5B); **guerra civil** civil war; **Guerra Fría** Cold War

guía *m., f.* guide (*person*); *f.* guidebook

guiar (guío) to guide

guitarra guitar; **tocar (qu) la guitarra** to play the guitar (1A)

gustar(le) to be pleasing (*to someone*) (3B); **me gusta…** I like … (1A); **te gusta…** you (*fam. s.*) like … (1A)

gusto taste; pleasure; **mucho gusto** pleased to meet you (P)

H

haber *irreg.* to have (*aux.*)

hábil skillful; proficient; **ser** (*irreg.*) **hábil para (las matemáticas, las ciencias)** to be good at (math, science) (F)

habilidad *f.* ability; skill (F)

habitación *f.* (dorm) room (2A)

habitante *m., f.* inhabitant

habitar to live

hábito habit

hablante *m., f.* speaker

hablar to speak (1A)

hacer *irreg.* (*p.p.* **hecho/a**) to make (2A); to do (2A); **hace** + *time* (*time*) ago (7A); **hace** + *time* + **que** + *present* it's been (*time*) since …; **hace (mucho tiempo)** (a long time) ago; **hace… años** … years ago; **hace buen/mal tiempo** it's good/bad weather (1B); **hace (mucho) calor/frío** it's (very) hot/cold (1B); **hace fresco** it's cool (*weather*) (1B); **hace sol** it's sunny (1B); **hace (mucho) viento** it's (very) windy (1B); **hacer camping** to go camping (6B); **hacer ciclismo estacionario** to ride a stationary bike (4A); **hacer clic** to click (5A); **hacer cola** to stand in line (6A); **hacer ejercicio** to exercise (4A); **hacer ejercicio aeróbico** to do aerobics (4A); **hacer el salto bungee** to bungee jump (6B); **hacer escala** to make a stopover (*on a flight*) (6A); **hacer gárgaras** to gargle; **hacer gimnasia** to work out (4A); **hacer kayak** to kayak (6B); **hacer la cama** to make the bed (4B); **hacer la maleta** to pack a suitcase (6A); **hacer las paces con** to make up with (7B); **hacer novillos** to skip/cut school (5A); **hacer rafting** to go rafting (6B); **hacer trucos** to do tricks; **hacer un viaje** to take a trip (6A); **hacer una búsqueda** to do a search (5A); **hacer vela** to sail; **hacerse cargo de** to take charge (*of something*); **¿qué carrera haces?** what's your (*fam. s.*) major? (P)

hacia toward

hambre *f.* (*but* **el hambre**) hunger (8B); **tener** (*irreg.*) **hambre** to be hungry

hamburguesa hamburger (3B)

hasta *prep.* until; **hasta luego** until (see you) later; **hasta que** *conj.* until (9B)

hay (*from* **haber**): **(no) hay** there is/are (not) (P); **hay que** + *inf.* it's necessary + *inf.* (2B)

hecho *n.* fact; **de hecho** in fact

hecho/a (*p.p. of* **hacer**) made; done

hectárea hectare

helado *n.* ice cream (3B); **té** (*m.*) **helado** iced tea (3B)

hemisferio hemisphere

heredar to inherit

herencia heritage; inheritance

herida *n.* wound

hermanastro/a stepbrother, stepsister (3A)

hermano/a brother, sister (3A); **medio/a hermano/a** half brother, half sister (3A); *m. pl.* siblings

hermoso/a pretty

herradura horseshoe

hígado liver (7A)

hijastro/a stepson, stepdaughter (3A)

hijo/a son, daughter (3A); **hijo/a único/a** only child (3A); *m. pl.* children

hipoteca mortgage (8A)

hipotético/a hypothetical

hispano/a *n., adj.* Hispanic

hispanohablante *m., f.* Spanish speaker

historia story; history (P)

histórico/a historical

hogar *m.* home (4B)

hoja leaf; sheet of paper; **hoja de papel aparte** separate piece of paper

¡hola! hello! hi! (P)

hombre *m.* man (P); **hombre de negocios** businessman (F)

hombro shoulder (7A)

hondureño/a *ad;.* Honduran

honesto/a honest, sincere (1B)

honor *m.* honor; **dama de honor** maid of honor

hora hour; time; **¿a qué hora… ?** at what time … ? (1A); when … ? (1A); **con dos horas de anticipación** two hours ahead of time; **¿qué hora es?** what time is it? (1A)

horario schedule (1A)

hormiga ant; **hormisa culona** soldier ant

horno stove (4B); **al horno** baked (3B)

horrible terrible, horrible

hospital *m.* hospital (2A)

hotel *m.* hotel (2A)

hoy today; **hoy en día** nowadays; **¿qué día es hoy?** what day is today? (1A)

hueso bone (7A)

huésped(a) guest

huevo egg (3B); **huevo frito** fried egg (3B); **huevos revueltos** scrambled eggs (3B)

humanidades *f., pl.* humanities (P)

humano human

humano/a *adj.* human; **derechos humanos** human rights (8B)

húmedo/a humid

humilde humble (1B)

humor *m.* humor; mood; **sentido del humor** sense of humor (F)

huracán *m.* hurricane (5B)

¡huy! *interj.* well!

I

Ibérico/a: península Ibérica Iberian Peninsula

ida: de ida one-way (6A); **de ida y vuelta** round-trip (6A)

idea idea; **es buena idea** it's a good idea (2B)

identificar (qu) to identify; **identificarse con** to identify with

idioma *m.* language (P)

iglesia church (2A)

igual equal; **al igual que** just like

igualmente likewise, same here (P)

ilegal illegal

imagen *f.* (*pl.* **imágenes**) image (8B)

imaginar to imagine

imaginario/a imaginary

imaginativo/a imaginative (1B)

impaciente impatient (5A)

impacto *n.* impact

imperfecto *gram.* imperfect (tense)

imperialismo imperialism

imperio empire

importado/a *n.* imported

importancia importance

importante important

importar to matter; to be important (5A); to import (8A)

imposible impossible; **es imposible** it's impossible (8B)

impresión *f.* impression

impresionante impressive

impreso/a printed
improvisar to improvise
impuesto *n.* tax; **impuestos** taxes (8B)
impulsivo/a impulsive
inapropiado/a inappropriate (8B)
inca *n. m., f.* Inca
incendio fire; **seguro contra incendios** fire insurance (8A)
incertidumbre *f.* uncertainty
incierto/a untrue
incluir (y) to include
incluso/a including
incompleto/a incomplete
inconveniente inconvenient
incorporar to incorporate
incorrecto/a incorrect
increíble incredible, unbelievable
indefinido/a indefinite
independencia independence (5B); **Día de la Independencia** Independence Day
independiente independent
independizarse (c) to become independent
indicar (qu) to indicate
indicativo *gram.* indicative
índice *m.* rate
indiferente indifferent (1B)
indígena *n. m., f.* indigenous (person); *adj. m., f.* indigenous, native
indigenismo indigenism
indiscreto indiscreet (1B)
indispensable essential
individuo individual
indocumentado/a undocumented
indómito/a untamed
industria industry
inesperado/a unexpected
inestabilidad *f.* instability
infiel *adj. m., f.* unfaithful (7B)
infierno hell
infinitivo/a *gram.* infinitive
inflación *f.* inflation (8A)
influencia influence
influenciado/a influenced
influir (y) en to influence
influyente influential
información *f.* information
informarse to inform oneself (8B)
informática computer science (P)
informativo/a informative (8B)
informe *m.* report
infraestructura infrastructure
ingeniería (civil/eléctrica/

mecánica) (civil/electrical/ mechanical) engineering (P)
ingeniero/a (civil, eléctrico/a, mecánico/a) (civil, electrical, mechanical) engineer (9B)
ingenuo/a naive (1B)
Inglaterra England
inglés *n. m.* English (*language*) (P)
inglés, inglesa *adj.* English
ingrediente *m.* ingredient
ingresos *pl.* income (8A)
inicial *adj.* initial
iniciar to initiate, begin
inmediatamente immediately
inmigración *f.* **(ilegal)** (illegal) immigration (8B)
inmigrante *m., f.* immigrant (5B)
inmóvil unmoving
inmunodeficiencia: SIDA (síndrome (*m.*) **de inmunodeficiencia adquirida)** AIDS (Acquired Immune Deficiency Syndrome) (8B)
inodoro toilet (4B)
inolvidable unforgettable
inoportuno/a inconvenient, bothersome
inquieto/a restless
inquilino/a tenant (4B)
insecto insect
insertar to insert
insistir en to insist on (8B)
insolación *f.* heat stroke
instalarse en to settle into (*a house*) (9B)
instantáneo/a: mensajero instantáneo instant messenger
instituto institute
instrucción *f.* instruction
instrumento instrument
intelectural intellectural
inteligencia intelligence
inteligente intelligent (1B)
intención *f.* intention
intentar to try
intercambiar to exchange
interdepartamental: estudios interdepartamentales interdisciplinary studies (P)
interés *m.* interest; *pl.* interest (*finance*) (8A); **tasa de interés** interest rate; **tipos de interés** interest rates (8A)
interesante interesting (1B)
interesar to interest, be interesting (5A)

interior *adj.* interior (6B)
internacional international; **noticias** (*pl.*) **internacionales** international news (8B)
Internet *m.* Internet (5A)
interno/a internal; **órgano interno** internal organ (7A)
interpretación *f.* interpretation
intérprete *m. f.* interpreter
interrogativo/a interrogative
interrupción *f.* interruption
intimidad *f.* intimacy
íntimo/a intimate, private; close (*relationship*)
intolerancia intolerance
intrafamiliar intrafamily
introducir (zc) to introduce
introvertido/a introverted (1B)
intruso/a intruder
invadir to invade (5B)
invasión *f.* invasion (5B)
inventar to invent
inversión *f.* investment (8A)
invertir (ie, i) to invest (8A)
investigación *f.* research
investigar (gu) to research
invierno winter (1B)
invitado/a guest
invitar to invite
inyección *f.* injection; **ponerle** (*irreg.*) **una inyección (a alguien)** to give (someone) a shot (7A)
ir *irreg.* to go (1B); **ir a** to go to (1B); **ir a un concierto** to go to a concert (6B); **ir a un parque de diversiones** to go to an amusement park (6B); **ir a un spa** to go to a spa (6B); **ir al cine** to go to the movies; **ir al extranjero** to go abroad (6A); **ir de excursión** to go on a hike/tour go hiking (6B); **irse** to go away, leave; **irse de vacaciones** to go on vacation (6B)
irresponsable irresponsible (8A)
irritado/a irritated (7A)
irritante irritating, annoying
irritar(se) to irritate (get irritated) (7A)
isla island (6B)
istmo isthmus (*strip of land that joins two others*)
Italia Italy
italiano/a *n., adj.* Italian
izquierda *n.* left-hand side; **a la izquierda de** to the left of (2A); **doblar a la izquierda** to turn left

J

jabón *m.* soap (4B)
jamás never, not ever (3B)
jamón *m.* ham (3B)
japonés, japonesa *n., adj.* Japanese
jardín *m.* garden (4B)
jefe/a boss, chief
jeroglífico/a hieroglyphic
Jesucristo Jesus Christ
jitomate *m.* tomato (*Mex.*)
jonrón *m.* homerun
joven *n. m., f.* (*pl.* **jóvenes**) young person (5A); *adj.* young
joya jewel
jubilarse to retire (F)
judío/a *n.* Jewish person; *adj.* Jewish; **Pascua de los judíos** Passover (4A)
juego game (4A); **juego de charadas** charades
jueves *m. inv.* Thursday (1A)
juez(a) (*m. pl.* **jueces**) judge (F)
jugador(a) player
jugar (ue) (gu) to play (2A); **jugar a los videojuegos** to play video games (5A); **jugar al basquetbol** to play basketball; **jugar al escondite** to play hide and seek (5A); **jugar en un casino** to gamble in a casino (6B)
jugo juice (3B); **jugo de naranja** orange juice (3B)
julio July (1B)
junio June (1B)
juntarse to get together
junto/a together
jurar to swear (*an oath*) (F)
jurídico/a judicial
justificar (qu) to justify
justo/a *adj.* fair
juvenil *adj.* youth
juventud *f.* youth (5A)

K

kayak: hacer (*irreg.*) **kayak** to kayak (6B)
kilómetro kilometer

L

la *f. def. art.* the (P); *d.o.* her, it, you (*f. form. s.*); **a la una** at one o'clock (1A); **es la una** it's one o'clock (1A)
laberinto labyrinth
laboral *adj.* work

laboratorio laboratory
lacio/a: pelo lacio straight hair (3A)
lácteo/a dairy; **producto lácteo** dairy product (3B)
lado *n.* side; **al lado de** beside (2A); **por todos lados** everywhere
lago lake (6B)
lámpara lamp (4A)
lana wool
langosta lobster (3B)
lápiz *m.* (*pl.* **lápices**) pencil (P)
largo/a long (3A); **de largo plazo** long-term
las *f. pl.* the (P); *d.o.* you (*f. form. pl.*); them; **a las...** at ... o'clock (1A)
lastimar(se) to hurt (oneself) (7A)
lata de aluminio aluminum can (6B)
latino/a *adj.* Latino, Latina; **estudios latinos** Latino studies (P)
Latinoamérica Latin America
latinoamericano/a *n., adj.* Latin American
lavabo sink (bathroom) (4B)
lavadora washing machine (4B)
lavaplatos *m. inv.* dishwasher (4B)
lavar to wash (4B); **lavarse los dientes** to brush one's teeth (4B)
le *i.o. s.* to/for him, her, it, you (*form. s.*)
leal loyal (1B)
lección *f.* lesson
leche *f.* milk (3B)
lechuga lettuce (3B)
lector(a) reader
lectura *n.* reading
leer (y) to read (1B)
legalmente legally
legalizar (c) to legalize
lejano/a distant, far
lejos de *adv.* far away from (2A)
lengua tongue; language (P); **lengua extranjera** foreign language; **sacar (qu) la lengua** to stick out one's tongue (7A)
lento/a slow
les *i.o. pl.* to/for you (*form. pl.*), them
letra letter (*of the alphabet*); handwriting; lyrics; **letra cursiva** italics; *pl.* humanities
levantar to lift, raise up; **levantar pesas** to lift weights (4A); **levantarse** to get up (4B)
ley *f.* law (8B)
leyenda legend
liberal liberal (1B)

libertad *f.* liberty, freedom (8B)
libertador(a) liberator
libertino/a libertine
libra pound (*weight*)
libre free (unfettered); **al aire libre** outdoor (s) (6B); **Estado Libre Associado** Commonwealth; **libre comercio** free trade; **ratos libres** free time (4A)
librería bookstore (P)
libro book (P)
licencia license; **sacar (qu) la licencia de conducir** to get a driver's license (5A)
licor *m.* liquor
líder *m.* leader
Ligas Mayores Major Leagues
ligero/a *adj.* light
limeño/a *pertaining to Lima, Peru*
limitar to limit; **limitarse** to limit oneself
límite *m.* limit
limón *m.* lemon (3B)
limonada lemonade
limpiar to clean; **limpiar la casa (entera)** to clean the (whole) house (4B)
limpieza *n.* cleaning; cleanliness; **producto de limpieza** cleaning product (4B)
lindo/a pretty
línea line; **patinar en línea** to inline skate (4A)
lingüístico/a linguistic
lío problem; **meterse en líos** to get into trouble (5A)
lista list
listo/a ready (1B); clever, smart (2B); **estar** (*irreg.*) **listo/a** to be ready; **ser** (*irreg.*) **listo/a** to be clever
literario/a literary
literatura literature (P)
llamada *n.* (telephone) call
llamar to call (1A); **¿cómo se llama (él/ella)?** what's his/her name? (P); **¿cómo te llamas?** what's your (*fam. s.*) name? (P); **llamar por teléfono** to call on the telephone (1A); **llamarse** to be called; **me llamo...** my name is ... (P)
llanura flatland, prairie (6B)
llegada arrival
llegar (gu) to arrive; **¿cómo se llega a...?** how do you get to ... ? (6A); **llegar a tiempo** to arrive on time (1A)

llenar to fill
lleno/a full
llevar to take, carry (1A); to wear
(*clothing*) (2B); **llevar... créditos**
to have ... credits (1A); **llevarse**
bien/mal con to get along well/
poorly with (5A)
llorar to cry (7A)
llover (ue) to rain; **está lloviendo**
it's raining (1B); **llueve** it's raining
(1B)
lluvia rain
lluvioso/a rainy; **bosque** (*m.*)
lluvioso rainforest
lo *d.o.* him, it, you (*m. form. s.*); **lo**
que what, that which (1B)
local local; **noticias locales** local
news (8B)
loco/a mad, crazy
lógica logic
lógico/a logical
lograr + *inf.* to succeed (*in doing*
something) (F)
los *def. art. m. pl.* the (P); *d.o.* them,
you (*form. pl.*); **los años veinte**
(treinta) the twenties (thirties)
(5B); **los/las demás** others (4A)
lucha *n.* fight; struggle
luchar to fight; to struggle
lucro: con fines de lucro for profit
luego then, next; **hasta luego** until
(see you) later
lugar *m.* place (2A)
lujo luxury; **hotel** (*m.*) **de lujo**
luxury hotel (6A)
lunes *m. inv.* Monday (1A); **el (los)**
lunes on Monday(s) (1A)
luz *f.* (*pl.* **luces**) light (P); electricity;
Fiesta de las Luces Hanukkah (4A)

M

madera wood (8A)
madrastra stepmother (3A)
madre *f.* mother (3A); **madre**
soltera single mother (3A); **Día**
de la Madre Mother's Day
madrina godmother
madrugada early morning hours
maestro: obra maestra masterpiece
maestría *n.* mastery, skill; master's
degree (F)
maestro/a (de primaria,
secundaria) *n.* (elementary, high
school) teacher (F)
magia *n.* magic
magnífico/a magnificent

maíz *m.* corn (3B); **tortilla de maíz**
corn tortilla (3B)
mal, malo/a *adj.* bad (1B); sick (2B);
caerle (*irreg.*) **mal a alguien** to
dislike someone (5A); **combinar**
mal to go poorly with (*clothing*);
hace mal tiempo it's bad weather
(1B); **llevarse mal con** to get along
poorly with (5A); **manejar mal** to
manage poorly (8A); **pasarlo mal**
to have a bad time (4A); **portarse**
mal to misbehave (5A); **quedarle**
mal to fit poorly (2B)
malentendido misunderstanding
maleta suitcase; **hacer** (*irreg.*) **la**
maleta to pack a suitcase (6A)
maletero skycap, porter (6A)
malgastar to waste
malicioso/a malicious (1B)
mamá mom; mother
mandar to send; to order (5A)
mandato *n.* command
mando a distancia remote control
(5A)
mandón, mandona bossy (7B)
manejar (bien/mal) to manage
(well/poorly) (8A); **manejar**
(varias cosas a la vez) to manage
(a variety of things at once) (F)
manejo management
manera manner, way
mangú *m. dish made of mashed green*
plantains
manifestación *f.* demonstration (8B)
manipular to manipulate (8B)
mano *f.* hand (7A); **darse** (*irreg.*) **la**
mano to shake hands (7B)
mantener (*like* **tener**) to maintain;
to support
mantequilla butter (3B);
mantequilla de cacahuete
peanut butter (3B)
manual *m.* workbook
manzana apple (3B); city block (*Sp.*)
mañana *n.* morning; *adv.* tomorrow
(1A); **de la mañana** in the
morning (A.M.) (1A); **hasta**
mañana until (see you)
tomorrow; **pasado mañana** the
day after tomorrow (1B); **por la**
mañana in the morning (1A)
mapa *m.* map (6A)
mapuche indigenous group of Chile
and Argentina
máquina machine; **máquina**
expendedora vending machine;

máquina fax fax machine
(5A)
mar *m., f.* sea, ocean (6B)
maravilla wonder
maravilloso/a marvelous
marca brand name (2B)
marcar (qu) to mark
mareado/a nauseated, dizzy
marido husband (3A)
marino/a *adj.* marine
mariscos *pl.* shellfish (3B); seafood
(3B)
marrón *adj. m., f.* brown (2B)
martes *m. inv.* Tuesday (1A); **Martes**
de Carnaval Mardi Gras (4A)
marzo March (1B)
más *adv.* more (P); plus; **cada vez**
más more and more; **es más**
what's more; **más... que** more ...
than (3A)
mascota *n.* pet (3A)
masculino/a masculine
masivo/a massive
matar to kill
matemáticas mathematics (P); **ser**
(*irreg.*) **hábil para las matemáticas**
to be good at math (F)
materia subject (*school*) (P)
material *m.* material
materialista *m., f.* materialist
materno/a maternal (3A)
matrícula tuition
matrimonial: cama matrimonial
queen bed (6A)
matrimonio matrimony, marriage (5B)
mayo May (1B)
mayor older (3A); **el/la mayor** the
oldest
mayoría majority
me *d.o.* me; *i.o.* to/for me; *refl. pron.*
myself; **me gusta...** I like ... (1A);
me llamo my name is (P); **me**
parece(n)... it/that seems ... to
me; **¿me podría traer... ?** could
you (*form. s.*) bring me... ? (6A)
mecánico/a mechanic; **ingeniería**
mecánica mechanical engineering
(P); **ingeniero/a mecánico/a**
mechanical engineer (9B)
mediano/a *adj.* medium; average
(2B); **de estatura mediana** of
medium height (3A)
medianoche *f.* midnight (1A)
medias *pl.* stockings; pantyhose
medicación *f.* medication
medicina medicine (7A)

médico/a *n.* doctor (7A); *adj.* medical; **examen** (*m.*) **médico** medical exam (7A); **seguro médico** medical insurance (8A); **servicios médicos** medical services (F)

medidas *pl.* measures

medio *n. s.* means, middle; **medio ambiente** environment (6B); **medios de comunicación** media (8B)

medio/a *adj.* half; middle; **clase** (*f.*) **media** middle class (6A); **media pensión** room and one meal (usually breakfast) (6A); **medio/a hermano/a** half brother/sister (3A); **y media** half past (*hour*) (1A)

medioambiental environmental

mediodía *m.* noon, midday (1A)

meditar to meditate (4A)

mediterráneo/a *adj.* Mediterranean

mejillas cheeks (3A)

mejor better (3A)

mejorar to improve

memoria memory; **la barra de memoria** memory stick (5A)

memorizar (c) to memorize (1A)

mencionar to mention

menor younger (3A); **el/la menor** the youngest

menos less; least; **a menos que** *conj.* unless (7B); **menos cuarto** a quarter to (*hour*) (1A); **menos... que** less ... than (3A); **por lo menos** at least

mensaje *m.* message (5A); **enviar (envío) mensajes de texto** to send text messages (1A)

mensajero/a messenger; **mensajero instantáneo** instant messenger

mensual monthly; **presupuesto mensual** monthly budget (8A)

mente *f.* mind

mentir (ie, i) to lie (4B)

mentira lie

mentiroso/a liar (5A)

menú *m.* menu (6A)

mercadeo marketing (F)

mercado market (2A)

merecer (zc) to deserve (3A)

merendar (ie) to snack (3B)

merienda *n.* snack (3B)

mermelada jam (3B)

mes *m.* month (1B); **cada mes** each month; **¿en qué mes cae... ?** ¿what month is ... ?; **una vez al mes** once a month (1B)

mesa table (P); **poner** (*irreg.*) **la mesa** to set the table

mesero/a waiter, waitress (6A)

meseta plateau (6B)

mesita end table (4B)

mestizaje *m.* mixing of races

mestizo/a *n.* mixed-race person

meta goal (9B); **alcanzar (c) una meta** to reach a goal (F)

metales (*m.*) **preciosos** precious metals (8A)

meterse to pick a fight; to enter; **meterse en líos** to get into trouble (5A)

metiche nosy

metódico/a methodical (1B)

metro meter; **metros cuadrados** square meters (4B)

mexicano/a *n., adj.* Mexican

mexicanoamericano/a *n., adj.* Mexican-American

mezcla mixture

mezclar to mix

mezquita mosque

mí *obj. of prep.* (4B)

mi(s) *poss.* my (4B); **mi apellido es...** my last name is ... (P); **mi nombre es...** my name is ... (P)

microondas *m. s.* microwave (4B)

microprocesador *m.* microprocessor

microscopio microscope

miedo fear; **darle miedo a alguien** to scare someone (5A); **tener(le)** (*irreg.*) **miedo (a alguien)** to be afraid (of someone) (7A)

miembro/a member

mientras *adv.* meanwhile (5B); **mientras que** *conj.* while

miércoles *m. inv.* Wednesday (1A)

migración *f.* migration (5B)

mil thousand, one thousand (2B)

militar *adj.* military

milla mile (4A)

millón *m.* **(de)** million (5B)

minoritario/a *adj.* minority

minuto minute

mío/a/os/as *poss.* my, (of) mine (2B)

mirar to watch (1A); **mirar la televisión** to watch TV; **mirar programas de televisión** to watch TV shows

mismo/a same; self; **ahora mismo** right now

mito myth

mitología mythology

mixto/a mixed; **ensalada mixta** tossed salad (3B)

mochila backpack (P)

moda fashion (2B); **de moda** in style

modelo model; *m., f.* model (*fashion*)

modernización *f.* modernization

moderno/a modern

modesto/a modest

modificar (qu) to modify

modo way, manner

mofongo *Puerto Rican plantain dish*

mojado/a wet

mola *traditional cloth of the Kuna people of Panama*

molestar to bother (3A)

momento moment, instant; **de momento** currently

monarquía monarchy

moneda currency; coin

monitor *m.* monitor (5A)

monolingüe monolingual

montaña mountain (6B); **escalar montañas** to go mountain climbing (6B)

montar a caballo to go horseback riding (6B)

morado/a purple (2B)

mórbido/a morbid

moreno/a dark-skinned (3A)

morir(se) (ue, u) (*p.p.* **muerto/a**) to die (4B); **ya murió** he/she already died (3A)

mortalidad *f.* mortality

mosca fly (*insect*)

mostrar (ue) to show (*something to someone*)

motivo motive, reason

mover (ue) to move (around)

movimiento movement

MP3: el reproductor de MP3 MP3 player (5A)

muchacho/a boy, girl

mucho *adv.* a lot, much (1A)

mucho/a *adj.* much, a lot (of); **hace mucho calor** it's very hot (1B); **hace mucho frío** it's very cold (1B); **hace mucho viento** it's very windy (1B); **mucho gusto** pleased to meet you (P); **pasar mucho tiempo** to spend a lot of time (1A)

mudanza move (5B)

mudarse to move (*to another house*) (5B)

mueble *m.* piece of furniture (4B)

muerte *f.* death (4A); **pena de muerte** death penalty

muerto/a (*p.p. of* **morir**) dead

muestra example

mujer *f.* woman (P); wife (3A); **mujer de negocios** businesswoman (F); **mujer policía** policewoman; **mujer político** (female) politician (F); **mujer química** (female) chemist (F); **mujer soldado** (female) soldier (F)

mujeriego *n.* womanizer

muleta crutch

multar to fine

múltiples *pl.* multiple

mundial *adj.* world; worldwide

mundo world; **mundo de los espectáculos** entertainment industry (8A)

muñeca wrist; doll (5A)

muro wall

museo museum; **visitar un museo** to visit a museum (4A)

música music (P)

músico/a musician

musulmán, musulmana *n., adj.* Muslim

muy very (1A)

N

nacer (zc) to be born (5B)

nacido/a born

nacimiento birth (5B)

nación *f.* nation

nacional national; **noticias** (*pl.*) **nacionales** national news (8B)

nada nothing; none (3B); **de nada** you're welcome

nadar to swim (4A)

nadie nobody, not anybody (3B)

náhuatl *m.* Nahuatl (*language of the Aztecs*)

naranja orange (*fruit*) (3B); **jugo de naranja** orange juice (3B)

nariz *f.* nose (3A); **tener** (*irreg.*) **la nariz tapada** to have a stuffed-up nose (7A)

narración *f.* narration

narrar to narrate

nativo/a *adj.* native, indigenous

natural *adj.* natural; **ciencias naturales** natural sciences (P); **desastre** (*m.*) **natural** natural disaster (5B); **recursos naturales** natural resources (6B)

naturaleza nature (6B)

navegar (gu) en barco to sail (4A); **navegar la red** to surf the Web (5A)

Navidad *f.* Christmas (4A)

necesario/a necessary; **es necesario** it's necessary (2B)

necesidad *f.* necessity

necesitar to need (1A); **necesitar + *inf.*** to need to (*do something*)

negar (ie) (gu) to deny (8B)

negativo/a *adj.* negative

negocio business (F); **hombre** (*m.*) **de negocios** businessman (F); **mujer** (*f.*) **de negocios** businesswoman (F)

negro/a *adj.* black (2B)

nervio nerve

nervioso/a nervous (5B)

nevar (ie) to snow; **está nevando** it's snowing (1B); **nieva** it's snowing (1B)

nevera freezer (4B)

ni... ni neither ... nor; **ni siquiera** not even

Niágara: las cataratas del Niágara Niagara Falls

nicaragüense *n., adj. m., f.* Nicaraguan

nieto/a grandson, granddaughter (3A); *pl.* grandchildren

ningún, ninguno/a *adj.* no, not any (3B)

ninguno/a *pron.* none, not any (3B)

niñero/a babysitter; nanny

niñez *f.* (*pl.* **niñeces**) childhood (5A)

niño/a child; boy, girl (5A)

nivel *m.* level; **nivel económico** economic level

no no; not; **no aguantar** not to be able to stand, put up with (7B); **no es cierto** it's not true (8B); **no es posible** it's not possible (8B); **no es seguro/a** it's not sure (8B); **no es verdad** it's not true (8B); **todavía no sé** I still don't know (P); **ya no** no longer

noche *f.* night; **buenas noches** good night (P); **de la noche** in the evening (night); **esta noche** tonight (1B); **Noche Vieja** New Year's Eve (4A); **por la noche** in the evening (night); **todas las noches** every night (1A)

Nochebuena Christmas Eve (4A)

nocturno/a *adj.* nighttime

nombrar to name

nombre *m.* name; **mi nombre es...** my name is ... (P)

nominar to nominate

noreste *m.* northeast

norma norm

norte *m.* north; **al norte de** to the north of (2A)

norteafricano/a *adj.* North African

Norteamérica North America (6B)

norteamericano/a *n., adj.* North American (*from the United States or Canada*)

nos *d.o.* us; *i.o.* to/for us; *refl. pron.* ourselves; **nos vemos** see you around

nosotros/as *sub. pron.* we (P); *obj. of prep.* us

nota note

notable good

notar to note, notice

noticia piece of news; *pl.* news (8B); **noticias (internacionales, locales, nacionales)** (international, local, national) news (8B)

noticiero newscast, news show (8B)

novecientos/as nine hundred (2B); **novecientos/as mil** nine hundred thousand (5B)

novela *n.* novel (1B)

novelista *m., f.* novelist

noventa ninety (2A)

noviazgo engagement (7B)

noviembre November (1B)

novillos: hacer (*irreg.*) **novillos** to skip/cut school (5A)

novio/a boyfriend, girlfriend; bride, groom (5B)

nube *f.* cloud

nublado/a cloudy; **está nublado** it's cloudy (1B)

nuera daughter-in-law (3A)

nuestro/a/os/as *poss.* our (1A)

nueve nine (1A)

nuevo/a new

nuez (*pl.* **nueces**) nut

número number (1A)

numeroso/a numerous

nunca never, not ever; **casi nunca** almost never

O

o or; **o... o** either ... or

ó or (*used between two numbers to avoid confusion with zero*)

obedecer (zc) to obey (3A)

obediente obedient (5A)

objetivo/a objective (8B)

objeto *n.* object

obligación *f.* obligation

obligar (gu) to obligate, require
obligatorio/a required
obra *n.* work (of art); **obra maestra** masterpiece
observador(a) observer
obsesión *f.* obsession
obstáculo obstacle
obsesiorado/a obsessed
obtener (*like* **tener**) to obtain, get
obvio/a obvious
ocasión *f.* occasion
ocasionar to cause
occidental *adj.* western
océano ocean (6B); **océano Pacífico** Pacific Ocean
ochenta eighty (2A)
ocho eight (1A)
ochocientos/as eight hundred (2B); **ochocientos/as mil** eight hundred thousand (5B)
ocio leisure time
octubre October (1B)
ocultar to cover up (*deeds*); **ocultar(le) secretos (a alguien)** to hide secrets (from someone) (7B)
ocupación *f.* occupation
ocupado/a busy
ocupar to occupy
ocurrir to occur
odiar to hate (4B)
oeste *m.* west; **al oeste de** to the west of (2A)
ofender(se) to offend (get offended) (7A)
ofensivo/a offensive
oferta *n.* offer
oficina office (P)
oficio job, profession; trade
ofrecer (zc) to offer (3A)
oír *irreg.* to hear (2A)
ojalá que I hope, wish that (7B)
ojos eyes (3A)
olvidar to forget
omitir to omit
once eleven (1A)
opción *f.* option
opinar to think, believe
opinión *f.* opinion
oportunidad *f.* opportunity
optativo/a optional
optimista *n. m., f.* optimist; *adj.* optimistic (1B)
opuesto/a opposite
oración *f.* sentence
orden *m.* order (*chronological*)

ordenador *m.* computer (*Sp.*)
ordenar to order, put in order (6A)
orejas ears (3A)
organismo organism
organización *f.* organization
organizado/a organized (1B)
organizar (c) to organize
órgano organ; **órgano interno** internal organ (7A)
orgullo pride
orgulloso/a (de) proud (of) (5B)
oriental eastern
oriente *m.* east
origen *m.* (*pl.* **orígenes**) origin
os *d.o.* you (*fam. pl. Sp.*); *i.o.* to/for you (*fam. pl. Sp.*); *refl. pron.* yourselves (*fam. pl. Sp.*)
oscurecer (zc) to get dark
oscuro/a dark (5B)
oso *n.* bear
otoño fall (*season*) (1B)
otorgar (gu) to award, grant
otro/a other; another (1B)

P

paciencia patience
paciente *m., f.* patient (7A); *adj.* patient (5A)
pacífico/a peaceful (5B); **océano Pacífico** Pacific Ocean
padecer (zc) de to suffer from (7A)
padrastro stepfather (3A)
padre *m.* father (3A); *pl.* parents; **padre soltero** single father (3A); **Día** (*m.*) **del Padre** Father's Day
padrino godfather; **padrino de boda** groomsman
pagar (gu) to pay (for) (1A); **pagar a plazos** to pay in installments (8A); **pagar de una vez** to pay off all at once (8A); **pagar en efectivo** to pay cash (2B)
página page; **página web** Web page (5A)
pago payment
país *m.* country (2A); **país desarrollado** developed country (8A); **país en vías de desarrollo** developing country
paisaje *m.* landscape (6B)
pájaro bird
palabra word
palacio palace
pálido/a pale
pampa pampa, prairie

pan *m.* bread; **pan tostado** toast (3B)
panadería bakery
panameño/a *n., adj.* Panamanian
panqueque *m.* pancake (3B)
pantalla screen (*movie, computer*) (P)
pantalón, pantalones *m.* pants (2B); **pantalones cortos** shorts (2B)
papa potato; **papas fritas** French fries (3B)
papá *m.* dad, father; daddy
papel *m.* role, part; paper; **hoja de papel aparte** separate piece of paper; **toalla de papel** paper towel
papitas *pl.* potato chips (3B)
par *m.* pair; **un par de** a couple of
para for; in order to (1B); **para +** *inf.* in order to (*do something*) (2B); **para que** so that (7B)
paracaidismo skydiving; **practicar (qu) el paracaidismo** to skydive (6B)
parada de autobuses bus stop (2A)
paráfrasis *f.* paraphrase
paraguayo/a *n., adj.* Paraguayan
paraíso paradise
paramilitar paramilitary
parar to stop
parcial biased (8B); **ser** (*irreg.*) **parcial** to be biased (8B)
parecer (zc) to look; to seem (like) (5A); **me parece(n)…** it/that seems … to me; **parece ser** it seems to be, he/she seems … (1B); **parecerse (a)** to resemble (3A)
parecido/a (a) similar (to)
pared *f.* wall
pareja couple (7B); mate; partner; *pl.* pairs
pariente *m., f.* relative (3A)
parque *m.* park (2A); **ir** (*irreg.*) **a un parque de diversiones** to go to an amusement park (6B)
párrafo paragraph
parte *f.* part; **partes del cuerpo** parts of the body (7A)
participación *f.* participation
participar to participate (8B)
particular particular; private; **casa particular** private residence (4B)
partida: punto de partida point of departure
partido game (4A)
pasado/a *adj.* past; spoiled (*food*) (3B); **pasado mañana** the day after tomorrow (1B)

pasajero/a *n.* passenger (6A)

pasaporte *m.* passport (6A)

pasar la aspiradora to vacuum (4B); **pasar (mucho) tiempo** to pass, spend (a lot of) time (1A); **pasar por la aduana** to go through customs (6A); **pasar por seguridad** to go through security (6A); **pasarlo bien/mal** to have a good/bad time (4A)

pasatiempo pastime

Pascua: Pascua (de los judíos) Passover (4A); **Pascua (Florida)** Easter (4A)

pasear to walk, stroll

paseo *n.* walk, stroll; **dar** (*irreg.*) **un paseo** to take a walk (4A)

pasillo hallway

pasión *f.* passion

paso step

pastel *m.* pastry; cake (3B); *pl.* pastries; **ración** (*f.*) **de pastel** slice of cake (3B)

pastilla pill (7A)

patata potato (*Sp.*)

paterno/a paternal (3A)

patinar (en línea) to (inline) skate (4A)

patio courtyard, patio (4B)

patria homeland

Patricio: Día (*m.*) **de San Patricio** St. Patrick's Day (4A)

patriotismo patriotism

pavo turkey (3B)

paz *f.* (*pl.* **paces**) peace; **dejar en paz** to leave alone; **hacer** (*irreg.*) **las paces** to make up with (7B)

peca *n.* freckle (3A)

pecado *n.* sin

pecho chest (7A); **tomar algo muy a pecho** to take something to heart (7A); to feel something intensely (7A)

pechuga de pollo chicken breast (3B)

pedazo piece

pediatra *m., f.* pediatrician

pedir (i, i) to ask for, request (2B); to order (*restaurant*) (6A); **pedir ayuda** to ask for help; **pedir disculpas** to apologize (*to someone*); **pedir prestado/a** to borrow (8A)

peinado hairdo

pelearse to fight (5A)

película movie (1A); **ver** (*irreg.*) **una película** to watch a movie

peligro danger; **especies** (*f. pl.*) **en peligro de extinción** endangered species (6B)

peligroso/a dangerous

pelirrojo/a red-headed (3A)

pelo (canoso/lacio/rizado/rubio) (gray/straight/curly/blond) hair (3A)

pelota ball

pena shame; penalty; sorrow; **pena de muerte** death penalty

península Ibérica Iberian Peninsula

pensamiento thought

pensar (ie) to think (2A); **pensar de** to think of; **pensar en** to think about

pensión *f.* boardinghouse (6A); **media pensión** room and one meal (usually breakfast) (6A); **pensión completa** room and all meals (6A)

peor worse (3A)

pequeñeces *f. pl.* little things

pequeño/a little, small (2B)

perder (ie) to lose (2A); **perder peso** to lose weight

pérdida loss; **pérdida de tiempo** waste of time (8B); **pérdida de valores tradicionales** loss of traditional values (8B)

perdón *m.* forgiveness

perdonar to forgive (7B); to pardon, excuse

perezoso/a lazy

perfeccionista *m., f.* perfectionist

perfecto/a perfect

perfil *m.* profile

periódico newspaper (1B)

periodista *m., f.* journalist (F)

período period (*of time*)

perla pearl

permiso permission

permitir to allow (8B)

pero but (1A)

perpetuar (perpetúo) to perpetuate

perplejo/a perplexed

perro dog (3A)

persistente persistent

persona person (1B)

personaje *m.* character (*fictional*)

personal personal; **finanzas personales** personal finances (8A)

personalidad *f.* personality (1B)

perspectiva perspective

pertenecer (zc) to belong

peruano/a *n., adj.* Peruvian

pesa weight; **levantar pesas** to lift weights (4A)

pesado/a heavy

pesar: a pesar de *prep.* in spite of, despite

pescado fish (*food*) (3B)

pescar (qu) to fish (6B)

pesimista *n. m., f.* pessimist; *adj.* pessimistic (1B)

peso weight; **bajar de peso** to lose weight; **perder (ie) peso** to lose weight

pesticida *m.* pesticide (6B)

petróleo petroleum (oil) (6B)

petrolífero/a *adj.* oil

pez *m.* (*pl.* **peces**) fish (*alive*)

piano piano; **tocar (qu) el piano** to play the piano (1A)

picado/a minced

picante hot, spicy (3B)

picar (qu) to bite; to nibble (4A)

pico peak (*mountain*)

picoso/a spicy (3B)

pie *m.* foot (7A); **a pie** on foot; **dedo del pie** toe (7A); **pies cuadrados** square feet (4B)

piedra rock; stone

piel *f.* skin (3A)

pierna leg (7A)

pijama *m. s.* pajamas

piloto/a pilot

pinchado/a: rueda pinchada flat tire

pintar to paint (4A)

pintor(a) painter (F)

piña pineapple

pirámide *f.* pyramid

piscina swimming pool (4A)

piso floor (4B); flat, apartment (*Sp.*) (4B); **barrer el piso** to sweep the floor (4B)

pista track; clue

pizarra chalkboard (P)

pizza pizza (3B); **ración** (*f.*) **de pizza** slice of pizza (3B)

placer *m.* pleasure

plancha iron (*appliance*) (4B)

planchar (la ropa) to iron (the clothes) (4B)

planear to plan

planeta *m.* planet

plano city map (6A)

planta plant (4B); floor (*of a building*) (*Sp.*) (4B)

plástico plastic; **botella de plástico** plastic bottle (6B)

platafoma platform
plátano banana (3B)
plato plate (6A); prepared dish; *pl.* dishes (4B); **primer (segundo, tercer) plato** first (second, third) course (6A); **plato principal** main course (3B)
playa beach (6B)
plaza square, plaza (2A)
plazo term; **de corto/largo plazo** short/long term (F); **pagar (gu) a plazos** to pay in installments (8A)
población *f.* population
poblado/a populated
poblar to settle
pobre *adj.* poor (1B)
pobreza poverty (8A)
poco/a *adv.* little (1B); *adj.* little; *pl.* few; **dentro de poco** in a little while (1B); **un poco** a little (1B)
poder *m.* power
poder *irreg.* to be able to, can (2A); **¿me podría traer… ?** could you (*form. s.*) bring me … ? (6A)
poema *m.* poem
poeta *m., f.* poet
politeísta *adj. m., f.* polytheist (*believing in more than one god*)
política *s.* politics (8B)
político, mujer (*f.***) político** politician (F)
político/a political; **ciencias políticas** political science (P)
pollo chicken (3B); **pechuga de pollo** chicken breast (3B)
polvo *n.* dust; **quitar el polvo** to dust (4B)
poner *irreg.* to put (2A); **poner alto el volumen** to turn the volume up high; **poner fin a** to end; **poner la mesa** to set the table; **ponerle una inyección (a alguien)** to give (someone) a shot (7A); **ponerse** to get, become (*emotion*); **ponerse de acuerdo** to come to an agreement
por for (4B); because of (4B); by, through, around; **estar (***irreg.***) por** + *inf.* to be about to + *inf.*; **llamar por teléfono** to call on the telephone (1A); **pasar por la aduana** to go through customs (6A); **pasar por seguridad** to go through security; **por ciento** percent; **por ejemplo** for example; **por favor** please; **por fin** finally;

por la mañana/tarde/noche in the morning/afternoon/evening (night) (1A); **por lo general** generally; **por lo menos** at least; **por primera vez** for the first time; **¿por qué?** why? (1B); **por supuesto** of course; **por todos lados** everywhere; **por último** finally
porcentaje *m.* percentage
porfiado/a persistent (7B)
porque because (1B)
portada home page (*Web*); cover (*book*)
portarse bien/mal to behave well/ badly (5A)
portátil portable; **computadora portátil** laptop computer (5A)
portero/a doorperson (4B); building manager (4B)
portugués *m.* Portuguese (*language*)
portugués, portuguesa *n., adj.* Portuguese
poseer (y) to possess
posesión *f.* possession
posesivo/a possessive (7B)
posgrado/a graduate; **estudios de posgrado** graduate studies (F)
posibilidad *f.* possibility
posible possible; **no es possible** it's not possible
posición *f.* position
positivo/a positive
postre *m.* dessert (3B)
potable: agua (*f.* [*but* **el agua**]) **potable** drinking water
práctica *n.* practice
practicar (qu) to practice (1A); **practicar el alpinismo de rocas** to rock climb (6B); **practicar el paracaidismo** to skydive (6B); **practicar el yoga** to do yoga (4A); **practicar un deporte** to practice a sport (1A)
pragmático/a pragmatic
precavido/a cautious (5A)
precio (fijo) (fixed) price (2B); **estar (***irreg.***) a buen precio** to be a good price
precioso/a precious; valuable; **metales** (*m.*) **preciosos** precious metals (8A)
preciso/a precise (1B); **es preciso** it's necessary (8B)
precolombino/a pre-Columbian (before Columbus)
predeterminado/a predetermined

predicar (qu) to preach
predicción *f.* prediction
predominar to dominate
preexistente preexisting
preferencia preference
preferir (ie, i) to prefer (2A)
pregunta *n.* question
preguntar to ask (questions)
prehispánico/a pre-Hispanic
premio award; prize
prenda article of clothing (2B)
prender to turn on (*lights; appliances*)
prendido/a turned on (*lights, appliances*)
prensa *n.* press (8B)
preocupación *f.* worry (8B); concern (8B)
preocupado/a worried (7A)
preocuparse (por) to worry (about) (7A)
preparación *f.* preparation
preparar to prepare (1A)
preparativo preparation
preposición *f.* preposition
presencia presence
presentación *f.* presentation; introduction (P)
presentador(a) anchorman, anchorwoman (8B)
presentar to present; to introduce; to show (*a film*)
presente *n. m., adj. m. f.* present (*time*)
preservar to preserve, maintain
presidencia presidency
presidente/a president; **Día de los Presidentes** Presidents' Day
presión *f.* pressure; **presión arterial** blood pressure (7A)
prestado/a borrowed; **pedir (i, i) prestado/a** to borrow (8A)
préstamo *n.* loan (8A); **sacar (qu) un préstamo** to take out a loan
prestar to loan, lend (8A); **prestar atención** to pay attention
prestigio prestige
presupuesto (mensual) (monthly) budget (8A)
pretérito *gram.* preterite (tense)
pretexto pretext, excuse
preventivo/a: señales (*f. pl.*) **preventivas** warning signs
previo/a previous
primaria: (escuela) primaria elementary school; **maestro/a de primaria** elementary school teacher (F)

primavera spring (*season*) (1B)
primer, primero/a first; **por primera vez** for the first time; **primer plato** first course (6A); **primera clase** first class (6A)
primo/a cousin (3A); *pl.* cousins
princesa princess
principal *adj.* main, principal; **plato principal** main course (3B)
príncipe prince
principio beginning
prisa: tener (*irreg.*) **prisa** to be in a hurry
privacidad *f.* privacy
privado/a private
probabilidad *f.* probability
probable probable; **es probable** it's probable (8B)
probador *m.* dressing room
probar (ue) to try; **probarse** to try on (2B)
problema *m.* problem
problemático/a problematic
proceso process
producción *f.* production
producir *irreg.* to produce
producto product; **producto biodegradable** biodegradable product (6B); **producto de limpieza** cleaning product (4B); **producto desechable** disposable product (6B); **producto farmacéutico** pharmaceutical product (8A); **producto lácteo** dairy product (3B); **productos de exportación** export products (8A)
productor(a) producer (F)
profesión *f.* profession (F)
profesional *adj.* professional
profesor(a) professor (P)
programa *m.* program; **programa de entrevistas** talk show (8B); **programa de televisión** TV show; **programa deportivo** sports show (8B); **programa televisivo** TV show (8B)
programación *f.* programming
programador(a) (computer) programmer (F)
progresiva/a progressive
prohibir (prohíbo) to prohibit (8B)
proliferación proliferation
prólogo prologue
promedio *n.* average
prometer to promise (F)
prominente prominent

promiscuo/a promiscuous
pronombre *m.* pronoun
pronóstico del tiempo weather report (8B)
pronto soon; **tan pronto como** as soon as (F)
propiedad *f.* property
propina tip (6A); **dejar (una) propina** to leave a tip (6A)
propio/a own
proponer (*like* **poner**) to propose
proporcionar to give
propósito purpose; aim; intention; **a propósito** by the way
prosperidad *f.* prosperity (8A)
protección *f.* protection
protector(a) protective
proteger (j) to protect (6B)
proteína protein
protesta protest
protestar to protest (8B)
provecho: buen provecho enjoy your meal (6A)
proveniente de originating from
provenir (*like* **venir**) to come from
provocar (qu) to provoke
próximo/a next (1B)
proyecto project
proyector *m.* projector
prueba *n.* quiz, test
psicología psychology (P)
psicólogo/a psychologist (F)
psiquiatra *m., f.* psychiatrist (F)
publicación *f.* publication
publicar (qu) to publish
publicitario/a: anuncio publicitario commercial (8B)
público *n.* public; audience
público/a *adj.* public; **teléfono público** public telephone (P)
pueblo small town; people, population
puerta door (P)
puerto (sea)port
puertorriqueño/a *n., adj.* Puerto Rican
pues... well ...
puesto *n.* stand; job, position (F); **puesto que** given that
pulmón *m.* lung (7A)
punto point; period; **en punto** on the dot (*time*) (1A); **punto de vista** point of view
puntual punctual
pupusa *bean-stuffed cornmeal cakes from El Salvador*

puro/a pure
púrpura purple

Q

que that, which; than; **creer que** to think that (1B); **hasta que** *conj.* until; **lo que** what, that which (1B); **más** + *adj.* + **que** more + *adj.* + than; **tener** (*irreg.*) **que** + *inf.* to have to (*do something*)
¿qué? what? (1B); **¿a qué hora... ?** at what time ... ?, when ... ? (1A); **¿en qué día cae... ?** what day does ... fall on?; **¿por qué?** why? (1B); **¿qué carrera haces?** what's your (*fam. s.*) major (P); **¿qué clases tienes este semestre/ trimestre?** what classes do you (*fam. s.*) have this semester/ quarter? (P); **¿qué día es hoy?** what day is today? (1A); **¿qué estudias?** what are you (*fam. s.*) studying? (P); **¿qué hora es?** what time is it? (1A); **¿qué trae... ?** what comes with ... ? (6A)
quechua *m.* Quechua (*language*)
quedar to be located; **quedarle bien/mal** to fit well/ poorly (2B); **quedarse** to stay (*in a place*) (6A) (2B)
quehacer *m.* chore; **quehaceres domésticos** household chores (4B)
queja complaint
quemar to burn; **quemar calorías** to burn calories (4A)
querer *irreg.* to want (2A); to love (7B); **quiere decir** it means
queso cheese (3B)
quiché *m. indigenous language of a Mayan group of Guatemala*
quien(es) who, whom
¿quién(es)? who? whom? (1B)
química chemistry (P)
químico / mujer (*f.*) **química** chemist (9B)
químico/a chemical
quince fifteen (1A)
quinceañera *girl's fifteenth birthday celebration*
quinientos/as five hundred (2B); **quinientos/as mil** five hundred thousand (5B)
quinto/a fifth

quitar to remove, take away; **quitar el polvo** to dust (4B); **quitarse** to take off (*clothing*)
quizá(s) perhaps

R

ración *f.* **(de pastel / de pizza)** piece, portion (of cake/pizza) (3B)
racismo racism
radio *f.* radio (*medium*)
rafting: hacer (*irreg.*) **rafting** to go rafting (6B)
raíz *f.* (*pl.* **raíces**) root; **bienes** (*m. pl.*) **raíces** real estate (8A)
ramo bouquet
rana frog
rápido *adv.* fast
rápido/a *adj.* fast, quick; **comida rápida** fast food (3B)
raro/a strange; rare; **raras veces** infrequently, rarely
rasgar (gu) to tear, rip
rasgo feature, trait (3A)
rato *n.* while, short time; **ratos libres** free time (4A)
ratón *m.* mouse (*animal*); mouse (*computer*) (5A)
rayo ray; **rayos X** X-rays (7A)
raza race (*people*)
razón *f.* reason
razonable reasonable
reacción *f.* reaction
reaccionar to react (7A)
real real; royal
realidad *f.* reality
realista *adj. m., f.* realistic
reality *m.* reality show (*TV*) (8B)
realizar (c) to attain, achieve (F)
rebaja sale (2B)
rebajar to reduce, lower
rebelde rebellious
recámara bedroom
recepción *f.* reception
recepcionista *m., f.* receptionist
recesión *f.* recession (8A)
receta recipe; prescription (7A)
rechazar (c) to reject
recibir to receive (1B)
recibo receipt (8A)
reciclaje *m.* recycling
reciclar to recycle (6B)
recién recently
reciente recent
recipiente *m.* container
recíproco/a reciprocal
recitar to recite
reclamar to claim

recoger (j) to pick up
recomendable recommendable
recomendación *f.* recommendation
recomendar (ie) to recommend (8B)
reconocer (zc) to recognize (3A)
reconocido/a renowned
recordar (ue) to remember (2A)
recorrido trip, journey
recreo recess (5A)
recuerdo memory; souvenir; **comprar recuerdos** to buy souvenirs (6B)
recuperación *f.* recuperation (8A)
recuperarse to recuperate
recurrir a to turn to
recurso resource; **recursos naturales** natural resources (6B)
red *f.* net; Internet; **red social** social network; **navegar (gu) la red** to surf the Web (5A)
reducir *irreg.* to reduce
reemplazar (c) to replace
reencontrarse (con) to be reunited (with)
referir(se) (ie, i) (a) to refer (to)
reflejar to reflect
reflexivo/a reflexive
refresco soft drink (3B); **refresco dietético** diet soft drink (3B)
refrigerador *m.* refrigerator (4B)
refugiado/a refugee
refugio refuge
regalar to give (*as a gift*) (4A)
regalo gift (4A)
regatear to bargain (2B)
regateo bargaining
región *f.* region
regla rule
regresar to return (*to a place*); **regresar a casa** to go home (1A)
regular to regulate
reina queen
reinar to reign
reírse (i, i) to laugh (7A)
relación *f.* relationship
relacionado/a (con) related (to)
relacionarse to relate, be related to
relajado/a relaxed (7A)
relajarse to relax
relatar to relate, tell
religión *f.* religion
religioso/a religious
rellenar to fill
relleno/a (de) stuffed (with)
reloj *m.* clock (P); watch (P)
remar to row; **remar en canoa** to go canoeing (6B)

remedio remedy
remolino pinwheel
remontarse a to date back to
Renacimiento Renaissance
rencor *m.* anger; **guardar(le) rencor (a alguien)** to hold a grudge (against someone) (7B)
renunciar a to quit (*a job*); to give up
reparar to repair
repartir to distribute
repasar to review (1A)
repaso review
repente: de repente suddenly
repentinamente suddenly
repetir (i, i) to repeat (2B)
repollo cabbage
reportaje *m.* report (8B)
reportar to report
reportero/a reporter (8B)
represa dam
representante *m., f.* representative (F)
representar to represent
represivo/a repressive
reproductor (*m.*) **de CD/DVD/MP3** CD/DVD/MP3 player (5A)
república republic; **República Dominicana** Dominican Republic
requerir (ie, i) to require
requisito requirement
resaca hangover
resentido/a resentful
reserva reserve; reservation (*hotel*)
reservación *f.* reservation (6A)
reservado/a reserved (1B)
resfriado *n.* cold (*sickness*); **tener** (*irreg.*) **un resfriado** to have a cold (7A)
residencia estudiantil residence hall, dormitory (P)
resolver (ue) (*p.p.* **resuelto/a**) **(conflictos)** to resolve (conflicts)
respectivo/a respective
respetar to respect (7B)
respeto respect (7B)
respirar to breathe (7A)
responder to respond, answer
responsabilidad *f.* responsibility; **responsabilidad cívica** civic duty (8B)
responsable responsible (8A)
respuesta response, answer
restaurante *m.* restaurant (2A); **cenar en un restaurante elegante** to eat in a fancy restaurant (6B)

resto rest, remainder; *pl.* remains; remnants

restricción *f.* restriction

resuelto/a (*p.p. of* **resolver**) resolved (7B)

resultado result

resultar to turn out, result

resumen *m.* summary

resumir to sum up

retirar to withdraw

reto challenge

reunión *f.* **(cívica)** (town) meeting (8B)

reunirse (me reúno) to get together

revelar to reveal

revisar to check, inspect

revista magazine (1B)

revolución *f.* revolution (5B)

revuelto/a (*p.p. of* **revolver**): **huevos revueltos** scrambled eggs (3B)

rey *m.* king

rico/a rich, wealthy (2B); delicious (2B)

ridículo/a ridiculous (8B)

río river (6B)

riqueza riches, wealth (8A)

ritmo rhythm

rito rite; ceremony

rivalidad *f.* rivalry

rizado/a curly (3A); **pelo rizado** curly hair (3A)

roca rock; **practicar (qu) el alpinismo de rocas** to rock climb (6B)

rodear to surround

rodilla knee (7A)

rogar (ue) (gu) to beg

rojo/a red (2B)

romántico/a romantic (7B)

romper (*p.p.* **roto/a**) to break; **romper con** to break up with (7B); **romperse** to break (a bone) (7A)

ron *m.* rum

ronda *n.* round

ropa clothing (2B); **planchar la ropa** to iron clothes

rosado/a pink (2B)

rosario rosary

rosbif *m.* roast beef (3B)

rosquilla bagel (3B)

rostro *n.* face

roto/a (*p.p. of* **romper**) broken

rozarse (c) con la gente to mingle with people (4A)

rubio/a blond(e) (3A); **pelo rubio** blond hair (3A)

rueda wheel; **rueda de andar** treadmill (4A); **rueda pinchada** flat tire

ruido noise

rumor *m.* rumor

Rusia Russia

ruso/a *n., adj.* Russian

ruta route

S

sábado Saturday (1A)

sabana savanna

saber *irreg.* to know (*facts, information*) (3A); to find out (*about something*); **saber** + *inf.* to know how to (*do something*) (3A); **todavía no sé** I still don't know (P)

sabio/a wise (1B)

sabor *m.* taste, flavor

sacar (qu) to take out; **sacar dinero** to withdraw money (8A); **sacar fotos** to take pictures; **sacar la basura** to take out the trash (4B); **sacar la lengua** to stick out one's tongue (7A); **sacar la licencia de conducir** to get a driver's license (5A); **sacar un/DVD** to rent a DVD (4A); **sacar un préstamo** to take out a loan; **sacarle sangre** to draw blood (7A)

sacerdote *m.* priest

safari *m.* safari

Sagitario Sagittarius

sagrado/a sacred

sal *f.* salt

sala family room (4B); **sala de clase** classroom (P); **sala de espera** waiting room

salado/a salty (3B); **galleta salada** cracker (3B)

salchicha sausage (3B)

salchichón *m.* salami

salida exit; way out

salir *irreg.* to leave; to go out (2A); **¿a cuánto sale?** how much is it?; **salir con** to go out with (7B)

salsa salsa (3B); sauce (3B)

saltar to jump

salto leap, jump; **hacer** (*irreg.*) **el salto bungee** to bungee jump (6B)

salud *f.* health (7A)

saludar to greet (7B)

saludo greeting

salvadoreño/a Salvadoran

salvaje savage, wild

salvar to save (6B)

salvo except

san *apocopated form of* **santo**

sandalia sandal (2B)

sándwich *m.* sandwich (3B)

sangre *f.* blood; **sacarle (qu) sangre** to draw blood (7A)

santería *religion of African origin practiced in the Caribbean*

santo/a *n., adj.* saint

se *refl. pron.* herself, himself, itself, yourself (*form. s.*), themselves, yourselves (*form. pl.*); **se alquila** for rent

secadora dryer (4B)

sección *f.* section

seco/a dry

secreto *n.* secret; **ocultar(le) secretos (a alguien)** to hide secrets (from someone) (7B)

sector *m.* sector

secundario/a secondary; **escuela secundaria** high school; **maestro/a de secundaria** high school teacher (F)

sedentario/a sedentary

sedimentación *f.* sedimentation

sedimento sediment

seducir (zc) to seduce (7B)

seguida: en seguida right away

seguir (i, i) (g) to follow (2B); **seguir derecho** to continue straight ahead (6A)

según according to

segundo/a *adj.* second; **segundo plato** second course (6A)

seguramente surely

seguridad *f.* safety; **pasar por seguridad** to go through security (6A)

seguro insurance; **seguro antirrobo** antitheft insurance (8A); **seguro contra incendios** fire insurance (8A); **seguro de automóvil** automobile insurance (8A); **seguro de vida** life insurance (8A); **seguro de vivienda** homeowner's insurance (8A); **seguro médico** medical insurance (8A)

seguro/a *adj.* sure; safe; **estar** (*irreg.*) **seguro/a de** to be sure of (8B); **no es seguro** it's not sure

seis six (1A)

seiscientos/as six hundred (2B); **seiscientos/as mil** six hundred thousand (5B)

selección *f.* selection; national team (*soccer*)

seleccionar to select, choose
selva jungle (6B)
semáforo signal; traffic light
semana week (1A); **fin** (*m.*) **de semana** weekend (1A); **semana entrante** next week (1B); **semana pasada** last week
semanal weekly
semejante similar
semejanza similarity
semestre *m.* semester; **¿qué clases tienes este semestre?** what classes do you (*fam. s.*) have this semester?
senador(a) senator (9B)
sencillo/a simple (1B); **cama sencilla** twin (single) bed (6A)
sensación *f.* sensation
sensacionalista *m., f.* sensationalist (8B)
sensible sensitive (7B)
sentarse (ie) to sit down
sentido *n.* **(del humor)** sense (of humor) (F)
sentimiento feeling, emotion (7B)
sentir(se) (ie, i) to feel (4B); **sentirse** + *adj., adv.* to feel + *adj., adv.*
señal *f.* sign; signal; **señales preventivas** warning signs
señalar to point out
señor (Sr.) man; Mr.
señora (Sra.) woman; Mrs.
señorita (Srta.) young woman; Miss, Ms.
separado/a separated (3A)
septiembre September (1B)
ser *irreg.* to be (P); **¿cómo es?** what is he/she/it/like? what are you (*form. s.*) like? (3A); **¿cuál es su apellido?** what's his/her last name? (P); **¿cuál es tu apellido?** what's your (*fam. s.*) last name? (P); **¿de dónde eres?** where are you (*fam. s.*) from? (P); **era** he/she/it was, you (*form. s.*) were (1B); **es buena idea** (2B); **es decir** that is; **es imposible** it's impossible (8B); **es la una** it's one o'clock (1A); **es necesario** it's necessary (2B); **es preciso** it's necessary (8B); **es probable** it's probable (8B); **mi apellido es…** my last name is … (P); **mi nombre es…** my name is … (P); **no es cierto** it's not true; **no es posible** it's not possible; **no es seguro** it's not sure/certain; **parece ser** it seems to be; he/she seems … (1B); **pasar a ser** to become; **¿qué hora es?** what time is it? (1A); **ser a favor de** to be in favor of (8B); **ser aficionado/a** to be a fan (4A); **ser en contra de** to be against (8B); **ser hábil para (las matemáticas, las ciencias)** to be good at (math, science) (F); **ser listo/a** to be clever; **ser parcial** to be biased (8B); **soy de…** I'm from … (P)
serie *f.* series
serio/a serious (1B); **en serio** seriously
serpiente *f.* snake
servicio service; **servicio de cuarto** room service (6A); **servicios médicos** medical services (F); **servicios sociales** social services (F)
servilleta napkin (6A)
servir (i, i) to serve (2B)
sesenta sixty (2A)
sesión *f.* session
setecientos/as seven hundred (2B); **setecientos/as mil** seven hundred thousand (5B)
setenta seventy (2A)
sexo sex
si if (1B)
sí yes
SIDA (síndrome [*m.*] **de inmunodeficiencia adquirida)** AIDS (Acquired Immune Deficiency Syndrome) (8B)
siempre always (3B)
siete seven (1A)
siglo century (5B); **siglo XXI** twenty-first century (5B)
significado meaning
significar (qu) to mean
significativamente significantly
signo *n.* sign (*horoscope*)
siguiente following; next
silla chair (P)
sillón *m.* armchair (4B)
simbolizar (c) to symbolize
símbolo symbol
simpático/a friendly, nice (1B)
sin without; **sin duda** without a doubt; **sin embargo** *conj.* however; **sin que** without (7B)
sincero/a sincere
sincretismo syncretism (*consolidation of different religious doctrines*)

síndrome *m.* syndrome; **síndrome de inmunodeficiencia adquirida (SIDA)** Acquired Immune Deficiency Syndrome (AIDS) (8B)
sino but (rather)
sinónimo synonym
sinopsis *f.* synopsis
síntesis *f.* synthesis
síntoma *m.* symptom
siquiera: ni siquiera not even
sistema *m.* system; **analista** (*m., f.*) **de sistemas** systems analyst (F)
sitio place, location; site; **diseñador(a) de sitios** Web site designer (F)
situación *f.* situation
situar (sitúo) to situate
sobre about; on, on top of; **estudios sobre el género** gender studies
sobrepasar to exceed
sobresaliente excellent
sobresalir (*like* **salir**) to stand out
sobrino/a nephew, niece (3A)
sociable sociable
social social; **ciencias sociales** social sciences (P); **red** (*f.*) **social** social network; **servicios sociales** social services (F); **trabajador(a) social** social worker (F)
socialista *adj. m., f.* socialist
sociedad *f.* society (8B)
sociología sociology (P)
sofá *m.* sofa (4B)
sofisticado/a sophisticated
soja soy(bean) (3B)
sol *m.* sun; **hace sol** it's sunny (1B); **tomar el sol** to sunbathe (1B)
solamente only (1A)
solas: a solas alone (1B)
soldado, mujer (*f.*) **soldado** soldier (F)
soledad *f.* solitude
soler (ue) + *inf.* to be in the habit of / be accustomed to (*doing something*) (2A)
solitario/a solitary
sólo (solamente) *adv.* only
solo/a alone
soltero/a single, unmarried (3A); **madre** (*f.*) **soltera** single mother (3A); **padre** (*m.*) **soltero** single father (3A)
solución *f.* solution
solucionar to solve
sombrero hat
sonar (ue) to ring
sonreír (i, i) to smile

sonrisa smile
soñador(a) dreamer (1B)
soñar (ue) (con) to dream (about)
sopa soup (3B)
soplo breeze; breath
soroche *m.* altitude sickness
sorpresa surprise; **fiesta de sorpresa** surprise party (4A)
sospechoso/a suspicious (1B)
sostenible sustainable
spa *m.*: **ir** (*irreg.*) **a un spa** to go to a spa (6B)
su(s) *poss.* his, her, its, their, your (*form. s., pl.*) (1A); **¿cuál es su apellido?** what's his/her last name? (P)
subida rise (8A)
subir to rise, go up (8A); **subir a** to board (6A); **subirse a los árboles** to climb trees
subjuntivo *gram.* subjunctive (mood)
sublevarse to revolt
subvención *f.* subsidy
suceder to happen
sudadera sweatshirt (2B)
Sudamérica South America (6B)
sudamericano/a *n., adj.* South American
sudar to sweat (4A)
suegro/a father-in-law, mother-in-law (3A)
sueldo wage, salary (8A)
suelo floor
sueño *n.* dream; **tener** (*irreg.*) **sueño** to be sleepy (7A)
suerte *f.* luck; **tener** (*irreg.*) **suerte** to be lucky
suéter *m.* sweater (2B)
suficiente sufficient, enough
sufrir to suffer
sugerencia suggestion
sugerir (ie, i) to suggest (4B)
sujeto *n.* subject
sumar to add
superar to exceed
superéxito super hit
superlativo *gram.* superlative
supermercado supermarket (2A)
supremo/a supreme; **Corte** (*f.*) **Suprema** Supreme Court
supuesto/a (*p.p. of* **suponer**) supposed; **por supuesto** of course
sur *m.* south; **al sur de** to the south of (2A)
sureste *m.* southeast
surfear to surf (6B)

suroeste *m.* southwest
suscribir to subscribe
suscripción *f.* subscription
suspender to suspend
sustancia substance
sustantivo noun
sustitución *f.* substitution
sustituir (y) to substitute
suyo/a/os/as *poss.* your, of yours (*form. s., pl.*); his, of his; her, of hers (2B)

T

tabaco tobacco (8A)
tabla table (*graph*)
tacaño/a greedy, stingy
taco *rolled or folded tortilla filled with meat and beans* (*Mex.*)
tal such, such a; **con tal de que** *conj.* provided that (7B); **¿qué tal?** how's it going?; **tal vez** perhaps
talento talent (F)
talentoso/a talented
talla size (*clothes*) (2B)
tamaño size (4B); **¿de qué tamaño es... ?** what size is ... ? (4B)
también too, also (P)
tampoco neither, not either (3B)
tan so; **tan... como** as ... as (3A); **tan pronto como** as soon as (F)
tanto *adv.* so much
tanto/a *adj.* so much; such; *pl.* so many; **tanto/a/os/as... como** as much/many ... as (3A)
tapada: tener (*irreg.*) **la nariz tapada** to have a stuffed-up nose
tapas *pl.* (*Sp.*) hors d'œuvres
tardar to take time (*to do something*)
tarde *n. f.* afternoon, evening; **buenas tardes** good afternoon/ evening (P); **de la tarde** in the afternoon, evening (P.M.) (1A); **por la tarde** in the afternoon/ evening (1A)
tarde *adv.* late (1A)
tarea homework (2A); task
tarjeta card (4A); **tarjeta de crédito** credit card (2B)
tasa rate, level; **tasa de desempleo** unemployment rate (8A); **tasa de interés** interest rate
Tauro Taurus
taxista *m., f.* taxi driver
taza cup (*coffee*) (6A)
tazón *m.* bowl

te *d.o.* you (*fam. s.*); *i.o.* to/for you (*fam. s.*); *refl. pron.* yourself (*fam. s.*); **¿cómo te llamas?** what is your (*fam. s.*) name? (P); **te gusta...** you (*fam. s.*) like ... (1A)
té (*m.*) **(caliente/helado)** (hot/iced) tea (3B)
teatro theater
techo roof
teclado keyboard (5A)
técnico/a *n.* technician (F); *adj.* technical
tecnología technology
tecnológico/a technological
tejido/a woven
teléfono telephone; **llamar por teléfono** to call on the telephone (1A); **teléfono celular** cell phone (5A); **teléfono público** public telephone (P)
telenovela soap opera (8B)
telepático/a telepathic
televisión *f.* television (*medium*); **canal** (*m.*) **de televisión** television channel; **mirar la televisión** to watch TV; **mirar programas de televisión** to watch TV shows; **ver** (*irreg.*) **la televisión** to watch TV
televisivo/a *adj.* television; **programa** (*m.*) **televisivo** TV show (8B)
televisor *m.* television (*set*) (P)
tema *m.* theme, topic
temperatura temperature; **tomar(le) la temperatura** to take (*someone's*) temperature (7A)
templo temple (*building*)
temprano early (1A)
tendencia tendency
tender (ie) a to tend to
tenedor *m.* fork (6A)
tener *irreg.* to have (2A); **tener... años** to be ... years old (2A); **tener celos** to be jealous; **tener don de gentes** to have a way with people (F); **tener éxito** to be successful (5B); **tener fiebre** to have a fever (7A); **tener ganas de + *inf.*** to feel like (*doing something*); **tener (la) gripe** to have the flu; **tener hambre** to be hungry; **tener la nariz tapada** to have a stuffed-up nose (7A); **tener prisa** to be in a hurry; **tener que + *inf.*** to have to (*do something*); **tener que ver (con)** to have to

do (with); **tener sueño** to be sleepy (7A); **tener suerte** to be lucky; **tener tos** to have a cough; **tener un resfriado** to have a cold (7A); **tenerle cariño a alguien** to be fond of someone (7B); **tenerle envidia (a alguien)** to be envious (of someone) (7B); **tenerle miedo (a alguien)** to be afraid (of someone) (7A); **tengo una clase de...** I have a(n) ... class (P)

tenis *m.* tennis (4A); **zapatos de tenis** tennis shoes (2B)

tensión *f.* tension

tenso/a tense (7A); stressed

tentempié *m.* snack

teórico/a theoretical

terapeuta *m., f.* therapist (F)

tercer, tercero/a third; **tercer plato** third course (6A)

tercio third

terminación *f.* ending

terminar to finish (7B); to end

término term

terraza terrace

terremoto earthquake (5B)

terreno terrain; *pl.* lands

terrestre terrestrial

territorio territory

terrorismo terrorism (8B)

terrorista *n. m., f.* terrorist

tesoro treasure

testigo *n. m., f.* witness (8B)

textil *adj.* textile; *m., pl.* textiles (8A)

texto text; **enviar (envío) mensajes de texto** to send text messages (1A); **libro de texto** textbook

ti *obj. of prep.* you (*fam. s.*) (4B)

tibio/a warm

tiburón *m.* shark

tiempo weather, time; **a tiempo** on time; **¿cuánto tiempo hace que... ?** how long has it been since ... ?; **hace buen/mal tiempo** it's good/bad weather (1B); **hace** + *time* ago; **llegar (gu) a tiempo** to arrive on time (1A); **pasar (mucho) tiempo** to spend (a lot of) time (1A); **pérdida de tiempo** waste of time (8B); **pronóstico del tiempo** weather report (8B)

tienda store, shop (2A)

tierra earth, land

tijeras *pl.* scissors

timbre *m.* bell; **tono de timbre** ringtone

tímido/a timid (1B)

tinto/a: **vino tinto** red wine (3B)

tío/a uncle, aunt (3A); *pl.* aunts and uncles

típico/a typical

tipo type; **tipos de interés** interest rates (8A)

tiras cómicas comics (5A); cartoons

tirar to throw out (6B)

titular *m.* headline (8B)

titularidad *f.* ownership

titularse to be titled

título title

tiza chalk (P)

toalla (de papel) (paper) towel

tocar (qu) (el piano / la guitarra) to play (the piano / the guitar) (1A); to touch; **tocarle a alguien** to be someone's turn

tocino bacon (3B)

todavía still, yet; **todavía no sé** I still don't know (P)

todo/a all; every; **por todos lados** everywhere; **todas las noches** every night (1A); **todos los días** every day (1A)

tolerante tolerant

tomar to take (1A); to drink (1A); **tomar algo muy a pecho** to take something to heart (7A); to feel something intensely (7A); **tomar apuntes** to take notes (1A); **tomar café** to drink coffee (1A); **tomar cerveza** to drink beer (1A); **tomar el sol** to sunbathe (1B); **tomar una clase** to take a class (1A); **tomar(le) la temperatura** to take (*someone's*) temperature (7A)

tomate *m.* tomato (3B)

tónico/a (*gram.*) tonic (*stressed*)

tono de timbre ringtone

tontería foolish thing

tonto/a silly, foolish (1B)

topacio topaz

torbellino whirlwind

toro bull

torpe clumsy (5A)

torre *f.* tower

torta cake

tortilla (de maíz) *flat bread* (*made of cornmeal*) (3B); **tortilla española** *omelette made of eggs, potatoes, and onions* (*Sp.*)

tortuga turtle

tos *f.* cough; **tener** (*irreg.*) **tos** to have a cough

tostado/a toasted; **pan** (*m.*) **tostado** toast (3B)

tostones *m. pl. battered and fried slices of green plantain*

total: en total all together

trabajador(a) *adj.* hardworking (1B); *n.* worker; **trabajador(a) social** social worker (F)

trabajar to work (1A); **trabajar de voluntario/a** to work as a volunteer

trabajo job; **Día** (*m.*) **del Trabajo** Labor Day

tradicional traditional; **pérdida de valores tradicionales** loss of traditional values (8B)

traer *irreg.* to bring (2A); **¿me podría traer... ?** could you (*form. s.*) bring me ... ?; **¿qué trae... ?** what comes with ... ? (6A)

tráfico traffic

tragedia tragedy

traicionar to betray (7B)

traje *m.* suit (2B); **traje de baño** bathing suit (2B)

trama plot (*of a story*)

tranquilo/a calm, peaceful

transformarse to transform

transición *f.* transition

transparente transparent

transporte *m.* transportation (6A)

tras *adv.* behind, after

tratado treaty; **Tratado de Libre Comercio (TLC)** North America Free Trade Agreement (NAFTA)

tratamiento treatment

tratar to treat; to deal with; **tratar de** + *inf.* to try to (*do something*); **tratarse de** to be about (8B)

trato treatment

través: a través de through, by means of

travieso/a mischievous (5A)

trece thirteen (1A)

treinta thirty (1A); **treinta y dos** thirty-two (2A); **treinta y uno** thirty-one (2A)

tren *m.* train; **estación** (*f.*) **del tren** train station (2B)

tres three (1A)

tres mil three thousand (5B)

trescientos/as three hundred (2B); **trescientos/as mil** three hundred thousand (5B)

trimestre *m.* quarter (*school*); **¿qué clases tienes este trimestre?** what classes do you (*fam. s.*) have this quarter?

triste sad (1B)

triturado/a mashed

triunfo triumph (F)

tropas troops

tropical: selva tropical tropical jungle (6B)

trópico *s.* tropics

trovador *m.* troubadour

truco trick; **hacer** (*irreg.*) **trucos** to do tricks

tú *sub. pron.* you (*fam. s.*) (P)

tu(s) *poss.* your (*fam. s.*) (1A); **¿cuál es tu apellido?** what's your (*fam. s.*) last name? (P)

tumultuoso/a tumultuous (5B)

turbulento/a turbulent

turismo tourism

turista *n. m., f.* tourist

turístico/a *adj.* tourist; **clase** (*f.*) **turística** tourist class (6A)

tutearse *to address each other as* **tú**

turnarse to take turns

turno turn

tuyo/a/os/as *poss.* your, of yours (*fam. s.*) (2B)

U

u or (*used instead of* **o** *before words beginning with* **o** *or* **ho**)

ubicación *f.* location

ubicarse (q) to be located

último/a last

ultraderecha extreme right (*politics*)

un, uno/a *indef. art.* a, an; one (P); *pl.* some, any; **a la una** at one o'clock (1A); **es la una** it's one o'clock (1A); **un poco de** a little (of) (P); **una vez al mes** once a month (1B)

único/a only; **hijo/a único/a** only child (3A)

uniforme *m.* uniform

unido/a united; **los Estados Unidos** United States

unión *f.* union

unir to unite, join

universidad *f.* university (P)

universitario/a *of or pertaining to the university*

uno one (1A)

urbano/a urban

uruguayo/a *n., adj.* Uruguayan

usar to use; to wear (*clothing*)

uso *n.* use

usted (Ud.) *sub. pron.* you (*form. s.*) (P); *obj. of prep.* you (*form. s.*)

ustedes (Uds.) *sub. pron.* you (*form. pl.*) (P); *obj. of prep.* you (*form. pl.*)

usuario/a user

útil useful

utilizar (c) to utilize, use

uva grape

¡uy! *interj.* oh!

V

vaca cow

vacación *f.* vacation; **de vacaciones** on vacation; **irse** (*irreg.*) **de vacaciones** to go on vacation (6B)

vacilar to hesitate

vacío/a empty

vainilla vanilla

valenciano *dialect of Catalonian spoken in Valencia*

Valentín: Día (*m.*) **de San Valentín** St. Valentine's Day (4A)

válido/a valid

valiente brave

valle *m.* valley (6B)

valor *m.* value; **Bolsa de valores** stock market (8A); **pérdida de valores tradicionales** loss of traditional values (8B)

vals *m. s.* waltz

vano/a vain (7B)

vapor steam; **al vapor** steamed (3B)

vaqueros jeans (2B)

variación *f.* variation

variar (varío) to vary

variedad *f.* variety

varios/as *pl.* various; **manejar varias cosas a la vez** to manage a variety of things at once (F)

varón *n.* male

vaso glass (*water*) (6A)

vasto/a vast

vecino/a neighbor (4B)

vegetación *f.* vegetation

vegetariano/a vegetarian (3B)

veinte twenty (1A); **los años veinte** the twenties (5B)

veinticinco twenty-five (1A)

veinticuatro twenty-four (1A)

veintidós twenty-two (1A)

veintinueve twenty-nine (1A)

veintiocho twenty-eight (1A)

veintiséis twenty-six (1A)

veintisiete twenty-seven (1A)

veintitrés twenty-three (1A)

veintiún, veintiuno/a twenty-one (1A)

vela: hacer (*irreg.*) **vela** to sail

vendaje *m.* bandage

vendedor(a) salesperson; vendor

vender to sell (2B)

venezolano/a Venezuelan

vengativo/a vengeful (7A)

venir *irreg.* to come (2A)

venta sale

ventaja advantage

ventana window (P)

ver *irreg.* (*p.p.* **visto/a**) to see (1B); **nos vemos** see you around; **tener** (*irreg.*) **que ver (con)** to have to do (with); **ver la televisión** to watch TV; **ver un espectáculo** to see a show (6B); **ver una película** to watch a movie

verano summer (1B)

veras: de veras really

verbo verb

verdad *f.* truth

verdadero/a true

verde green (2B); unripe

verdura vegetable (3B)

verificación *f.* check, test

verificar (qu) to check, verify

versión *f.* version

verso line (of poetry)

vestido *n.* dress (2B)

vestir (i, i) to dress (2B); **vestirse** to get dressed (2B)

veterano/a veteran

veterinario/a veterinarian

vez *f.* (*pl.* **veces**) times; **a veces** sometimes; **cada vez** each time; **cada vez más** more and more; **de vez en cuando** once in a while (3B); **la próxima vez** the next time; **la última vez** the last time; **muchas veces** often; **pagar (gu) de una vez** to pay off all at once (8A); **raras veces** infrequently, rarely; **tal vez** perhaps; **una vez (al mes)** once (a month) (1B); **manejar varias cosas a la vez** to manage a variety of things at once (F)

vía way; path; **país** (*m.*) **en vías de desarrollo** developing country (8A)

viajar to travel, take a trip (1A)
viaje *m.* trip; **agencia de viajes** travel agency (6A); **agente** (*m., f.*) **de viajes** travel agent (6A); **hacer** (*irreg.*) **un viaje** to take a trip (6A)
viajero/a traveler (6A); **cheque** (*m.*) **de viajero** traveler's check (8A)
vicepresidente/a vicepresident
vida life; **seguro de vida** life insurance (8A)
vídeo video
videocámara camcorder (5A)
videojuego video game; **jugar (ue) (gu) a los videojuegos** to play video games (5A)
vidrio glass; **botella de vidrio** glass bottle (6B)
viejo/a *n.* elderly person; **casco viejo** old zone (of a city); **Noche** (*f.*) **Vieja** New Year's Eve (4A)
viento wind; **hace (mucho) viento** it's (very) windy (1B)
viernes *m. inv.* Friday (1A)
vigente in force
vigilar to watch (over); to supervise
vigor: entrar en vigor to go into effect
vino wine (3); **degustar vinos** to go wine tasting (6B); **vino blanco** white wine (3B); **vino tinto** red wine (3B)
viña vineyard
violencia violence; **violencia doméstica** domestic violence (8B)
violento/a violent (8B)
virgen *f.* virgin
Virgo Virgo
virtud *f.* virtue

virus *m.* virus (*computers*)
visita visit
visitar to visit (1A); **visitar un museo** to visit a museum (4A)
vista view (4B); **punto de vista** point of view
vistazo glance
vitalicio/a for life
vitamina vitamin
viudo/a widowed (3A); widower, widow
vivienda housing (4B); **seguro de vivienda** homeowner's insurance (8A)
vivir to live (1B)
vivo/a alive (3A)
vocabulario vocabulary
volcán *m.* volcano (6B)
vólebol *m.* volleyball (4A)
volumen *m.* volume; **poner** (*irreg.*) **alto el volumen** to turn the volume up high
voluntario/a volunteer (8B); **trabajar de voluntario/a** to volunteer
volver (ue) (*p.p.* **vuelto/a**) to return (*to a place*) (2A); **volver a** + *inf.* to (*do something*) again
vos *fam. s.* you (*used instead of* **tú** *in certain countries of Central and South America*)
vosotros/as *sub. pron.* you (*fam. pl. Sp.*) (P); *obj. of prep.* you (*fam. pl. Sp.*)
votación *f.* voting; vote
votar to vote (8B)
voz *f.* (*pl.* **voces**) voice; **buzón** (*m.*) **de voz** voicemail (5A); **en voz alta** aloud

vuelo (directo) (direct) flight (6A); **asistente** (*m., f.*) **de vuelo** flight attendant (6A)
vuelta *n.* turn; **dar** (*irreg.*) **la vuelta a** to go around (*something*); **de ida y vuelta** *adj.* round-trip (6A)
vuelto/a (*p.p. of* **volver**) returned
vuestro/a/os/as *poss.* your (*fam. pl. Sp.*), of yours (*fam. pl. Sp.*) (1A)

W
web Web (World Wide Web); **página web** Web page (5A)

X
X: rayos X (equis) X-rays (7A)

Y
y and (P); **y cuarto** quarter past (*hour*) (1A); **y media** half past (*hour*) (1A)
ya already; **ya murió** he/she already died (3A); **ya no** no longer
yerno son-in-law (3A)
yo *sub. pron.* I (P)
yoga *m.* yoga; **practicar (qu) el yoga** to do yoga (4A)
yogur *m.* yogurt (3B)
yuxtapuesto/a juxtaposed

Z
zampoña Andean pan flute
zanahoria carrot (3A)
zapato shoe (2B); **zapatos de tenis** tennis shoes (2B)
zapoteco/a Zapotec
zona zone

Answer Key

Lección preliminar

PRIMERA PARTE

Vocabulario

Actividad A　3, 5, 4, 2, 1

Gramática

Actividad C　**1.** Guatemala　**2.** Italia　**3.** Rusia　**4.** Cuba　**5.** Francia　**6.** Ecuador　**7.** España
8. Venezuela　**Actividad E**　**1.** b　**2.** c　**3.** b　**4.** d　**5.** a　**6.** d

SEGUNDA PARTE

Vocabulario

Actividad A　**1.** b　**2.** c　**3.** a　**4.** b　**5.** b　**6.** a　**7.** b　**8.** a　**Actividad C**　**1.** e　**2.** g　**3.** b　**4.** h
5. d　**6.** a　**7.** c　**8.** f

Gramática

Actividad E　**1.** b (no)　**2.** d (no)　**3.** a (sí)　**4.** b (no)　**5.** a (sí)　**6.** a (no)　**7.** d (sí)　**8.** c (sí)

TERCERA PARTE

Vocabulario

Actividad B　**1.** cierto　**2.** falso　**3.** cierto　**4.** cierto　**5.** cierto　**6.** falso

Gramática

Actividad C　**1.** b　**2.** a　**3.** b　**4.** b　**5.** a　**6.** c　**7.** b　**8.** a

Lección 1A

PRIMERA PARTE

Vocabulario

Actividad A　**1.** 793-4106　**2.** 549-4331　**3.** 879-3132　**4.** 996-4131　**5.** 931-3486　**6.** 286-0294　**7.** 631-7254
8. 403-8679　**Actividad B**　**1.** $16 + 6 = 22$　**2.** $30 - 13 = 17$　**3.** $4 + 11 = 15$　**4.** $3 + 25 = 28$
5. $8 - 2 = 6$　**6.** $10 + 20 = 30$　**7.** $14 - 5 = 9$　**8.** $15 - 2 = 13$　**Actividad C**　**1.** falso　**2.** cierto
3. falso　**4.** cierto　**5.** falso　**6.** falso　**7.** cierto　**8.** falso

Gramática

Actividad E　**1.** f　**2.** c　**3.** a　**4.** e　**5.** h　**6.** d　**7.** g　**8.** b

SEGUNDA PARTE

Vocabulario

Actividad B　**1.** b　**2.** a　**3.** a　**4.** c　**5.** b　**6.** b

Gramática

Actividad E **1.** d **2.** c **3.** b **4.** a **5.** f **6.** g **7.** e **Actividad F** **1.** c **2.** c **3.** c **4.** a **5.** a **6.** b **7.** a **8.** b

TERCERA PARTE

Vocabulario

Actividad B **1.** b **2.** a **3.** b **4.** b **5.** a **6.** b **7.** a **8.** a **Actividad C** **1.** b **2.** a **3.** c **4.** b **5.** b **6.** a

Gramática

Actividad D **1.** b **2.** b **3.** a **4.** c **5.** a **6.** c

¡A escuchar!

Actividad A **Paso 1** **1.** llevo **2.** Al **3.** unos **Paso 2** **1.** cierto **2.** falso
Actividad B **Paso 1** **1.** cierto **2.** falso **Paso 2** **1.** claro que sí **2.** *Possible answer:* What can I do for you?
Actividad C **Paso 1** **1.** falso **2.** a las diez (10:00) de la mañana **Paso 2** **1.** *Possible answer:* pretty, nice (positive) **2.** a propósito

Lección 1B

PRIMERA PARTE

Vocabulario

Actividad B **1.** unas chicas **2.** la informática **3.** en la biblioteca **4.** los lunes y miércoles **5.** a mi amigo **6.** en la sala de clase **7.** una película mexicana **8.** Necesito comprar un libro. **Actividad C** **1.** a **2.** b **3.** e **4.** f **5.** d **6.** c

Gramática

Actividad E **1.** c **2.** e **3.** f **4.** a **5.** g **6.** h **7.** b **8.** d

SEGUNDA PARTE

Vocabulario

Actividad C **Paso 1** **1.** S **2.** N **3.** N **4.** S **5.** N **6.** S **7.** N **8.** S **Paso 2** **1.** invierno **2.** invierno **3.** invierno **4.** verano **5.** verano **6.** invierno **7.** invierno **8.** verano

Gramática

Actividad E **1.** d **2.** b **3.** f **4.** c **5.** a **6.** e

TERCERA PARTE

Vocabulario

Actividad B **1.** e **2.** c **3.** f **4.** a **5.** b **6.** d **Actividad C** **1.** c **2.** a **3.** g **4.** b **5.** f **6.** h **7.** e **8.** d

Gramática

Actividad E **1.** a **2.** b **3.** a **4.** a **5.** b **6.** b **7.** a **8.** a

¡A escuchar!

Actividad A   Paso 1   1. me llamo   **2.** mis   **3.** soy   **4.** luego   **5.** mañana   **Paso 2   1.** falso   **2.** cierto
Actividad B   Paso 1   1. de los Estados Unidos   **2.** cierto   **Paso 3   1.** d   **2.** b   **3.** c   **4.** a

Lección 2A

PRIMERA PARTE

Vocabulario

Actividad A   1. 71   **2.** 42   **3.** 93   **4.** 68   **5.** 55   **6.** 39   **7.** 80   **8.** 100   **Actividad B   Paso 1   1.** Leticia
(36), Nancy (28); Leticia   **2.** Sergio (16), Marcela (21); Marcela   **3.** Rosa María (42), Marcos (43);
Marcos   **4.** Rodrigo (84), Leonora (59); Rodrigo   **5.** Alba (70), Gabriela (63); Alba   **6.** Pablo (15),
Andrés (33); Andrés   **Paso 2**   Rodrigo es el mayor de todos.   **Actividad C   1.** adulto   **2.** adolescente
3. adulto   **4.** anciano   **5.** adolescente   **6.** anciano   **7.** adulto   **8.** anciano

Gramática

Actividad E   Paso 1   1. no   **2.** sí   **3.** no   **4.** no   **5.** sí   **6.** sí

SEGUNDA PARTE

Vocabulario

Actividad B   1. una universidad norteamericana   **2.** una universidad hispana   **3.** una universidad
norteamericana   **4.** una universidad norteamericana   **Actividad C   1.** no   **2.** no   **3.** sí   **4.** sí   **5.** no
6. sí   **7.** no   **8.** no

Gramática

Actividad E   1. e   **2.** f   **3.** c   **4.** a   **5.** d   **6.** b

TERCERA PARTE

Vocabulario

Actividad A   1. c   **2.** a   **3.** c   **4.** b   **5.** a   **6.** b   **7.** c   **Actividad C   1.** e   **2.** g   **3.** d   **4.** h   **5.** f   **6.** a
7. b   **8.** c

Gramática

Actividad D   1. por la tarde   **2.** por la noche   **3.** por la noche   **4.** por la mañana   **5.** por la tarde/noche
6. por la mañana   **7.** por la tarde/noche   **Actividad F   1.** sí   **2.** sí   **3.** no   **4.** no   **5.** no   **6.** sí

¡A escuchar!

Actividad A   Paso 1   1. Soy   **2.** Vengo   **3.** Tengo   **4.** prefiere   **5.** Prefiero   **Paso 2   1.** falso   **2.** cierto
Actividad B   Paso 1   1. cierto   **2.** con su conductor/Mario   **Paso 2   1.** ¡Qué coincidencia!   **2.** *Possible
answer:* Well   **Actividad C   Paso 1   1.** bonita   **2.** inteligente   **Paso 2**   *Possible answer:* Let's get back
to business.

Lección 2B

PRIMERA PARTE

Vocabulario

Actividad B   1. c   **2.** d   **3.** d   **4.** b   **5.** a   **6.** c   **7.** b   **8.** a   **Actividad C   1.** b   **2.** a   **3.** a   **4.** a
5. a   **6.** a

Gramática

Actividad E   **1.** d   **2.** e   **3.** b   **4.** g   **5.** f   **6.** c   **7.** a

SEGUNDA PARTE

Vocabulario

Actividad C   **1.** d   **2.** g   **3.** b   **4.** f   **5.** h   **6.** e   **7.** a   **8.** c

Gramática

Actividad E   **1.** b   **2.** c   **3.** a   **4.** c   **5.** a   **6.** d

TERCERA PARTE

Vocabulario

Actividad A   5, 3, 7, 6, 1, 8, 9, 2, 4   **Actividad C**   **1.** d   **2.** e   **3.** a   **4.** f   **5.** b   **6.** c

Gramática

Actividad D   Paso 2   Normalmente Eduardo es una persona divertida, pero hoy está de mal humor.
Actividad E   **1.** descripción   **2.** cambio   **3.** cambio   **4.** descripción   **5.** cambio   **6.** cambio
Actividad F   **1.** Es   **2.** es   **3.** Está   **4.** Es   **5.** es   **6.** está   **7.** Está   **8.** está

¡A escuchar!

Actividad A   Paso 1   1. pido   **2.** señor   **3.** ser   **Paso 2**   *Possible answer:* distracted
Actividad B   Paso 1   1. ¿Viene a chocarse conmigo otra vez?   **2.** Creo que esto es suyo.   **3.** Por eso
sabe mi nombre.   **4.** Si quiere, la guarda.

Lección 3A

PRIMERA PARTE

Vocabulario

Actividad A   **1.** b   **2.** a   **3.** c   **4.** b   **5.** c   **6.** a   **Actividad B**   **1.** b   **2.** c   **3.** c   **4.** a   **5.** a   **6.** b

Gramática

Actividad D   **1.** Sabes   **2.** Conoces   **3.** Conoces   **4.** Conoces   **5.** Sabes   **6.** Conoces
Actividad E   **1.** Jaime   **2.** Mario   **3.** Mario   **4.** Jaime   **5.** Jaime   **6.** Jaime   **7.** Jaime
Actividad F   **1.** a   **2.** a   **3.** b   **4.** b   **5.** b   **6.** a

SEGUNDA PARTE

Vocabulario

Actividad A   **1.** c   **2.** b   **3.** e   **4.** h   **5.** g   **6.** d   **7.** a   **8.** f   **Actividad C**   **1.** c   **2.** b   **3.** a   **4.** a
5. c   **6.** c

Gramática

Actividad E   **1.** a   **2.** b   **3.** b   **4.** c   **5.** b   **6.** c   **Actividad F**   **1.** A man is calling her.   **2.** My father
kisses my mother.   **3.** A child is looking for her.   **4.** Our parents help us.   **5.** She wants to call him.
6. The children detest them.

TERCERA PARTE

Vocabulario

Actividad A **1.** b **2.** a **3.** a **4.** a **5.** b **6.** b **7.** a **8.** a   **Actividad C** **1.** ilógico **2.** ilógico **3.** lógico **4.** lógico **5.** ilógico **6.** ilógico

Gramática

Actividad D **1.** más **2.** menos **3.** menor **4.** mayor **5.** más **6.** más   **Actividad F** **1.** b **2.** a **3.** b **4.** c **5.** c **6.** c

¡A escuchar!

Actividad A **Paso 1** **1.** sí **2.** sí **3.** no   **Paso 2** por supuesto   **Actividad B** **Paso 1** **1.** quiere **2.** esperas   **Paso 2** **1.** Traimaqueo **2.** cierto

Lección 3B

PRIMERA PARTE

Vocabulario

Actividad A **1.** c **2.** d **3.** b **4.** d **5.** c **6.** d **7.** a **8.** c

Gramática

Actividad C **1.** malo **2.** bueno **3.** malo **4.** malo **5.** bueno **6.** malo **7.** malo **8.** bueno
Actividad E **1.** Siempre **2.** nada **3.** jamás **4.** ninguna **5.** También **6.** alguien

SEGUNDA PARTE

Vocabulario

Actividad C **1.** b **2.** a **3.** a **4.** c **5.** b

Gramática

Actividad E **1.** c **2.** b **3.** c **4.** b **5.** b **6.** c   **Actividad F** **1.** está **2.** ser **3.** está **4.** son **5.** están **6.** está **7.** es

TERCERA PARTE

Vocabulario

Actividad B **1.** f **2.** e **3.** d **4.** b **5.** h **6.** a **7.** c **8.** g   **Actividad C** **1.** c **2.** a **3.** b **4.** a **5.** c **6.** c **7.** b **8.** a

Gramática

Actividad E 4, 3, 6, 1, 2, 5, 7   **Actividad F** **1.** le **2.** les **3.** les **4.** le **5.** les **6.** le

¡A escuchar!

Actividad A **Paso 1** **1.** c **2.** b   **Paso 2** **1.** no es nada   **Actividad B** **Paso 1** **1.** siempre **2.** está **3.** ningún interés **4.** para   **Paso 2** **1.** falso **2.** cierto   **Actividad C** **Paso 1** **1.** falso **2.** falso
Paso 2 **1** La venta tiene que suceder en los próximos días. **2.** A mi madre ya casi la tengo convencida.

Para escribir

Antes de escribir
Answers may vary.   **1.** Carlos   **2.** Jaime   **3.** Carlos   **4.** Jaime   **5.** Jaime   **6.** los dos   **7.** los dos
8. los dos

Lección 4A

PRIMERA PARTE

Vocabulario

Actividad B   **1.** d   **2.** g   **3.** e   **4.** a   **5.** c   **6.** f   **7.** b   **Actividad C**   **1.** cierto   **2.** falso   **3.** falso
4. cierto   **5.** falso   **6.** falso   **7.** falso   **8.** cierto

Gramática

Actividad F   **1.** otra persona: Leonardo da Vinci   **2.** yo   **3.** otra persona: Cristóbal Colón y otros
4. yo   **5.** otra persona: Neil Armstrong y otros   **6.** otra persona: su hermano Wilbur Wright

SEGUNDA PARTE

Vocabulario

Actividad B   **1.** b   **2.** c   **3.** a   **4.** b   **5.** a   **6.** b   **7.** b   **Actividad C**   **1.** falso   **2.** cierto   **3.** cierto
4. falso   **5.** cierto   **6.** cierto   **7.** cierto   **8.** cierto

Gramática

Actividad D   **1.** pretérito   **2.** pretérito   **3.** presente   **4.** pretérito   **5.** presente   **6.** pretérito   **7.** pretérito
8. presente

TERCERA PARTE

Vocabulario

Actividad B   **1.** S   **2.** N   **3.** S   **4.** N   **5.** S   **6.** S   **7.** N   **Actividad C**   **1.** b   **2.** c   **3.** c   **4.** b   **5.** a   **6.** c

Gramática

Actividad E   **1.** d   **2.** b   **3.** c   **4.** a   **5.** g   **6.** h   **7.** e   **8.** f

¡A escuchar!

Actividad A   **Paso 1**   **1.** Muy   **2.** interesante   **3.** evidente   **4.** No   **5.** sé   **6.** ser   **Paso 2**   **1.** cierto
2. falso   **Actividad B**   **Paso 1**   **1.** a   **2.** a   **Paso 2**   **1.** Está bromeando.   **2.** por lo menos

Lección 4B

PRIMERA PARTE

Vocabulario

Actividad B   **1.** falso   **2.** cierto   **3.** cierto   **4.** cierto   **5.** cierto   **6.** falso

Gramática

Actividad C   **1.** f   **2.** e   **3.** b, d   **4.** c   **5.** a   **Actividad D**   **1.** e   **2.** d   **3.** g   **4.** f   **5.** a   **6.** b   **7.** c

SEGUNDA PARTE

Vocabulario

Actividad B   **1.** falso   **2.** falso   **3.** cierto   **4.** cierto   **5.** falso   **6.** falso   **7.** falso   **8.** cierto

Gramática

Actividad D   **1.** f   **2.** c   **3.** e   **4.** d   **5.** a   **6.** b

TERCERA PARTE

Vocabulario

Actividad A   **1.** c   **2.** d   **3.** g   **4.** f   **5.** a   **6.** e   **7.** b   **Actividad C**   **1.** b   **2.** a   **3.** c   **4.** b   **5.** b
6. a   **7.** c

Gramática

Actividad E   **1.** por   **2.** para   **3.** para   **4.** por   **5.** por   **6.** para   **7.** por   **8.** para

¡A escuchar!

Actividad A   **Paso 1**   **1.** murió   **2.** negocios   **3.** intereses   **4.** siempre   **5.** para   **6.** estar
Paso 2   **1.** falso   **2.** falso   **Paso 3**   **1.** a   **2.** *Possible answer:* resentful   **Actividad B**   **Paso 1**   **1.** no
2. no   **Paso 2**   **1.** de verdad   **2.** *Possible answer:* to limit oneself

Para escribir

Antes de escribir
Paso 2   *Chronological order of events:* 1, 5, 2, 3, 6, 9, 10, 4, 7, 11, 8, 12

Answer Key

Lección 5A

PRIMERA PARTE

Vocabulario

Actividad B 4, 3, 5, 2, 7, 1, 6 **Actividad C** **1.** ventaja **2.** desventaja **3.** ventaja o desventaja
4. ventaja **5.** ventaja o desventaja **6.** desventaja **7.** ventaja

Gramática

Actividad D **1.** a **2.** b **3.** b **4.** b **5.** b **6.** a

SEGUNDA PARTE

Vocabulario

Actividad B **1.** el teléfono **2.** el televisor y el teléfono **3.** el teléfono **4.** el televisor **5.** el teléfono
Actividad C **1.** Funciona. **2.** No funciona. **3.** No funciona. **4.** No funciona. **5.** No funciona.
6. Funciona. **7.** No funciona.

Gramática

Actividad E **Paso 1** **1.** b, d **2.** b, c **3.** a, d **4.** b, d **5.** a, d **Actividad F** **1.** a **2.** b **3.** b **4.** a
5. b **6.** c **7.** b

TERCERA PARTE

Vocabulario

Actividad B **1.** sedentaria **2.** activa **3.** activa **4.** sedentaria **5.** sedentaria **6.** activa
Actividad C **1.** b **2.** a **3.** b **4.** c **5.** a **6.** a

Gramática

Actividad D **1.** posible **2.** mentira **3.** posible **4.** mentira **5.** mentira **6.** posible
Actividad E **1.** c **2.** g **3.** b **4.** e **5.** a **6.** h **7.** d **8.** f

¡A escuchar!

Actividad A **Paso 1** **1.** es **2.** un **3.** regalo **4.** Algo **5.** decía **6.** color **7.** de **8.** día **9.** color
10. de **11.** noche **12.** se **13.** lo **14.** dije **15.** evidente **Paso 2** **1.** falso **2.** cierto
Actividad B **Paso 1** **1.** cierto **2.** cierto **Paso 2** **1.** algo **2.** ¿Cómo?

Lección 5B

PRIMERA PARTE

Vocabulario

Actividad A *Correct order indicated in parentheses.* **1.** 535.000 (6) **2.** 2.010 (2) **3.** 3.342.615 (8)
4. 14.200 (3) **5.** 1.739 (1) **6.** 21.998 (4) **7.** 300.300 (5) **8.** 888.002 (7) **Actividad B** **1.** g, 1873
2. a, 1010 **3.** e, 1623 **4.** b, 1286 **5.** c, 1312 **6.** h, 2052 **7.** d, 1492 **8.** f, 1776

Gramática

Actividad C **1.** e **2.** b **3.** f **4.** a **5.** c **6.** d **Actividad E** **1.** g **2.** e **3.** f **4.** a **5.** h **6.** c
7. d **8.** b

SEGUNDA PARTE

Vocabulario

Actividad A **1.** c **2.** a **3.** b **4.** c **5.** c   **Actividad C** **1.** d **2.** g **3.** b **4.** a **5.** e **6.** f **7.** c

Gramática

Actividad E **1.** b **2.** a **3.** b **4.** a **5.** a **6.** a

TERCERA PARTE

Vocabulario

Actividad A **1.** e **2.** c **3.** a **4.** f **5.** d **6.** b

Gramática

Actividad C **1.** distracción **2.** distracción **3.** ayuda **4.** ayuda **5.** distracción **6.** ayuda **7.** ayuda
8. distracción

¡A escuchar!

Actividad A **Paso 1** **1.** tengo **2.** mucho **3.** trabajo **4.** murió **5.** estaba **6.** tenía
7. otros **8.** intereses **Paso 2** **1.** falso **2.** cierto **Actividad B** **Paso 1** **1.** falso **2.** cierto
Paso 2 **1.** a **2.** a

Para escribir

Antes de escribir

Paso 1 **1.** Jaime **2.** María **3.** Jaime **4.** María **5.** Jaime **6.** Jaime **7.** Jaime y María **8.** Jaime
9. Jaime y María **10.** Jaime **11.** Jaime y María **Paso 2** *Chronological order of events (answers may vary
slightly)*: 1, 2, 10, 7, 8, 5, 6, 9, 11, 4, 3

Lección 6A

PRIMERA PARTE

Vocabulario

Actividad B 5, 4, 1, 2, 6, 3, 7 **Actividad C** **1.** d **2.** a **3.** b **4.** f **5.** c **6.** e

Gramática

Actividad D 3, 8, 1, 6, 5, 2, 4, 7 **Actividad F** **1.** d **2.** e **3.** a **4.** f **5.** b **6.** c

SEGUNDA PARTE

Vocabulario

Actividad A **1.** a **2.** b **3.** b **4.** a **5.** b **6.** b

Gramática

Actividad E **1.** ciclista **2.** los dos **3.** conductor **4.** los dos **5.** ciclista **6.** conductor
Actividad F **1.** e **2.** d **3.** a **4.** f **5.** c **6.** b

TERCERA PARTE

Vocabulario

Actividad A   1. falso   2. falso   3. falso   4. cierto   5. falso   6. falso   7. cierto   8. cierto
Actividad B   1. c   2. g   3. e   4. a   5. h   6. b   7. d   8. f

Gramática

Actividad E   1. f   2. c   3. a   4. e   5. d   6. g   7. b   **Actividad F**   1. c   2. c   3. a   4. b   5. b   6. a
7. c   8. b

¡A escuchar!

Actividad A   **Paso 1**   1. de   2. buen   3. color   4. me   5. gustan   6. los   7. mejores   8. del
9. mercado   10. dos   11. kilos   **Paso 2**   1. cierto   2. falso   **Actividad B**   **Paso 1**   1. falso
2. cierto   **Paso 2**   1. Piénselo bien.   2. Ya se lo he dicho.

Lección 6B

PRIMERA PARTE

Vocabulario

Actividad A   1. g   2. a   3. d   4. f   5. c   6. b   7. h   8. e   **Actividad C**   1. a   2. c   3. b   4. b   5. c
6. a   7. a   8. a

Gramática

Actividad D   1. e   2. f   3. b   4. c   5. a   6. d   **Actividad E**   1. un estudiante que suele faltar a su
primera clase porque se desvela   2. una persona que quiere llevar una vida más sana   3. alguien que
quiere practicar el paracaidismo   4. una persona que quiere bajar de peso   5. tu gato, que te despierta
a las 5:00 de la mañana todos los sábados   6. tu compañero/a de cuarto que quemó la cena y le
prendió fuego a la cocina

SEGUNDA PARTE

Vocabulario

Actividad B   1. d   2. a   3. b   4. f   5. c   6. e   **Actividad C**   1. pesticidas   2. fertilizantes
3. contaminan   4. se descomponen   5. proteger   6. deforestación   7. peligro de extinción   8. conservar

Gramática

Actividad E   1. d   2. f   3. b   4. a   5. e   6. c   **Actividad F**   1. d   2. f   3. b   4. a   5. c   6. e

TERCERA PARTE

Vocabulario

Actividad A   1. b   2. c   3. c   4. c   5. b   6. a   7. b   **Actividad B**   1. e   2. f   3. g   4. a   5. c
6. b   7. d

Gramática

Actividad E   1. c   2. e   3. a   4. g   5. f   6. b   7. d

¡A escuchar!

Actividad A   Paso 1   1. «A ver. Mis ojos no lo creen. Tan bella como siempre.»   **2.** de tú
Paso 2   1. *Possible answer:* Let me see.   **2.** *Possible answer:* I don't believe my eyes!   **3.** exageres
Actividad B   Paso 1   1. vino   **2.** de   **3.** la   **4.** casa   **5.** De   **6.** dónde   **7.** es   **8.** el   **9.** mejor
10. de   **11.** todos   **12.** Qué   **13.** interesante   **Paso 2   1.** house wine   **2.** ¡Qué interesante!

Lección 7A

PRIMERA PARTE

Vocabulario

Actividad B   1. antónimos   **2.** sinónimos   **3.** sinónimos   **4.** antónimos   **5.** No hay relación.
6. No hay relación.   **7.** sinónimos   **8.** No hay relación.   **Actividad C   1.** b   **2.** c   **3.** b   **4.** a   **5.** b

Gramática

Actividad D   1. falso   **2.** cierto   **3.** cierto   **4.** falso   **5.** cierto   **6.** cierto
Actividad F   1. d   **2.** a   **3.** e   **4.** b   **5.** c

SEGUNDA PARTE

Vocabulario

Actividad C   1. c   **2.** a   **3.** d   **4.** b   **5.** e   **Actividad D   1.** la nariz   **2.** la garganta.   **3.** tomar aspirina.
4. usar muletas.   **5.** te lastimas la espalda.   **6.** tienes los.   **7.** yeso.   **8.** los dedos

Gramática

Actividad E   1. Estaba   **2.** era   **3.** había   **4.** tenía   **5.** veía   **6.** podía

TERCERA PARTE

Vocabulario

Actividad A   1. cierto   **2.** falso   **3.** cierto   **4.** falso   **5.** cierto   **6.** falso   **7.** falso   **8.** cierto
Actividad B   1. Porque necesita ver si tiene fiebre o no.   **2.** Tiene dos.   **3.** Si tienes alergias.
4. Siempre toman la presión de la sangre.   **5.** Le sacan sangre   **6.** Te pesó.

Gramática

Actividad D   1. a   **2.** b   **3.** c   **4.** b   **5.** a   **6.** b   **7.** c   **8.** a

¡A escuchar!

Actividad A   Paso 1   1. b   **2.** c   **Paso 2   1.** se enojó   **2.** vi   **3.** se veían   **4.** creía   **5.** vio
Paso 3   1. a   **2.** b   **Actividad B   Paso 1   1.** He   **2.** averiguado   **3.** ha   **4.** estado   **5.** Hemos
6. sabido   **7.** le   **8.** importa   **9.** hace   **10.** dos   **11.** años   **Paso 2   1.** Paco   **2.** por Internet y por
teléfono   **3.** la ecología y la comunidad humana (del Valle del Maipo)   **4.** Bolivia

Lección 7B

PRIMERA PARTE

Vocabulario

Actividad A   **1.** b   **2.** a   **3.** c   **4.** a   **5.** b   **6.** c

Gramática

Actividad D   **1.** cierto   **2.** falso   **3.** falso   **4.** cierto   **5.** cierto   **6.** falso   **7.** cierto   **8.** falso
Actividad E   **1.** socios   **2.** ambos   **3.** ambos   **4.** amigos   **5.** socios   **6.** ambos   **7.** amigos   **8.** socios

SEGUNDA PARTE

Vocabulario

Actividad A   **1.** f   **2.** e   **3.** h   **4.** c   **5.** b   **6.** a   **7.** g   **8.** d   **Actividad B**   **1.** c   **2.** a   **3.** g   **4.** f   **5.** e
6. b   **7.** h   **8.** d

Gramática

Actividad D   **1.** niño   **2.** estrella de cine   **3.** niño   **4.** ambos   **5.** estrella de cine   **6.** ambos
Actividad E   **1.** llueva   **2.** falte   **3.** podamos   **4.** esté en   **5.** dé   **6.** le caiga   **7.** me hable   **8.** estime

TERCERA PARTE

Vocabulario

Actividad A   **1.** se conocen   **2.** se enamoran   **3.** se casan   **4.** terminan   **5.** se perdonan
6. se divorcian   **Actividad B**   **1.** a   **2.** c   **3.** b   **4.** b   **5.** c   **6.** a

Gramática

Actividad D   **1.** b   **2.** d   **3.** f   **4.** c   **5.** a   **6.** e   **Actividad E**   **1.** b   **2.** a   **3.** b   **4.** b   **5.** b   **6.** a   **7.** b

¡A escuchar!

Actividad A   **Paso 1**   **1.** 7 minutos; 45 minutos   **2.** 30 minutos   **Paso 2**   **1.** on foot
2. to take a shortcut   **Actividad B**   **Paso 1**   **1.** Ojalá   **2.** no   **3.** sea   **4.** tarde   **5.** para   **6.** que
7. me   **8.** perdone   **9.** perdonar   **10.** A   **11.** menos   **12.** que   **13.** merezca   **14.** su
Paso 2   **1.** falso **2.** falso

Lección 8A

PRIMERA PARTE

Vocabulario

Actividad A   3, 2, 7, 1, 4, 6, 5   **Actividad C**   **1.** e   **2.** a   **3.** g   **4.** c   **5.** h   **6.** b   **7.** d   **8.** f

Gramática

Actividad D   **1.** irresponsable   **2.** tacaña   **3.** responsable   **4.** irresponsable   **5.** responsable   **6.** tacaña

SEGUNDA PARTE

Vocabulario

Actividad A Paso 1 1. d 2. a 3. e 4. c 5. b **Paso 2** 1. seguro 2. seguro 3. deuda 4. deuda 5. seguro 6. deuda 7. deuda **Actividad B** 1. ambos 2. el que pide prestado/a 3. el que pide prestado/a 4. el que pide prestado/a 5. el que presta 6. el que pide prestado/a

Gramática

Actividad E 1. c 2. b 3. c 4. a 5. a 6. b 7. c
Actividad F 5, 7, 2, 4, 6, 3, 1

TERCERA PARTE

Vocabulario

Actividad A 1. los recursos naturales 2. la agricultura 3. la industria 4. la agricultura 5. los recursos naturales 6. la agricultura 7. la agricultura 8. la industria **Actividad B** 1. c 2. e 3. a 4. f 5. b 6. d

Gramática

Actividad E 1. d 2. a 3. f 4. b 5. c 6. e

¡A escuchar!

Actividad A Paso 1 1. c 2. a **Paso 2** 1. lo que no me gusta es que 2. vas a seguir
Actividad B Paso 1 1. engañarnos 2. vecinos 3. has 4. puesto 5. posición 6. muy 7. difícil 8. Tuve 9. estaban 10. tenía 11. pagaría 12. las 13. deudas **Paso 2** 1. b 2. c

Lección 8B

PRIMERA PARTE

Vocabulario

Actividad A 1. el periódico local 2. el noticiero nacional / el periódico local 3. una revista de moda / el periódico local 4. el noticiero nacional / el periódico local 5. el periódico local 6. una revista de moda / el periódico local 7. el periódico local **Actividad C** 1. b 2. f 3. e 4. c 5. a 6. d

Gramática

Actividad D 1. b 2. a 3. a 4. c 5. c 6. a 7. c 8. b **Actividad F** 1. b 2. e 3. f 4. a 5. g 6. c 7. d

SEGUNDA PARTE

Vocabulario

Actividad C 1. e 2. a 3. f 4. c 5. d 6. b

Gramática

Actividad D 1. e 2. c 3. f 4. d 5. b 6. a

TERCERA PARTE

Vocabulario

Actividad A **1.** b **2.** f **3.** c **4.** a **5.** e **6.** d **Actividad C** **Paso 1** **1.** e **2.** b **3.** d **4.** g **5.** f
6. a **7.** c **Paso 2** **1.** Contribuye al problema. **2.** Crea una solución. **3.** Crea una solución.
4. Contribuye al problema. **5.** Crea una solución. **6.** Crea una solución. **7.** Contribuye al problema.

Gramática

Actividad E 6, 5, 1, 4, 3, 2 **Actividad F** **1.** prohíbe **2.** obliga **3.** obliga **4.** prohíbe **5.** obliga
6. permite

¡A escuchar!

Actividad A **Paso 1** **1.** corazón **2.** cerebro **Paso 2.** c **Actividad B** **Paso 1** **1.** cierto
2. falso **Paso 2** **1.** Has visto (a) **2.** Dile que

Lección final

PRIMERA PARTE

Vocabulario

Actividad B **1.** b **2.** a **3.** b **4.** a **5.** c **6.** c **7.** b **8.** c **Actividad C** **1.** cierto **2.** falso **3.** cierto
4. cierto **5.** falso **6.** falso **7.** cierto **8.** cierto **9.** falso **10.** falso

Gramática

Actividad D **1.** a **2.** f **3.** g **4.** c **5.** e **6.** b **7.** d

SEGUNDA PARTE

Vocabulario

Actividad A **1.** a **2.** b **3.** b **4.** a **5.** a **Actividad B** **Paso 1** **1.** manejar **2.** varias **3.** cosas **4.** a
5. la **6.** vez **7.** dirigir **8.** a **9.** otras **10.** personas **11.** escuchar **12.** ser **13.** comprensivo
14. destrezas **15.** soy **16.** hábil **17.** para **Paso 2** a, d

Gramática

Actividad C **1.** a **2.** b **3.** a **4.** c **5.** c

TERCERA PARTE

Vocabulario

Actividad B **1.** de corto plazo **2.** de largo plazo **3.** de largo o corto plazo **4.** de largo plazo
5. de largo plazo **6.** de largo o corto plazo **Actividad C** **1.** a **2.** c **3.** b **4.** c **5.** a **6.** c **7.** a **8.** b

Gramática

Actividad E **1.** b **2.** e **3.** a **4.** c **5.** d

¡A escuchar!

Actividad A **Paso 1** **1.** a **2.** a **Paso 2** **1.** a **Actividad B** **Paso 1** **1.** b **2.** a **Paso 2** **1.** b **2.** a

Appendix 1: Lección 4A

PRIMERA PARTE

Vocabulario

Actividad B   **1.** d   **2.** g   **3.** e   **4.** a   **5.** c   **6.** f   **7.** b   **Actividad C**   **1.** cierto   **2.** falso   **3.** falso
4. cierto   **5.** falso   **6.** falso   **7.** falso   **8.** cierto

Gramática

Actividad F   **1.** otra persona: Leonardo da Vinci   **2.** yo   **3.** otra persona: Cristóbal Colón y otros
4. yo   **5.** otra persona: Neil Armstrong y otros   **6.** otra persona: su hermano Wilbur Wright

SEGUNDA PARTE

Vocabulario

Actividad B   **1.** b   **2.** c   **3.** a   **4.** b   **5.** a   **6.** b   **7.** b   **Actividad C**   **1.** falso   **2.** cierto   **3.** cierto
4. falso   **5.** cierto   **6.** cierto   **7.** cierto   **8.** cierto

Gramática

Actividad D   **1.** pretérito   **2.** pretérito   **3.** presente   **4.** pretérito   **5.** presente   **6.** pretérito
7. pretérito **8.** presente

TERCERA PARTE

Vocabulario

Actividad B   **1.** S   **2.** N   **3.** S   **4.** N   **5.** S   **6.** S   **7.** N   **Actividad C**   **1.** b   **2.** c   **3.** c   **4.** b   **5.** a   **6.** c

Gramática

Actividad E   **1.** d   **2.** b   **3.** c   **4.** a   **5.** g   **6.** h   **7.** e   **8.** f

¡A escuchar!

Actividad A   **Paso 1**   **1.** Muy   **2.** interesante   **3.** evidente   **4.** No   **5.** sé   **6.** ser   **Paso 2**   **1.** cierto
2. falso   **Actividad B**   **Paso 1**   **1.** a   **2.** a   **Paso 2**   **1.** Está bromeando.   **2.** por lo menos

Appendix 2: Lección 4B

PRIMERA PARTE

Vocabulario

Actividad B   **1.** falso   **2.** cierto   **3.** cierto   **4.** cierto   **5.** cierto   **6.** falso

Gramática

Actividad C   **1.** f   **2.** e   **3.** b, d   **4.** c   **5.** a   **Actividad D**   **1.** e   **2.** d   **3.** g   **4.** f   **5.** a   **6.** b   **7.** c

SEGUNDA PARTE

Vocabulario

Actividad B **1.** falso **2.** falso **3.** cierto **4.** cierto **5.** falso **6.** falso **7.** falso **8.** cierto

Gramática

Actividad D **1.** f **2.** c **3.** e **4.** d **5.** a **6.** b

TERCERA PARTE

Vocabulario

Actividad A **1.** c **2.** d **3.** g **4.** f **5.** a **6.** e **7.** b **Actividad C** **1.** b **2.** a **3.** c **4.** b **5.** b **6.** a **7.** c

Gramática

Actividad E **1.** por **2.** para **3.** para **4.** por **5.** por **6.** para **7.** por **8.** para

¡A escuchar!

Actividad A **Paso 1** **1.** murió **2.** negocios **3.** intereses **4.** siempre **5.** para **6.** estar **Paso 2** **1.** falso **2.** falso **Paso 3** **1.** a **2.** *Possible answer:* resentful **Actividad B** **Paso 1** **1.** no **2.** no **Paso 2** **1.** de verdad **2.** *Possible answer:* to limit oneself

Para escribir

Antes de escribir
Paso 2 *Chronological order of events:* 1, 5, 2, 3, 6, 9, 10, 4, 7, 11, 8, 12